U0382659

"十四五"时期国家重点出版物出版专项规划项目（重大出版工程）

中国工程院重大咨询项目

实施乡村振兴战略重大问题研究丛书

第 二 卷

科技创新支撑乡村振兴战略研究

中国工程院"科技创新支撑乡村振兴战略研究"课题组

康绍忠 杨富裕 主编

科学出版社

北 京

内 容 简 介

本书是中国工程院重大咨询项目"实施乡村振兴战略重大问题研究"成果丛书的第二卷,是对重大咨询项目课题"科技创新支撑乡村振兴战略研究"的系统总结。全书以课题研究成果为基础撰写第一、第二、第三篇内容,在三篇之后加入了以课题调研报告成果为主的附件。第一篇"乡村振兴科技供给与需求"探讨了新时代中国特色乡村振兴愿景的分析与预测、发达国家乡村振兴的成功经验、乡村振兴面临的科技瓶颈、乡村振兴科技创新的特征与需求;第二篇"乡村振兴科技创新重点与任务"提出了乡村振兴科技发展思路与战略目标、科技创新重点任务与发展路径和科技创新重大工程;第三篇"乡村振兴科技资源配置与政策体系"建议构建中国特色现代化农业农村科技创新体系,对乡村振兴科技措施与政策建议进行了阐述。附件包括"科技创新支撑乡村振兴调研报告"和"科技助力新时代乡村振兴的路径及政策建议——典型案例分析"两部分,以问卷调查为基础,分析了我国乡村经济社会的发展概况、乡村科技使用与推广现状、农民对科学技术的需求等;选取"台浙沪冀陕"典型乡村,与日韩进行对比,总结我国科技支撑乡村振兴的短板,提出乡村振兴科技政策建议。

本书适合从事乡村振兴战略研究的人员,以及其他从事农业战略研究、农业发展管理的从业者参考,适合各类图书馆馆藏。

审图号: GS 京(2022)0279 号

图书在版编目(CIP)数据

科技创新支撑乡村振兴战略研究/康绍忠,杨富裕主编. —北京:科学出版社,2022.10

(实施乡村振兴战略重大问题研究丛书. 第二卷)

"十四五"时期国家重点出版物出版专项规划项目(重大出版工程)

中国工程院重大咨询项目

ISBN 978-7-03-073465-5

Ⅰ. ①科…　Ⅱ. ①康… ②杨…　Ⅲ. ①技术革新–作用–农村经济建设–经济发展战略–研究–中国　Ⅳ. ①F323

中国版本图书馆 CIP 数据核字(2022)第 190516 号

责任编辑: 马　俊　孙　青 / 责任校对: 郑金红
责任印制: 吴兆东 / 封面设计: 无极书装

科 学 出 版 社 出版
北京东黄城根北街 16 号
邮政编码: 100717
http://www.sciencep.com

北京建宏印刷有限公司 印刷
科学出版社发行　各地新华书店经销

*

2022 年 10 月第 一 版　　开本: 787×1092　1/16
2022 年 10 月第一次印刷　　印张: 13
字数: 308 000

定价: 180.00 元

(如有印装质量问题,我社负责调换)

实施乡村振兴战略重大问题研究丛书
编委会

顾 问

周　济　韩　俊　沈国舫　张守攻　赵宪庚

陈萌山　孙其信　马晓河　贾敬敦

主 编

李晓红　邓秀新　唐华俊

成 员

刘　旭　吴孔明　康绍忠　肖绪文　侯立安

方智远　万建民　王　浩　陈剑平　陈温福

梅旭荣　袁龙江　高中琪　魏后凯　王济民

左家和　席北斗　毛世平　王秀东　周　辉

黄海涛　薛鹏飞　田　伟　刘千伟　张晓勇

孙鹏程　黄彩红　刁晓平　杨富裕　田北海

胡向东　姜树凯　罗万纯　鞠光伟　杨　波

王　波　梁真真　宝明涛　侯晓云　闫　琰

韩昕儒　谭光万

科技创新支撑乡村振兴战略研究
编委会

主　编　康绍忠　中国农业大学，院士
　　　　杨富裕　中国农业大学，教授
成　员　康绍忠　中国农业大学，院士
　　　　杨富裕　中国农业大学，教授
　　　　臧雷振　中国农业大学，教授
　　　　陈源泉　中国农业大学，教授
　　　　王　涛　中国农业大学，教授
　　　　梅旭荣　中国农业科学院，研究员
　　　　田见晖　中国农业大学，教授
　　　　杜太生　中国农业大学，教授
　　　　倪中福　中国农业大学，教授
　　　　孔祥斌　中国农业大学，教授
　　　　黄光群　中国农业大学，教授
　　　　王仕涛　21世纪创新规划设计研究院，研究员
　　　　曾昭海　中国农业大学，教授
　　　　朱万斌　中国农业大学，教授
　　　　陈永红　宁波大学，教授
　　　　袁学国　尚农智库，研究员
　　　　司　伟　中国农业大学，教授
　　　　白军飞　中国农业大学，教授
　　　　孙龙清　中国农业大学，教授
　　　　董江丽　中国农业大学，教授

蒋秀根　中国农业大学，教授

杨信廷　北京市农林科学院，研究员

吕黄珍　中国农业机械化科学研究院，研究员

刘元法　江南大学，教授

孙永明　中国科学院广州能源研究所，研究员

孙崇德　浙江大学，教授

成铁龙　南京林业大学，博士

章芳芳　中国农业大学，博士

丛 书 序

实施乡村振兴战略并将其写入《中国共产党章程》，是党中央着眼于"两个一百年"奋斗目标导向和农业农村短腿短板的问题导向作出的重大战略安排，是实现国家现代化和中华民族伟大复兴的重要前提。在中国特色社会主义进入新时代、社会主要矛盾发生变化的背景下，必须全面总结乡村发展现状和实施乡村振兴战略面临的重大核心问题，充分梳理乡村振兴战略的国际经验教训，综合探索推进乡村振兴战略的科技需求和实施路径，系统设计落实乡村振兴战略的政策措施。

2018 年 3 月，中国农业发展战略研究院牵头，联合中国工程院、中国农业科学院、中国农业大学、华中农业大学、中国建筑集团股份有限公司、中国环境科学研究院、中国社会科学院、同济大学等多家机构的专家启动了"实施乡村振兴战略重大问题研究"重大咨询项目。项目由中国工程院院长周济院士，农业农村部副部长韩俊，中国工程院原副院长沈国舫院士，中国林业科学研究院张守攻院士，中国工程院原副院长赵宪庚院士，中国农业科学院党组书记陈萌山研究员，中国农业大学校长孙其信教授，国家发展和改革委员会宏观经济研究院马晓河研究员，科技部中国农村技术开发中心贾敬敦研究员担任顾问；由中国工程院党组书记、院长李晓红院士和副院长邓秀新院士，以及中国农业科学院院长唐华俊院士共同担任负责人。项目设置了加快农业农村现代化发展战略研究、科技创新支撑乡村振兴战略研究、城乡融合发展战略研究、新型乡村建设战略与推进策略研究、乡村振兴环境绿色发展战略研究等课题。

项目从产业兴旺、生态宜居、乡风文明、治理有效及生活富裕五个方面对乡村振兴现状进行总体评价；在针对当前到 2035 年实施乡村振兴战略进程中存在的加快农业农村现代化发展、科技创新支撑乡村振兴、城乡融合发展、新型乡村建设战略与推进策略、乡村振兴环境绿色发展、乡村治理发展战略研究等重大战略问题进行重点研究的基础上，借鉴国际经验教训和国内发展区域成功案例，提出解决乡村振兴战略过程中存在的重大问题的战略路径，设计出支撑乡村振兴战略落地的若干重大工程，提出重要政策建议，为中国顺利推进乡村振兴战略建言献策。

项目的实施为国家顺利推进乡村振兴战略提供了智力支撑。具体而言，项目认为应该坚持生产为基、生活为本、生态为先，实现农业农村的"三生三美"——生产美、产业强，生态美、环境优，生活美、农民富，全面提升农业农村的"六化三力"——标准化、绿色化、专业化、智能化、融合化、再工业化，让农村有活力、有吸引力、有竞争力，建设富裕、美丽、平等、文明的新乡村。在此基础上，项目提出了乡村振兴战略重点。一是促进"三个融合"，即促进"产城融合"、"产村融合"和"三产融合"。其中，促进"产城融合"要优化产业功能布局，促进"产村融合"要大力推动产业强村，促进"三产融合"要提升农业农村整体效益。二是健全"三个机制"，即健全城乡生产要素双向流动机制、农业农村投融资体制机制、乡村振兴的政府治理机制；其中，健全城乡生产要素双向流动机制要构建要素"上山下乡"新格局，健全农业农村投融资体制机制要构建政府引导多元参与的投资体系，健全乡村振兴的政府治理机制要提升乡村治理体系和治理能力现代化水平。三是实现"三个发展"，即农业高质量发展、农村绿色发展和农民创新发展；其中，农业高质量发展目的是全面提升农业质量效益和竞争力，实现质量变革、效率变革、动力变革，农村绿色发展目的是寻找乡村规划与建设、清洁能源供给、生态环境有效治理、高效公共服务的解决方案，农民创新发展目的是探索农业科技、教育、推广体系相结合的适合于农民创新发展的新模式，建立不同模式的创新型乡村示范点。

"实施乡村振兴战略重大问题研究丛书"是众多院士和多部门多学科专家、企业工程技术人员及政府管理者辛勤劳动和共同努力的结果，再次向他们表示衷心的感谢，特别感谢丛书顾问组的指导。

希望本丛书的出版，对深刻认识乡村振兴战略的重大意义，准确判断我国乡村振兴的发展水平，明确乡村振兴战略的发展愿景和重点方向等方面起到战略性的、积极的推动作用。

实施乡村振兴战略重大问题研究丛书

编委会

2022 年 5 月 9 日

前　　言

实施乡村振兴战略,是党的十九大作出的重大决策部署,是决胜全面建成小康社会、全面建设社会主义现代化国家的重大历史任务,是新时代"三农"工作的总抓手。我国的基本国情和发展阶段都要求实施乡村振兴,实施乡村振兴唯有依靠科技创新。突破农业资源要素的制约、实现乡村产业振兴、改善乡村环境与民生、实现乡村人才振兴都必须依赖科技创新。因此,开展科技创新支撑乡村振兴战略研究的意义重大。

"科技创新支撑乡村振兴战略研究"是 2018 年中国工程院启动实施的重大咨询项目"实施乡村振兴战略重大问题研究"的课题之一。课题主要目标是系统分析乡村振兴战略实施过程中制约科技创新和成果转化应用的体制机制瓶颈与关键点,研究并提出农业科技资源配置建议,提出农业农村科技创新发展的方向、路径和重大科技创新工程等,提出建设中国特色农业农村科技创新体系的建议,为新时代农业农村科技创新工作提供战略决策,为国家科学制定乡村振兴规划及全国乡村振兴战略的实施提供正确有效的技术支撑。

为深入研究科技创新支撑乡村振兴战略与政策,课题分为"乡村振兴科技供给与需求研究"、"乡村振兴科技创新重点与任务研究"和"乡村振兴科技资源配置与政策体系研究"3 个专题,由中国农业大学承担研究任务。经过课题组 20 多名专家共同努力,联合全国农学院协同发展联盟,组建调研小队 200 余支,奔赴全国 20 余个省份开展专题调研,调研的村庄涵盖了我国各种经济和社会阶层,累计发放问卷 6000 余份,获得大量有关我国"三农"发展和未来科技需求的数据,组织 10 多次行业内相关专家咨询活动,最终圆满完成了课题研究任务。课题调研报告由臧雷振、陈源泉(中国农业大学教授),史志强(东京大学博士),郑姗姗(北京大学博士)和萧衡钟(台湾文化大学副教授)共同完成。

《科技创新支撑乡村振兴战略研究》一书旨在研究科技创新如何有效支撑乡村振兴战略。本书的第一部分(第一、第二和第三篇),在探讨乡村振兴科技供给与需求的基础上,提出乡村振兴科技创新重点与任务、乡村振兴科技资源配置与政策体系。本书的第二部分(附件),在分析我国科技与农业现状的基础上,通过专题调研深入了解我国农民对"三农"发展和科技的需求;分析典型案例,总结我国科技支撑乡村振兴的短板,为第一部分研究提供佐证,丰富本书内容。

在撰写书稿过程中，作者广泛征求各个领域专家的意见与建议，在多位专家的共同执笔下，经过反复研讨和修改，几易其稿，形成各专题研究报告。在专题研究报告基础上，形成了本书第一篇、第二篇和第三篇内容。本书综合了中国农业大学、中国农业科学院、中国农业机械化科学研究院、中国科学院广州能源研究所等多个研究单位的专家在各自领域的观点和成果，是农业领域众多工程科技人员的集体智慧结晶。在此，向参加相关研讨会和问卷调查以及各专题研究的科技人员表示衷心的感谢。

限于时间和水平，资料收集有限，不妥之处恳请读者批评指正。

科技创新支撑乡村振兴战略研究

编委会

2022 年 8 月

目　录

第 一 篇

乡村振兴科技供给与需求

第一章　新时代中国特色乡村振兴愿景的分析与预测

第一节　世界经济社会发展趋势

一、世界人口将保持较高速度增长

预计未来30～50年世界人口仍将保持较高速度的增长态势,人口增量主要来自亚洲、非洲国家。各大权威机构对世界人口的预测值虽有差别,但均预测未来世界人口呈不断增长态势。根据各大权威机构的预测,2035年世界人口将达到88亿～90亿,2050年将达到96亿～100亿。世界人口的持续增长,无疑将对全球食物供给带来巨大的挑战。

美国人口统计局2018年预测,世界总人口将在2018～2050年增加30%(23亿),即在2018年76亿人口的基础上,到2050年世界人口将会飙升至99亿。这个数字是各大机构对未来人口预测中最高的。

国际货币基金组织在2015年《全球人口结构巨变》中预测,到2024年世界人口将超过80亿,到2038年将超过90亿,到2056年将超过100亿。

联合国人口司《世界人口展望(2017年修订版)》预测结果显示,世界总人口将在2035年达到88.9亿,在2050年增加到98亿(中位方案,图1-1),在2100年增长到112亿。

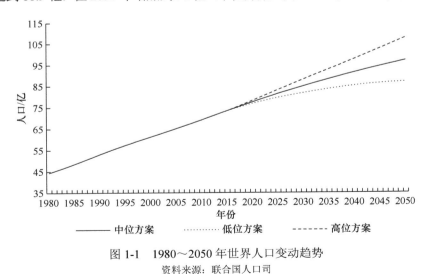

图1-1　1980～2050年世界人口变动趋势

资料来源:联合国人口司

二、世界城镇化水平继续提升

世界银行公开数据显示,全球各主要区域城镇人口比例从1960年起一直较快增长。

2015 年全球城镇化率已经达到 53.9%（图 1-2）。其中，高等收入国家城镇化水平起点较高，城镇人口比例从 1960 年的 63.8%上升到 2015 年的 81.1%；中等收入国家城镇化水平速度则较快，城镇人口比例在 55 年内提高 26.3%。相比之下，中低等收入国家城镇化速度则略低于世界平均水平。预计 2050 年全球三分之二的人口将生活在城市，其中近九成新增城市人口集中在亚洲和非洲。尽管亚洲的城市化率较低，但由于人口基数大，亚洲仍然是世界上城市人口最多的地区，其人口数占全球城市人口总数的 53%。世界各国农村人口比例分布不均匀。农村人口比例较高的国家主要分布在非洲、西亚、东南亚以及拉丁美洲等的经济不发达地区，这些地区将在满足不断增长的食物需求方面面临巨大的挑战。相比之下，发达国家的农村人口在总人口中的比例较低。未来人口的不断增长无疑会对世界食物安全提出重大挑战。而且未来人口增长集中在最贫困的国家将带来一系列更大和更严峻的挑战，使得消除贫困和不平等、抗击饥饿和营养不良等工作变得更加艰难。

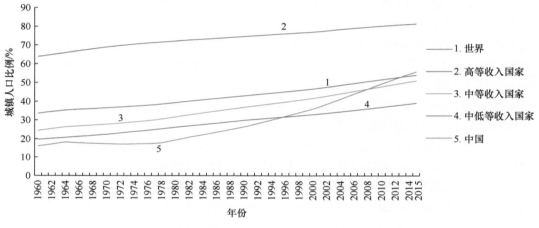

图 1-2　全球各主要区域城镇人口比例（1960～2015 年）
资料来源：世界银行，2016

三、人口增长与城镇化提升对食物供给提出新要求

人口数量的增长与城镇化率的提升都将对食物供给数量和供给结构带来新的挑战。《世界农业：2030/2050 年展望》（*World Agriculture: Towards 2030/2050*）中提到，到 2050 年，全球粮食产量需在 2005～2007 年的基数上增长一倍以上才能满足人口增长对于粮食的需要。联合国粮食及农业组织在《节约与增长付诸实践：玉米、稻谷、小麦可持续谷物生产指南》（联合国粮食及农业组织，2016）中则指出，到 2050 年，全世界玉米、稻米和小麦的年需求量预计将达 33 亿 t 左右，比 2014 年这三种作物收成的创纪录之和还多 8 亿 t。2009 年，联合国所发布的《千年发展目标报告》（*Millennium Development Goals Report*）中指出，至 2015 年实现千年发展目标的期限已经过半，但受全球经济和粮食危机等多重因素影响，在消除贫困和饥饿方面取得的主要进展开始放缓，甚至出现倒退。世界银行的研究认为，由于 78%的世界贫困人口高度依赖农业，不仅靠农业获得食物，而且靠农业维持生计，因此，农业发展，包括农业生产率提高和收入增长，是到 2050 年消除极端贫困和养活 90 亿人口的最有力工具之一。总体而言，在全球人口持续

增长的趋势下，进一步提高粮食总产量是 2050 年全球农业发展的必然目标之一。

此外，随着全球城镇化率的进一步提升，城镇人口消耗的食物数量与对动物性食物的供给要求不断增长。为了提高经济发展水平和生活标准，大部分国家都在进行城市扩张。相比之下，城市人口人均消耗的食物数量远高于农村人口，对蛋白质、油脂含量丰富的食物需求也在不断扩张，这对提高食物数量的供给和改善膳食结构、调整农业生产模式都将带来新的挑战。

四、农业资源与生态环境问题堪忧

水土资源紧缺、气候变化、土壤肥力下降、农业废弃物及面源污染等问题依然是未来世界农业发展面临的关键问题，将直接影响世界农业的可持续发展。

《世界粮食与农业展望：2050 年前景》对全球 108 个国家和地区粮食增产前景的预测结果表明，在耕地资源持续减少的背景下，到 2050 年，全球粮食增产主要来源于作物单产的提高（表 1-1）。其中，发展中国家预计的作物增产约 80% 来自单产增加（71%）和种植密度增加（8%）。以中国为代表的 19 个土地资源稀缺国家（超过 80% 的适耕地已经被利用），预计耕地面积扩大对其作物增产的贡献率仅为 2%。

表 1-1　全球作物产量增加的来源

地区	耕地扩张/%		种植密度增加/%		单产增加/%	
	1961～2005 年	2005～2050 年	1961～2005 年	2005～2050 年	1961～2005 年	2005～2050 年
所有发展中国家	23	21	8	8	70	71
世界	14	9	9	14	77	77
2005 年潜在耕地利用率小于 40% 的发展中国家		30		15		55
2005 年潜在耕地利用率大于 80% 的发展中国家		2		19		89

数据来源：FAO，2018。

全球淡水总量约 3500 万 km^3，其中约 70% 储存于各类冰川中，约 30% 为地下水，可供人类和生态系统使用的淡水总量约为 20 万 km^3，不足淡水总量的 1%。全球人口每年预计增加 800 万人，每年增加的水资源需求量达 640 亿 m^3，增加的大多数人口在水资源短缺国家或地区，高度依赖灌溉农业的地区，如非洲、南亚和中国的北方地区更容易出现严重缺水。我国是一个缺水的国家，全国多年平均水资源总量 28 405 亿 m^3，居世界第 6 位，但人均水资源量不足世界人均水平的 1/3，且水资源与其他社会资源的空间分布不匹配，国土、耕地面积与人口分别占全国 64%、46% 和 60% 的北方地区，其水资源量仅占全国的 19%。水资源的可持续利用与食物安全保障是人类社会持续发展的最基本支撑点。确保食物安全，已成为人类面临的重大挑战。

国际农业研究磋商小组指出，气候变化会对全球农业生产产生严重的影响，在现有的种植制度、种植品种和生产水平不变的前提下，2030～2050 年，气候变化和极端气候事件将可能使粮食生产潜力降低，其中小麦、水稻和玉米三大作物产量可能以减产为主（任晓娜，2012）。联合国《节约与增长付诸实践：玉米、稻谷、小麦可持续谷物生产指南》（联合国粮食及农业组织，2016）报告中指出，自 1980 年以来，全球层面气温上升和降水量增多已导致小麦和玉米单产相比气候稳定时期的应有水平分别降低了 5.5%和3.8%。未来几十年内，预计气温将继续上升、海平面持续上涨、病虫害压力加大、极端天气事件增加，生物多样性损失也会更加严重（Mackill et al.，2010）。

美国发布的《新兴科技趋势：2016—2045 年》（*Emerging Science and Technology Trends: 2016-2045*）指出，在未来的 30 年里，淡水和食物的缺乏将会在世界上制造更多的冲突。大约全球 25%的农地已经由于过度耕作、干旱、污染等原因产生了严重退化。在未来的几十年里，最乐观的预测也指出主食谷物的价格将会提高 30%。如果全球气候变化、食物需求增加，以及资源管理的失败按照目前的趋势继续下去，食物价格提高100%也是可能的。在 2045 年，全球超过 40%的人口将会面临缺乏水源的问题。

第二节　世界乡村发展趋势

全球乡村发展问题备受关注。刘彦随和李玉恒 2017 年在《自然》（*Nature*）杂志上发表文章指出，乡村衰落是一个全球性问题。早在 18 世纪，欧洲的工业革命就见证了村庄在城市的扩张过程中不断萎缩。20 世纪，特别是第二次世界大战后，农村人口减少的趋势蔓延到了北美洲（Liu and Li，2017）。从美国、瑞典到非洲，城乡差距都在扩大。城市吸引了大部分的政府资金、私人投资甚至研究资源。例如，自 1980 年以来，中国城市公共和私人固定资产投资占全国固定资产投资总额的 70%以上。贫穷国家的情况尤其严重，驱动农民进城的是生存而不是机会。例如，尼日利亚的哈科特港、印度的孟买和墨西哥的墨西哥城等的"贫民窟"正在扩大，因为贫穷且未受过教育的农村人口不断涌入城市寻求财富。由于流动性和技术、贫困、政策偏向、土地管理不足等，农村正在被遗弃。

自 20 世纪 60 年代以来，美国的小城镇一直在衰落。当机械化、公路和汽车到来时，农民会绕开附近的小镇，而开车到城市去购买种类更加多样的日常用品。农业技术和化肥解放了许多农村劳动力，因此他们来到城市从事赚钱的工业和服务业工作。1980～2000 年，美国中部有 700 多个以农村地区为主的县失去了 10%或以上的人口。在发展中国家，气候变化和大规模农业企业夺走了很多人的生计，每年数百万曾经以务农为生的农民来到印度德里和尼日利亚拉各斯等城市寻找工作。当人口日渐凋零时，村庄面临着劳动力短缺、经济衰退和社会退化等问题；本地市场萎缩，车间和小企业关闭。政府政策和私人投资长期以来偏向城市。例如，20 世纪 50～60 年代，拉美国家通过制造他们曾经需要进口的商品来增强经济发展，这一过程中工业化城市地区受益最大。20 世纪50～90 年代，中国抽取农村的资本、劳动力和粮食等原材料来推动工业化进程（Liu and Li，2017）。

第三节　世界农业发展总体趋势

21 世纪以来，现代科技革命对世界农业现代化以及全球农业竞争格局带来前所未有的变化，特别是现代高新技术推动"石化"农业、传统农业向多样化、立体化、现代化农业加快转型，知识化、信息化、装备化、智能化、精准化、生态化、多样化、立体化和国际化等成为世界农业发展的重要方向。发展产出高效、产品安全、资源节约、环境友好的现代农业已成为当今世界农业发展的重大趋势，并形成了如下一些明显的发展特点。

一、越发高度依靠科技创新

农业科技创新是现代农业发展的根本动力。各国政府通过加大支持基础研究、补贴应用研究和试验发展、农业科技推广、建设基础设施、开展信息服务等，在农业科技发展中发挥主导作用。现代农业以生物技术、信息技术和新材料技术等高技术为引领，以常规技术升级为支撑，用现代技术装备和改造传统农业，用现代农业科技知识培养和造就新型的农业产业队伍。

二、逐步向多功能高效益发展

现代农业突破了传统农业主要从事初级农产品供给和原料生产的局限，逐步显现原料供给、加工增值、生态保护、观光休闲、文化传承、就业增收等多元功能，不断向农业的广度和深度拓展，实现"种养加""产供销""贸工农"一体化的高度组织化、规模化生产，大幅度提高土地产出率、资源利用率和劳动生产率。

三、更加注重生态环境友好和可持续发展

在保护农业生态环境的原则下，改变传统农业生产方式，提高生产要素的配置效率以及资源利用效率，科学合理地减少化学品使用量，大力发展生物肥料、生物农药等生物环保制品以部分替代化学品，并采用精确施肥、精准灌溉技术，实现对农业投入品的有效控制，减少生态环境污染，建立环境友好型的绿色产业。

四、向一体化产业体系方向发展

农业全链条开发、一体化经营使得农业产业链由主要集中于产中环节向产前和产后环节延伸，由比较单纯的初级产品生产拓展到流通领域和加工环节。这一趋势在世界各国不断蔓延，也引发了政府农业经营和管理体制的一系列变革。从各国的实践看，农业一体化经营的不断推进，不仅改变了传统的农业观念，全面创新了农业经营的理念，而且带来了从田间地头到餐桌的产业链变革。

五、向智能化方向发展

物联网将成为每条供应链的重要组成部分，大数据和系统集成将使农业精准化程度进一步提高。农业生产实现环境可控，在能源、品质、自动化、机器人化、虫害管理等领域将实现突破，智能灌溉、智能施肥与智能喷药等自动控制方式将得到广泛应用，这有利于降低农业生产成本、提高农业生产效率和保护农村生态环境。农业无人

机、轻型高效拖拉机、自动驾驶设施、传感器等将广泛应用，农业生产的耕作、种植、管理、收获和加工过程智能化程度将得到很大提高。电子商务将进一步实现农村与城市的快速连接，活跃农村经济。

六、向第一、第二、第三产业融合方向发展

三次产业融合发展存在以下特点。一是以农业为中心，产业链条得到进一步延伸，进而将种子、农药、肥料供应以及农产品加工、销售等环节与农业生产连接起来；二是新技术广泛应用，在提高生产效率、转变生产模式、缩短供求双方之间距离的同时，也使农业与第二、第三产业间的边界变得模糊；三是产业间关联与渗透得到拓展和提升，使农业具备生态休闲、旅游观光、文化传承、科技教育等多种功能，进而与文化、旅游、教育等产业交叉融合；四是产业发展效益得到提升，推动农村产业空间布局的调整和发展方式的转变，农村产业增值增效。

七、现代农业科技正改变世界农业竞争和产业分工格局

领先型或追赶型农业现代化发展模式的选择，不再根本上受制于自然资源禀赋，而是取决于科技创新的能力和水平。在全球开放的经济体系下，高技术农业产业的快速发展必然对全球农产品贸易格局带来巨大冲击。受转基因大豆的冲击，我国大豆对外依存度达80%，严重影响了国内大豆产业的区域布局，加工企业不断萎缩。同时，技术创新带动了现代农业新的商业模式创新，世界领先农业巨头依靠技术控制建立全球垄断地位。新型"托拉斯"式农业企业依赖高新技术控制种子和原料市场，抢夺期货市场定价权，攫取垄断价值。核心技术的落后导致国家之间产业的依附。"关键核心技术受制于人，产业发展亦受制于人"。农业前沿技术对外依存度高，先导性战略高技术薄弱，将直接影响农业产业结构升级、战略性新兴产业发展和国家粮食安全。

第四节　世界农业科技前沿趋势

21世纪以来，现代生物技术、信息技术、先进制造技术等高技术和新材料行业迅猛发展，正在加速传统农业技术变革与升级，传统农业生产方式与产业结构正在发生前所未有的深刻变革。

一、现代前沿技术引领农业技术变革

生物组学技术正成为新基因争夺和竞争的制高点，新一代高通量、低成本、高性价比的测序技术为基因组学研究与应用带来了革命性的突破。发达国家，如美国、加拿大、德国、日本等纷纷制定重要动植物基因组测序计划及其衍生出来的各种基因组计划，试图夺取新基因和新技术的优先开发权，抢占农业生物技术新的制高点。全基因组选择技术迅速兴起，引领分子育种技术进入全新阶段。这一革命性育种技术将使动植物育种的效率提高60%~150%，对农业生物育种产生极其深刻的影响，成为国际动植物育种领

域的研究热点和国际大型公司竞争的焦点。干细胞和细胞工程技术不断突破，为动植物品种创制开辟新的重要途径。动物克隆技术正在向高效、简便、低成本方向发展，成为大批量扩充繁殖优质高产动物后代的最有潜力的技术手段。基因定向转移技术日渐成熟，转基因育种和重组蛋白生产真正实现高效、准确。生物反应器也逐步向高效、规模化、低成本生产蛋白药物、功能食品、抗体、疫苗等生物医药产品发展。药物分子设计成为新型农业药物研发革新的强有力手段。农业药物分子设计在新型农业药物开发中的重要性已引发高度关注。数字农业和精准农业技术引领农业生产迈向数字化、精准化和智能化。电子信息技术、自动控制技术和先进制造技术都已应用到农业生产的各个环节和整个生产过程。发达国家农业精准作业技术及装备已应用到农业生产的各个领域。美国和欧洲的一些发达国家相继开展了农业领域的物联网应用示范研究，"智慧农业"显现强劲的发展势头。

二、战略性新兴产业带动现代农业产业发展

战略高新技术蓬勃发展和成功应用，催生了生物育种、生物药物、生物能源等一批战略性新兴产业，生物产业成为国际科技竞争乃至经济竞争的战略重点，正在引领构建新型的现代农业产业体系。应用现代生物技术研制开发高效、安全、环保型生物制剂作为新兴产业已备受瞩目。目前世界上生物农药使用量最多的国家，如美国、加拿大和墨西哥的生物农药使用量已占世界总量的 44%，欧洲的生物农药使用量占世界总量的20%。生物调节剂、生物肥料、生物饲料添加剂、生物兽药制剂生产等新兴产业也蓬勃发展。农产品储藏加工产业是发达国家现代农业产业体系的重要标志。发达国家农业总产值中，农产品加工产值已达到农业初级产品产值的 3～5 倍。现代食品产业围绕人类营养健康的新需求，正在向多领域、多梯度、深层次、低能耗、高效益、可持续的方向发展。生物技术、信息技术、纳米技术等先进技术应用于食品制造业，全面推进了食品产业技术升级。现代海洋产业不断发展，海洋生物资源的可持续利用成为美国、日本、欧盟等海洋科学研究领域的研究重点。

三、绿色革命推动传统农业技术改造升级

20 世纪初以来，常规农业在取得世界粮食产量不断提高的巨大成就的同时，也伴生了环境污染、能源消耗、成本增加等诸多问题。国际社会普遍认为，优良品种、施肥、灌溉、机械、农药等的常规技术依然是农业的关键技术，但必须依靠现代高新技术，加快常规农业技术的改造升级，推行在可持续发展基础上的"新的绿色革命"。主要技术趋势表现在如下几个方面。①生物化。农业常规技术与现代农业生物技术结合，加快培育高产、抗逆、优质作物新品种；通过动物生物技术与常规育种技术结合，改善畜禽的生产水平与产品质量；利用现代技术，发展生物肥料、生物农药等。②信息化。加快现代信息技术在农业的应用，使农业生产的对象和过程控制实现数字化和模型化；智能化农业不断发展，使传统农业由经验化走向科学化；发展精准农业技术，加快农业技术由粗放向精确转变。③无害化。现代农业生产的农产品逐渐向多品种、高品质、无公害方向发展；重视清洁生产、健康养殖，从源头上杜绝影响农产品安全

的不良因素。④循环化。发展农业循环经济，实现农业从"田间到餐桌"各环节产业的全程连接，各个环节均注重循环生产，实现农业产业过程中废弃资源多层次、多级化的有效利用。⑤标准化。现代农业十分注重农产品的品牌和市场竞争，以制定产品标准为主要的产业控制手段，对产品的生产、加工、储藏、运输、销售全过程进行标准化管理。

四、农林固碳减排促进生态环境技术发展

"循环经济""低碳经济"正在成为国际社会推崇的发展理念。农业作为全球生物质生产的基础产业，既是温室气体的重要来源之一，又受到温室效应的严重影响。世界各国普遍加强了农业生态环境技术研发与应用，积极推动农业生产方式的转变。重视研究建立低碳农业技术体系和资源节约型农业技术体系。倡导按照"3R"（再利用、再循环、减量化）原则，建立循环农业生产体系，积极研发农业废弃资源的多级循环利用技术。重视改善和修复农业退化土地，提高土地生产潜力。重视保护和利用农业水资源，研究开发高效节水灌溉技术体系和旱作农业系统，提高农业水资源利用效率。积极保护农业生物多样性，增强农业生态稳定性。发展环境友好型农业技术体系。积极发展生态农业和保护性农业，降低农业生产的生态环境代价。倡导科学施肥技术创新，减少农业化学品投入。加强生态修复技术，防治农业污染。重视建立农业防灾减灾技术体系，增强农业系统的抗灾能力。

总体上，发达国家农业已全面进入机械化、自动化阶段，农业产业化、组织化、合作化、规模化程度很高。21世纪以来，现代生物技术、信息技术、先进制造技术等高技术和新材料行业迅猛发展，正在加速传统农业技术变革与升级，传统农业生产方式与产业结构正在发生前所未有的深刻变革，逐步摆脱仅仅依靠土地等自然资源生产农产品的传统产业羁绊，向科技主导型的多功能现代农业产业转变。新时期中国农业农村发展如何跟进世界农业绿色科技革命的潮流，实现降本、提质、增效和绿色发展，提升农业产业的竞争力和实现乡村振兴是我们面临的严峻挑战。

第五节　农业农村科技创新发展新形势

党的十八大以来，在以习近平同志为核心的党中央坚强领导下，农业农村科技创新工作以"创新、协调、绿色、开放、共享"发展为理念，认真落实习近平总书记关于科技创新的系列讲话，紧紧围绕现代农业建设，在粮食产能提高、肉蛋奶有效供给、重大病虫害防控、中低产田改造、农业机械化水平提升、农民持续增收、农业结构调整、绿色生产发展、农业农村改革等重要领域和关键环节取得了突破性进展。

一、农业高新技术发展迅速，需要抓住机遇

信息技术、生物技术、制造技术、新材料技术、新能源技术等广泛渗透到农业农村各领域，逐渐在农业科技发展中发挥主导作用。农业科技创新工作需要抓住机遇，通过

完善法制建设、支持基础研究、补贴应用研究和试验发展、加强农业科技推广、建设基础设施、开展信息服务等,以生物技术、信息技术和新材料技术等为引领,以常规技术升级为支撑,用现代技术装备和改造传统农业。

二、中美贸易摩擦不断,需要加快农业核心技术攻关

我国水稻、小麦、玉米等主要粮食作物能够保证自给自足,中美贸易摩擦虽然不会对我国农业发展与进步造成毁灭性的打击,但在一些领域与环节仍然存在"卡脖子"的风险和压力,可能会对人民生活质量造成一定程度的影响,因此,仍须加快农业核心技术攻关。

三、现代农业产业技术体系成为推进乡村振兴的有力支撑

现代农业产业技术体系建设成效显著,成为推进乡村振兴的有力支撑。50个产业技术体系、两千多名体系科学家及其创新团队,重点围绕资源利用、环境控制、精深加工、质量安全等制约产业发展的重大关键问题开展协同攻关,切实强化体系在实施乡村振兴战略中的重要作用,成为推进乡村振兴的有力支撑。

四、实施乡村振兴战略亟须农业科技聚焦重点任务

实施乡村振兴战略,必须依靠创新驱动,准确把握基本国情、农情和农业农村发展客观要求,加快攻克城乡融合发展模式、产业转型升级、农业农村生态环境治理、农业农村政策创建等的难题,有效支撑产业振兴和生态振兴。

五、实现农业高质量发展亟须农业科技调整创新方向

实现农业高质量发展亟须农业科技调整创新方向,要弄清楚农业由数量导向转向提质导向的阶段特征,面向营养、健康、安全的市场需求,及时部署优质品种培育、高质量栽培、产地环境安全、全息农产品、功能食品等领域科技创新,破解高产和优质安全之间的矛盾,补齐农业高质量发展技术短板。

六、实现农业绿色发展亟须农业科技强化自主创新

近年来,农业资源和环境两道"紧箍咒"越绷越紧,农业绿色发展已经进入"无人区",迫切需要强化"绿水青山就是金山银山"的发展理念,强化自主创新,加快农业绿色投入品、农业清洁生产、生态循环农业等领域科技创新,构建绿色发展技术体系,引领支撑农业农村生态文明建设。

七、增强农业核心竞争力亟须农业科技集成应用

提高农业核心竞争力是应对农业发展国内外环境深刻变化的需要。破解我国农业生

产率低、产业链条短、生态文化价值拓展不充分等突出问题，必须加强农业科技集成创新，围绕主要农产品和重点区域，加快产业技术体系、区域可持续发展等领域的集成创新，加快构建符合我国国情的技术转移和成果转化体系，稳步提升科技进步在促进农业发展中的贡献率。

第六节　科技创新支撑乡村振兴战略的战略意义

解决我国的"三农"问题，要靠城镇化，但也不能只靠城镇化。改革开放以来，为解决农民就业问题，有过乡镇企业异军突起，有过"民工潮"，而现在则要通过农村的产业兴旺为农民开辟"第三就业空间"——通过产业融合和发展新产业、新业态为农民在乡村提供主要不依赖于单纯农业的就业岗位。实施乡村振兴，就必须全面、客观地看待当前农村的现状，如农村的"空心化""老龄化"问题。据国家电网公司对其经营区域内居民房屋空置（年用电量低于 20kW·h 为空置）率的统计，城镇居民房屋空置率为 12.2%（其中大中城市为 11.9%，小城市 13.9%），而乡村居民房屋空置率为 14%。据第三次全国农业普查的结果，在农业经营人员中，男性占 52.5%，35 岁以下人员占 19.2%，36～54 岁的人员占 47.3%，55 岁及以上人员占 33.6%。这是动员了近 400 万人，逐村逐户填报了 2.3 亿份农户普查表的汇总结果。我国农村各地的情况差别很大，对农村现状的了解必须全面，不能以偏概全。更重要的是，农业生产有其自身的特殊规律。农业中生产时间与劳动时间的不一致，是农民从事副业生产的自然基础。随着农业机械化的普及和农业社会化服务体系的健全，农民在大宗作物生产上的劳动强度逐步降低，劳动时间不断减少，既使得老人、妇女比以往更能胜任日常的田间管理，又使得青壮年劳动力获得了更充裕的外出就业时间。这是技术进步背景下农业生产规律出现的新特征，对农民增收具有积极意义。如果能使农民利用好比以往更充裕的剩余劳动时间，在农村创造新的供给以满足城镇居民新的需求，那意义就更大，而这也正是实施乡村振兴战略的本意所在。

一、国情和发展阶段都要求实施乡村振兴

（一）我国的基本国情决定了乡村不能衰败

城镇化是国家实现现代化的必由之路和强大动力，这是已被各国实践证明了的规律。但是，世界各国的资源禀赋、人口规模、发展水平、社会制度等各不相同，在现代化过程中人口城乡分布的格局和变化必然有很大差别，因此不能简单对别国的经验照抄照搬。提出乡村振兴，绝不是不要城镇化，也不是要把城乡发展对立起来，而是要从我国的实际出发，科学引领我国现代化进程中的城乡格局及其变化。随着城镇化的推进，农村人口必然逐步减少，有些村庄也会因各种原因而逐步消失，但这是一个渐进的历史过程。更由于在经济、社会、文化、生态等方面具有不同的功能，城乡之间只有形成互补，才能使整个国家的现代化进程健康推进。因此不管城镇化发展到什么程度，乡村都不可能消失。

我国的特殊性则在于人口规模巨大，即使乡村人口的比例降到30%以下，但其总量仍将达到几亿人。习近平总书记在2013年12月23日中央农村工作会议的讲话中指出：我国幅员辽阔，人口众多，大部分国土面积是农村，即使将来城镇化水平到了70%，还会有四五亿人生活在农村。如果城乡差距过大，怎么能建成惠及全体人民的现代化国家？因此，实现乡村振兴是由我国国情所决定的必然要求。

（二）我国发展的阶段性特征要求乡村必须振兴

经过改革开放以来的快速发展，我国经济增长已经进入了"新常态"。目前，我国发展已经进入了新时代，现阶段我国社会的主要矛盾已经转化为人民日益增长的美好生活需要和不平衡不充分发展之间的矛盾，而这种发展的不平衡不充分，突出反映在农业和乡村发展的滞后上。因此，党的十九大报告提出要坚持农业农村优先发展，要加快推进农业农村现代化。

二、实施乡村振兴唯有依靠科技创新

实现乡村振兴唯有依靠科技创新，"创新驱动、赢在未来"，我国实施乡村振兴战略要发挥科技创新第一动力的支撑和引领作用。

（一）突破农业资源要素的制约必须依赖科技创新

从现实情况看，我国农业资源要素约束趋紧，农业发展形态多样，现代化农业、小农户石化农业、西部山区初级农业并存，东部、中部、西部地区农村发展各异，依靠资源要素投入和低成本劳动力比较优势支撑发展的模式难以为继，实现农业的现代化和乡村振兴的难度很大，对科技创新引领发展转型的要求更高。建设创新型国家，加快转变农业农村经济发展方式，赢得发展先机和主动权，最根本的是要依靠科技的力量，最关键的是要真正提高自主创新能力。未来10～20年，实现从技术追赶型到创新驱动引领型发展，农业科技创新的任务更加艰巨，面临的需求更加迫切。

（二）实现乡村产业振兴必须依赖科技创新

实现产业振兴是实施乡村振兴的首要任务。现代市场经济体系下产业的竞争力取决于科技创新力。当前，以争夺发展主导权为特征的科技竞争日趋激烈，农业前沿技术的国际竞争更趋白热化，多学科相互交叉融合的特征凸显，高技术集成创新对农业科技的重大突破推动显著，农业前沿技术转化为直接生产力的速度加快，正引领和支撑现代农业战略性新兴产业蓬勃发展。加快我国农业发展方式转变和农村发展转型，必须在农业生物技术、农业信息与装备、生物质能源与生物基材料、营养与食品、农业药物与生物制品、农业资源与环境等世界科技前沿领域，实现重大创新突破，带动和推进乡村产业的提质升级。

（三）改善乡村环境与民生必须依赖科技创新

农业面源污染、农村水源污染、农村生活污染和农村工业污染给乡村生产生活环境带来了巨大的压力，特别是乡村环境污染问题越来越严重，流向农村的污染由于治理滞后，给农民的生产生活带来巨大的危害。实施乡村振兴战略，必须牢固树立"绿水青山就是金山银山"的发展理念，大力发展生态农业、绿色农业、循环农业，在乡村环保产业、环保技术、生态技术等科技创新与技术应用方面取得突破。实施乡村振兴战略，必须依靠绿色环保技术，加强农村基础设施和生态环境建设，必须应用现代科技提升乡村医疗、卫生、文化等服务，加快应用现代信息技术提升乡村治理水平。

（四）实现乡村人才振兴必须依赖科技创新

农民是实施乡村振兴战略的主体，人才是实施乡村振兴战略的关键。实施乡村振兴战略，必须培养足够数量的高素质人才，特别需要发展一批懂科技、会管理、善经营的新型高素质农民、新型农业经营主体和农村科技创新创业复合型人才。在我国乡村发展"空心化""老龄化""兼业化"的背景下，推动农业专业化和乡村产业结构升级，必须大力培育乡村经营管理能手、创新创业人才，重点提高新型农业经营主体的科技创新与服务能力，以科技创新为引领、人才振兴为先导，支撑乡村的全面振兴与高质量发展。

第二章 发达国家乡村振兴的成功经验

改革开放 40 多年的发展历程表明，研究借鉴发达国家农业农村现代化、实现乡村振兴的发展模式和发展经验，对走中国特色社会主义乡村振兴道路具有重要的参考价值和启示作用。

第一节 典型发达国家乡村振兴发展实践

一、北美洲及大洋洲地区

（一）美国

美国是世界最大的农产品出口国，有着高度发达的农业产业体系，自 1996 年以来美国农场家庭平均总收入就高于家庭平均总收入。这一系列成就的取得与美国农业农村发展政策密切相关。其政策要点主要包括以下几个方面。

1）高度重视乡村发展规划。美国进行农村区域规划时，主要考虑四个原则。第一，满足当地民众生活的基本需求；第二，最大限度地绿化美化乡村环境；第三，充分尊重和发扬当地民众的生活传统；第四，恰当地突出乡村固有的鲜明特色。同时，美国政府也在引导乡村进行"生态村"建设，强调保持乡村土壤肥力，保护水源和空气清新，强调人与自然和谐相处。

2）农业科技大规模应用提高农业生产效率。一是依靠政府自己的公共研究机构，推广先进农业科技。例如，依靠专业机构推广奶牛规模化养殖技术，同样从欧洲进口的黑白花奶牛，在美国的年产奶量为 9000kg，在中国的年产奶量却仅为 4000～5000kg。二是依靠大学的力量帮助农牧民并推广新的研究成果。美国大学的农学教授一直在给农户、牧民提供帮助。他们每年定期到农户、牧民中去，帮助他们解决困难，提供咨询，推广新的研究成果。联邦政府依据贡献大小、实际工作价值给大学农学院的农业研究项目拨款。三是大力扶持涉农非营利组织。一方面给农民提供农业生产方面的培训，教农民如何科学种田。例如，为保护农田和环境，美国对单位面积农田的化肥用量有严格的科学计算和规定，这是农民培训的内容之一。另一方面，这些组织对农业生产质量进行监督，发现问题及时纠正，既保证了美国农业生产安全、高效地进行，同时最大限度地保护了美国农民的利益。

3）鼓励发展农村多元经济。一是努力促进多种形式农业的共同发展；二是努力推进农产品和食品的当地消费；三是努力挖掘农村多元经济的增长潜力；四是创新促进发展农村资源环境保护工作。美国农业部还采取措施并制定应对气候变化的解决方案，如帮助生产者预防水土流失、改善土壤性质、抑制杂草生长、提高土壤水分、打破虫害周期等的作物管理指南。

4）推行覆盖面广的农业保险。据统计，1995～2004 年，美国农作物保险行业的赔付率为 95%。农业灾害损失具有面积广、数额巨大的特点，私营公司难以单独承担农业保险的巨大风险。美国农业保险产品主要由联邦政府农作物保险公司负责设计和管理，委托私人保险公司进行销售。截至 2013 年，美国农业保险项目涵盖的农作物品种已超过 100 种，参与各种农业保险的农业用地面积占全部农业用地面积的比例为 89%。在保费方面，联邦政府对投保的农场主给予相当于保费 50%～80% 的补贴，使农场主只需支付很少的保费就能参加农业保险。

（二）澳大利亚

澳大利亚农牧业很发达，农牧业产品的生产和出口在其国民经济中占有重要位置，是世界上最大的羊毛和牛肉出口国。澳大利亚的农业发展和农村建设有以下特点。

1）推动农业生产的规模化和集约化，生产率较高。澳大利亚是人少地多、高度城市化的国家，发展农业靠现代技术的应用和科学管理。农牧场规模比较大，90% 左右是粗放的天然牧场经营。生产的规模化、专业化和现代化是澳大利亚提高劳动生产率的重要因素。全国农业劳动力人均 GDP 高达 6 万多澳元，劳动生产率远高于世界平均水平。

2）注重农业科技，农业生产现代化程度高。澳大利亚拥有较为完整的农业科研服务体系，内容包括从品种选育到疾病防治、检疫监测及产品保鲜供应等方面。澳大利亚的旱作农业、育种、畜产品加工等技术居世界领先水平。先进的农业科研网络和健全的推广体系，对澳大利亚农业发展起到了不可估量的作用。澳大利亚政府为了鼓励农技科研与生产相结合，实行农业各产业部门联合资助研究和推广的计划，产业部门和政府按1:1 的原则出资，用于本产业的科研与技术推广。

3）农业基础设施健全。澳大利亚农村基础设施齐全、环境优美，给人留下了深刻的印象。农村的生活条件与城市基本上没有差别，生产生活服务设施集中在中小城镇。在这些为数众多的中小城镇，农民可以购买其生产、生活的必需品，也可以通过公司设在此处的办事机构出售其农产品和得到生产所需的技术服务。

4）重视农业职业教育和农民培训，农民科技文化素质高。联邦政府及各州均设有就业教育和培训部，农业职业教育和农民培训由政府出资，行业推动。农民培训的费用由政府投入，各有关大学、职业学校等承担培训任务，农民每隔一定时间都要接受一次培训。澳大利亚的培训是以能力为基础的培训，保证从事农业生产经营的劳动者都能达到行业的知识技能要求。通过坚持不懈的培训，澳大利亚农民的科技文化素质普遍提高。高素质的农民队伍，为保持农业生产高效率和增强国际竞争力奠定了坚实基础。

二、欧洲地区

（一）荷兰

荷兰的国土面积仅有 4 万多平方千米，却成为仅次于美国的世界第二大农业出口国，是典型的"小国大业"农业发达国家，其成功做法和经验主要有如下几个。

1）大力推行农地整理。早在 1924 年和 1938 年，荷兰政府就相继颁布了两版《土地整理法》（Land Consolidation Act），通过土地置换、规整划一等实现土地相对集中，改善农地利用，促进农业发展。但由于实施目标的单一性，导致在一定程度上破坏了乡村的传统景观。1954 年，颁布第 3 个《土地整理法》，明确了景观规划必须作为土地整理规划的一个组成部分。1970 年以后，荷兰政府转变了只强调农业发展的单一路径，而转向多目标体系的乡村建设，如推进可持续发展农业，提高自然环境景观质量；合法规划农地利用，推进乡村旅游和服务业发展；提高乡村生活质量，满足地方需求等。而且，通过更加科学合理的规划和管理，荷兰避免和减少了农地利用的碎片化现象，实现农地经营的规模化和完整性。通过农地整理，荷兰的乡村不仅环境良好、景观美丽，而且农业经济发达，农民的生活条件也日益优越。

2）高效运行的农业科技创新体系。荷兰有着相当发达的农业科研、教育和推广系统，这三项被誉为荷兰农业发展和一体化经营的三个支柱，三者的协同发展形成了著名的研究（onderzoek）、推广（voorlichting）和教育（onderwijs）的"OVO 三位一体"。政府对农业科研、教育和推广非常重视，把促进其发展作为政府的重要职责。以农民为核心，建立全国性的农业科技创新体系和网络，是荷兰农业取得巨大成就的一条基本经验。

3）合作共赢的农业合作制。荷兰的农业以家庭农场为经营方式，各农户彼此间视对方为具有共同利益的伙伴，而不是竞争对手，他们生产的产品几乎完全相同，在市场上销售也没有自己的标志，因此他们全部具有相同的市场地位。由于这种共同的特点，各农户便结合起来，形成为农场服务的合作社。这些农业生产、供销、农机、加工、保险、金融等民间组织，以及农业生产中的各种专业性的合作社都为农户的农业生产提供各种周到的社会化服务。另一种农民组织体系是"法定产业组织"，即各种协会。这些协会把农民联合起来，目的是加强农场主的政治地位和社会地位，有利于从根本上保护自己的利益。

4）因势利导的农业政策。荷兰农业政策的基本目标是建立人与自然协调发展、可持续发展和具有国际竞争力的农业，并以此为中心制定政策措施。视地如金的荷兰政府为使有限的土地得到高效的利用，采取了一系列符合国家气候特点和国情的农业发展战略及政策，如鼓励农民避开需要大量光照和销售价位低的禾谷类作物的生产，充分利用地势平坦、牧草资源丰富的优势大力发展畜牧业、奶业和高附加值的园艺作物。不仅如此，政府通过提供补贴、政策引导，扶植了一批私人公司，这些公司包括一些专业化的咨询公司、生产资料公司、技术服务公司等。在市场体系下，这些组织的作用日益明显，在促进技术推广、信息流通和社会化服务方面起到了重要的补充作用。此外，政府也会根据市场情况调整政策。

（二）西班牙

西班牙农地面积占国土面积的 13.8%，居欧盟第二位，全国 60% 以上的果蔬用于出口，具有"欧洲果蔬园"的美誉。其发挥农业优势的主要措施如下。

1）高度重视农业科研投入。国家对农业科研人员实行公务员待遇，确保其收入，使其安心进行科研工作；集中力量对重大项目进行攻关，如瓦伦西亚大区农业科研所力求 10 年培育出一种柑橘新品种；政府在资金上保障农业科研的正常需要，如在瓦伦西亚大区政府支农资金中，用于农业科技的资金高达 10%。

2）实行严格的种子专利制和专营制。对研究培育出的农产品新种子，西班牙实行严格的专利保护制度，对新品种进行专利登记管理，并规定只有国家许可认定的公司和机构可以经营种子业务，有效防止伪劣种子进入市场坑害农民，减少农业生产风险。

3）积极推动农业种植与旅游业结合。西班牙是欧洲最早推动乡村旅游的国家。政府鼓励将乡村的一些城堡改造为饭店，把大农场、庄园进行规划建设，提供徒步旅游、骑马、滑翔、登山、农事体验等项目，发掘了斗牛、奔牛、"番茄大战"等农业特色化、创意化娱乐项目，使全国 4%的农业人口创造的农业旅游产值超过了海滨旅游，成为西班牙旅游中的重要组成部分。为了不断满足市民和游客的多样化、个性化、特色化需求，西班牙每年都会投入相当大的资金用于农业特色化创新研发项目和创意征集，让葡萄、葡萄酒、橄榄油、沙丁鱼等农产品不断走向世界。

（三）英国

英国作为现代工业革命的发源地，是最早实现城市化的国家，其推动农业农村现代化的主要经验和做法如下。

1）实行农村区域规划，并注重乡村"集镇"发展。英国《城乡规划法》（Town and Country Planning Act）始于 1947 年，以这一法律为基础，他们对每个城镇与村庄进行规划，目的在于建立一个适合当时情况的统一规划体制，以便有效解决当时土地占用引发的矛盾和问题，并为更加合理的规划提供可能，也为地方政府执行规划以及通过购置土地落实规划提供财政支持。注重乡村"集镇"发展，并推出了相应扶植政策，通过鼓励各地发展"集镇"，为产业聚集提供基础，也为当地居民提供就业机会。2000 年，英国加强乡村发展规划和建设，出台"英格兰乡村发展计划"，加强对土地、水、空气和土壤环境问题的监督管理。2007 年，英国执行《欧盟 2007—2013 乡村发展规划》（The EU Rural Development Policy 2007-2013），加强乡村环境保护，大力扶持乡村企业发展，创建有活力和特色的乡村社区。2011 年，英国进行机构改革，设立乡村政策办公室，在发展基础设施、提供公共服务等方面拥有较宽松的自主决策权。英国以保持乡村活力与可持续性为目标，重视乡村规划和建设，鼓励乡村采取多样化的特色发展模式。

2）英国极为重视对农村的教育投入，加快提高农民素质，以推动英国农业经济的快速发展。英国很早就通过农民夜校及各种农业技术培训班加强农民的科技教育培训，而且这些培训都由政府出资完成。英国有近 100 所农业专科学校、200 多个农业培训中心、约 2000 所农场职业技术中学和 57 所农业高校，构成了农民培训网络，基本满足了不同层次人员的需要。英国政府非常重视整个村民群体在乡村振兴中的重要性，善于引导民众的保护意识，培育民众的自信心。例如，英国在乡村规划编制与实施的各个阶段都注重吸引作为乡村主体的村民群众的积极参与，这种多元参与机制不仅保证了乡村社会发展规划具有符合村民群体的利益体现，保障了农民群众的合法权益，而且极大地增加了乡村规划的可操作性和可实施性，有利于切实为乡村振兴发展提供理论指导和实践参考。

3）将现代信息技术与规模化农业生产相结合，重点发展精准农业生产。首先，目前整个英国农村地区全面推广了精准农业生产，依靠现代农业高科技提高农业生产效益。其次，以人工智能为基础的智能农业开始在许多大型农场中开展生产工作。另外，英国政府为增加村民的第三产业收入，鼓励农村地区开展观光休闲农业、经营乡村旅游。目前，乡村旅游的收入成为农村居民的重要收入来源，提升了村民群体的生活水平。

4）制定个性化农业农村支持发展政策。欧盟实行统一农业政策（common agriculture policy），各成员国在其框架之下根据自身情况制定农业农村政策。2015 年，欧盟委员会正式批准"英格兰农村发展项目 2014—2020"（Rural Development Programme for England 2014-2020），确定了农村发展的六大重点投资领域。一是知识转移及创新。建立 12 万个农村培训中心，促进农业技术转移，促进商业技能和创新能力提升。二是农村经济生产效率和市场竞争力。提升农场以及林场的市场表现，重点帮助农民应用新技术，获取商业建议，鼓励年轻人从事农业生产，促进农村地区创新创业和经济多样化。三是食物链管理，包括农产品加工营销，以及农业生产中的动物福利和风险管理。支持畜牧业中的动物健康促进计划，预防动物瘟疫。四是农村地区生态系统恢复、保持及提升。保护农地，将生物多样化和水体保护目标整合到 250 万 hm^2 农地保护计划中，新增 1.4 万 hm^2 林地。五是资源利用效率与极端气候应对。提升资源利用效率，开发木材燃料供应链，增强水库资源管理能力来应对洪水及干旱等气候灾害。六是社会凝聚与地方发展。支持地方行动小组（local action group）等具有领导力的社会团体，增强他们在解决地方发展问题中的影响力，提高农村地区发展的自主性。支持落后农村地区的基础设施，尤其是超高速网络宽带和可再生能源设施建设，支持农村小微企业发展。

（四）法国

在法国"光荣 30 年"工业化和城市化快速推进过程中，农业和乡村仍发挥着重要的基础性作用。为此，法国政府根据时代背景，制定了多项乡村政策并取得了较好效果，在顺利推进法国工业化和城市化的同时也保持了农业的快速发展和城乡稳定。

1）改善乡村基础设施条件。第二次世界大战后，法国制定了若干政策和规划以改善农村基础设施状况，如乡村整治规划中"在乡村地区建设一定水准的公共设施"，山区政策中"发展山区基础设施""改善山区生活环境"等。政府对乡村的大量投资用于改善交通、通信网络、水利、电力、教育等设施，这些投资迅速改变了乡村设施状况，为改善农民的生产生活条件、缩小城乡差距打下了良好基础。法国乡村基础设施、公共服务规划多由当地群众投票决定，虽投入经费较多却没有出现如中国的大规模"乡村合并"现象，在一定程度上保持了原有的乡村景观，为 20 世纪 70 年代开始增多的返乡人流（如退休返乡等）和半城市化（工作在城市但居住在乡村）现象打下了基础。

2）积极发展非农经济。法国政府根据市场需求变化，积极支持乡村非农业发展，一是支持农产品加工、酿酒等食品工业发展，使其成为农产品增值、农民增收的新产业；二是积极发展乡村旅游、山区旅游，使乡村、山区成为城市居民消费、休闲的新去处，使乡村旅游成为乡村经济发展的新亮点。

3）促进乡村薄弱地区发展。法国地区发展一直不平衡，东部为法国主要的发达工业区，西部为落后的传统农业区。如何推进区域协调发展是法国发展中的一个大问题。同样，促进乡村薄弱地区的发展更是重中之重。从 20 世纪 50 年代开始，法国就成立了支持乡村地区发展的半官方公司。60 年代，法国政府从区域协调发展角度，先后划定了 5 个乡村薄弱地区，根据不同特点分别给予政策和资金支持，主要用于优化基础设施和公共服务、强化劳动力培训、促进农业现代化、发展乡村工业和服务业等。

4）保护乡村生态环境。自 20 世纪 60 年代起，法国政府注重对生态环境的保护并持续至今。国家公园和区域公园的建立即是政府开始对乡村空间进行生态控制的重要一步，其在保护生态环境的同时，在一定程度上提升了乡村地区的活力。

（五）德国

德国城市化起步较早，但是在农村各地区发展极度不平衡的条件下发展起来的，其经验和做法主要有如下几个。

1）强化村庄规划指导。德国政府非常重视村庄规划，出台《联邦德国建筑法》[Baugesetzbuch（BauGB）]、《联邦德国土地整理法》[Flurbereinigungsgesetz（FlurbG）]、《联邦德国国土规划法》[Raumordnung（ROG）]和《勃兰登堡州国土规划法》[Landesbauordnungen（LBO）]等，以法律的形式对城乡土地规划做出具体规定，村庄更新规划不得与法律相悖。德国村庄规划主要分为两个层次。一是"土地利用规划"。联邦政府、州政府、地区政府按经济功能做好土地利用规划，地方政府则根据当地发展设想，对土地利用的各种类型做出初步规定，重点是区分各类建设用地和农业用地。二是"建设规划"。对建设用地上的各项建设指标做出非常详细的规定。

2）加强公共服务和基础设施建设。依据村庄更新规划，由当地政府主导开展房屋更新、道路更新、水电气设施建设、教育卫生公共服务机构建设等。项目建设采取公私合营方式，部分项目由政府出资完成，部分项目由私人推进，政府给予一定资助。例如，卢普堡村更新工程，共有私人推进项目 28 个，总投资约 215 万欧元。其中，政府资助金额为 23.8 万欧元，约占推进项目投资额的 11%。

3）利用补贴、信贷等经济手段，调整农村土地结构和农民就业结构。补贴方面，政府规定，凡出售土地的农民可获得奖金或贷款，以引导农村劳动力向非农产业转移；凡土地出租超过 12 年的，每公顷租地可获得一定奖金。信贷方面，积极开展农地金融，引导农民通过抵押土地而获得资金。德国土地抵押信用合作社和联合合作银行是农地金融的主体，有贷款需求的合作社社员以所拥有的土地为抵押，通过市场公开发行土地债券的形式筹集所需资金，也可以直接向合作社借款。例如，在农业发达地区巴伐利亚州，合作银行农业信贷所占比例近 10 年来一直保持在 40% 左右。此外，作为政策性银行的德国农业经济银行和德国信贷复兴银行，通过合作银行、商业银行、储蓄银行转贷的方式向农村借款人发放贷款。

4）注重生态环境和历史文化遗产保护。德国政府高度重视农业生态环境保护，很早就提出发展生态农业，通过土地整理推动生态农场形成。为了发展生态农业，政府为农民提供生态农业专业知识和生产技术培训。目前，德国已拥有不同规模和类型的生态农场及村镇 8000 多个。在村庄更新过程中，德国政府注重历史文化和老街小巷的保护修复与历史场景的维护重现，形成了如今德国各乡村独特的历史文化风格。德国东部、南部、西部、北部均呈现不同的建筑风格和独特文化特点。

三、日本、韩国和以色列

（一）日本

日本的农村发展和振兴可以追溯到第二次世界大战后采取的一系列促进农业与农村

发展的措施上。日本农村以其自然条件和物产为依托，以其特色核心农产品为中心，进行乡村规划设计和建设，其乡村发展规划综合了地域特色产品、生产经营技术水平、未来发展方向等方面，使其符合综合性规划设计的同时满足了当地生产和市场的要求。

1）挖掘特色资源，打造乡村品牌。在日本乡村振兴中，政府除了投资建设高标准农田、倡导农业匠人精神外，开创的"一村一品"乡村振兴模式最具特色。根据自身独特的资源优势，每个村选定并经营一项农业产品，建立产品加工基地，发展地方特色产业和主导产业，打造本村品牌产品，覆盖全国，走向世界。在此过程中，政府会加大在农业科技研发、农产品销售渠道扩展上的投入力度，为农民科学种田和产品走向全国乃至世界予以指导。在抓好"一村一品"工作中，政府还提供各种政策、资源支持，鼓励每个乡村锐意创新，在发展农业的基础上，利用农业资源发展特色旅游业、体验农业、休闲农业等各种农业新业态，发挥农业的多功能作用。日本的"一村一品"规划与农产品的市场开发策略紧密结合，目的是通过提高农产品自身特色、地域特色、加工传统等的附加价值来提升农村的经营效益。

2）推进乡村工业化，实现产业融合发展。20世纪60年代，随着工业化进程不断加快，大城市人口拥挤、交通堵塞，城市环境日益受到威胁。为了缓解城市压力，日本政府鼓励城市工业企业迁移到乡村。在工业企业迁移过程中，农民有机会进入工厂上班。一方面降低了城镇化成本，另一方面增加了农民工资性收入，农民生活水平得到改善。到80年代，日本农村中超过80%的农民都在工厂有兼职，家庭收入较以前增加了1.5倍左右。农民既不放松农业生产，又能提高收入。同时，在乡村工业发展中，不断改变生产经营方式，自成一套乡村工业体系，城市发展和乡村发展连在了一起，真正实现了城乡一体化发展。90年代，日本学者提出"第六产业"概念，即"第一产业、第二产业、第三产业"融合发展，通过多种经营，逐步把传统农业变为农业综合产业，获取更大的附加值，摆脱农业日益衰败的现状。

3）提倡城乡互助，建设美丽乡村。为了振兴乡村经济，日本政府鼓励城乡互助，尤其是相对发达的城市要支持乡村经济发展，乡村和城市结成互助联盟，两区政府缔结"区民健康村相互协力协定"，积极开展城乡全方位相互交流。一方面，随着城镇居民生活水平的不断提高，精神需求不断增加，更多的人在工作之余向往与大自然亲密接触。为此，日本乡村依据其优美田园风光，通过开办森林教室、农业教室、木工教室等乡村活动，让城市人了解乡村生产生活，再加上果树认种制、梯田认植制等农业体验活动的开展，让城镇居民参与农业生产，享受人与自然和谐共生。另一方面，城镇居民也利用先进的科学技术和现代化设备，积极参与美丽乡村建设。除了提供各种资金资源支持外，还帮助村民设计独具特色的乡村民居，规划乡村基础设施建设、文化设施布局、旅游资源开发等，不仅使乡村经济发展势头良好，而且优化了环境，完善了设施，村民安居乐业。

4）注重人才培养，发展现代化农业。随着城乡差别的不断扩大，日本大量农村人口外迁，农村人才紧缺。为此，日本政府积极推动农业人才建设，在许多大学设立农学部，专门培养农业高级人才。除此之外，日本还有许多农业职业教育学校，培养既懂农业理论更会实际操作的专业人才。日本农协还在全国举办各种短期讲习班，除了讲授各种现代农业技术外，还开设农业经营管理等商务培训班，培养农民的商业意识。同时，日本政府还出台各种优惠政策鼓励年轻人到农村创业，不到 45 岁的农业经营者，每年可得到 150 万日元的经费，用于其在农业学校、先进农家等研修学习。吸引年轻人务农的目的，则是为乡村积累、储备有朝气和有新型思维的人才。

5）突出农村传统文化，建设文明乡风。日本政府乡村振兴的重要内容之一就是保护传统乡村文化。1990 年以后，日本改变过去乡村文化基础设施建设由中央政府审批的制度，开展"家乡一亿日元创生计划"，鼓励农村当地村民发挥自主性和创新性，根据自己的意愿建设乡村，但要求每个乡村建设必须有传统特色，包括历史性产物和人文等，让居民和游客重温旧时的农村景观和传统文化。首先，政府给每个行政村投资一亿日元，建设寺庙、古街、剧场、工艺馆、有特色的美术馆等文化设施，一方面保留了古貌，农民有了文化活动场所，另一方面，在很多乡村建筑建设过程中，乡村传统技艺得以保存和传播，乡村传统匠人精神得以传承。其次，举办丰富多彩的传统文化活动，使其成为凝结村民的一个纽带，而且吸引青年人积极返乡参与乡村文化的传承和弘扬，同时也带来了丰厚的经济效益。再次，日本政府始终重视传统文化建设。乡村建设结合当地传统文化特色，在民居建设、文化产品开发上，进行传承与创新，弘扬传统文化，注重农村特色产品和文化产业开发，在提高经济效益的同时，保护并宣传了乡村传统文化。

6）完善政府政策法规，为乡村振兴保驾护航。日本政府提出乡村振兴之初，就制定了农业倍增计划及《农业改革法案》，从农业生产、流通、消费、出口四个方面进行大的结构改革。在农业产业化方面，日本政府先后出台《粮食、农业、农村基本法》《农业主导型六次产业化准备工作实施纲要》等法律法规，对农业功能进行重新定位，从战略和措施方面，对产品附加值、商品流通、国际合作、食品安全和环境资源、技术创新等进行细分，涉及农工商合作、知识产权保护、品牌化经营等方面。

（二）韩国

韩国推动乡村转型发展最突出的特点就是综合分析资源贫乏、"人多地少"和城乡发展失衡，在政府的主导与积极支持下，通过有力的宏观调控与宣传活动，推行了一场自上而下的乡村发展转型运动。在注重物资投入与建设的同时，采取了一系列措施来提高广大农民的素质与知识水平，实现了乡村物质空间与精神文明转型的齐头并进，促进了乡村社会向城镇社会的转型。

1）注重农业现代化发展。新乡村运动中，韩国政府重视农业现代化生产，实现了粮食增产和农民增收齐头并进。借力"数字+""文化+"，促进产业融合。首先，推动农业产业化经营，推广高质量的农作物品种，提升农业机械覆盖率。推进农业科技跨越发展，不断完善科技研发、科技推广等服务体系，推动科技成果转变为现实生产力。其次，加强大数据技术在农业中的应用，推动"互联网+乡村"融合发展，加快智慧农业、数字农业、精准农业发展，指导农民科学选择种植种类与规模。以乡村电子商务为抓手，扩大农产品销售半径。最后，推动农业多功能产业体系发展。在农业产业化发展中引入生态保护、历史、文化及现代创意元素，深度挖掘以生态保护为主题的特色小镇、文化创意农庄、休闲农庄的经济潜力，拓宽乡村产业支链。

2）加强基础设施建设。新乡村运动中，韩国不断完善基础设施。在交通方面，拓宽和加固道路、兴建桥梁，通过便捷的交通来促进农村地区经贸发展。在住房及电气化方面，农民住进砖瓦房或水泥房，大部分村庄实现通水通电，农民的生活发生质的提升。在公共服务方面，发展农村教育，推进优质医疗资源向农村地区倾斜，并构建了广覆盖、保基本的社会保障体系。

3）充分调动农民的积极性。在新乡村运动中，韩国政府充分调动了农民的积极性。一方面，在农村设立广播站，举办交流会、演讲会，多方位调动农民的建设热情。另一方面，重视村级管理咨询机构的职能发挥，增加农民参与的积极性。各村设有村民大会与村发展委员会，及时征求、反馈村民意见，切实保障各项工作的可行性。同时，赋予农民决策权、参与权和监管权，最大限度地发挥农民的自主性、积极性。

4）加强政策引导保障作用。在新乡村运动中，政府制定各项政策，有效促进农村发展。首先，提高政策针对性，将农村分级，有针对性地制定扶持政策。其次，注重政策配套性和连贯性。颁布《农业基本法》，并制定和完善山林、畜产、农业银行等的100多种配套法规，保证政策连贯有效。最后，加强引导资金流向农村。政府颁布《基础设施吸引资本促进法》等法规，鼓励民间资本进入农村建设，拓宽建设资金来源渠道。

（三）以色列

以色列的"和谐乡村建设"经过几十年实践和总结，并在发展中国家加以推广，得到了世界各国及联合国的普遍认可，被称为"乡村综合发展方法"。在"乡村综合发展方法"的大方向指导下，以色列采取一系列措施建设和谐乡村、发展农业产业。

1）科技应用引领现代农业。一是科技化。融合农民参与、应用导向、国家支撑于一体的农业科技研发应用体系，在造就农业奇迹中发挥了至关重要的作用。滴灌自控、滴水施肥、作物栽培、化学应用、机械化、智能控制、生物传感、环境控制等科学技术，在农业生产力飞速发展中发挥了重要作用。二是集约化。在基布兹和莫沙夫两种有效组织形式的带动下，农业实现了规模经营、订单生产、合作销售，农业生产标准化程度高。温室大棚和农场面积占其耕地面积比例都达 16%。农业劳动力占全国劳动力的比例为1.7%，比农业 GDP 占全国 GDP 比例低 0.7 个百分点。三是产业化。基布兹的农业生产直接与国际市场连接，农业生产、加工、包装、销售基本实现一体化经营。莫沙夫中的农户直接与国内的公司签定销售合同或者直接上网销售。以色列农业年产值约 70 亿美元，其中出口 21 亿美元（占全国出口总值的 4%）、加工农产品占农产品比例接近 40%。

2）管理创新促进乡村发展。一是健全的管理体制。农村社区主要有三种形式，分别是基布兹、莫沙夫和莫沙瓦。基布兹带有社会主义性质，起初农村土地、劳动工具、各种财产等都归集体所有，实行充分自治、民主管理、民主决策、轮岗作业、人人享福；现在大部分实行"工资+福利+奖金"制度，发展工业、乡村旅游等多种经营，鼓励成员外出就业。莫沙夫和我国的双层经营体制很像，集体把土地分配给家庭使用，只是不实行集体统一生产、分配、劳动等制度，但统一了两个功能：生产资料的购买和农产品的销售。莫沙瓦相当于个体户，他们联手协作。无论哪种经营管理体制，农村土地全归国家所有，分给家族使用，不得买卖，但可租赁，一些企业通过租赁、参与基础设施建设等方式，介入农业生产环节。无论是哪种组织形式，都随着时代的变迁不断地进行自身调节和变革。二是周到的公共服务。政府为农业科技研发、居民就业创业提供周到的服务，如居民就业服务实行外包制度，区域内若干个乡镇居民就业服务由一个代理机构负责信息发布、岗前培训、技能提升，政府提供经费支持。政府支持各类组织为居民提供创业指导服务。在支持农村经济发展特别是乡村观光旅游方面，政府提供规划指导、宣传推介等支持。三是完善的基础设施。城乡道路基本上没有多大差别，马路宽度、建设质量、交通标识、路灯设置很相近，城乡之间基本上通过免费高速公路连接贯通。

3）产业融合促进农民致富。一方面，第一产业"接二连三"带动农民就业。目前以色列有 270 个基布兹，几乎都发展工业和乡村旅游，极大地增加了农民就业。乡村旅游的快速发展带动了农产品销售、农村餐饮服务和产品深度开发，给农民提供了大量的就业机会。以耶胡达镇为例，该镇一共 5000 多户家庭，从事乡村旅游的人口达 500 人之多；一个羊场开发出了以羊笑脸为主题的明信片、羊奶肥皂等一系列产品。另一方面，"两个市场"实现农业增效。在国内，政府支持农业领域市场化发展，通过市场机制调节，促进农业产业化和农产品增值。农户主要核算生产成本、预测市场并签定产销合同，种植之外的加工、采购、财政、购销等繁琐的农业服务由区域合作组织承担。在高科技带动下，以色列农业劳动生产率比工业还高 27%，但其国内农产品价格并不低，加之农产品的产量也很高，使农业成为富民产业，如以色列一头奶牛年均产奶量 1.2 万 L，单位产量居世界第一；每公顷滴灌地年均可产番茄 110t 左右，设施大棚每公顷年均可产番茄 300t 或玫瑰花 300 万枝。对外，以色列大力实施出口型农业发展战略，政府通过提供低息贷款等方式支持农产品出口，大量农产品出口到欧洲、美洲等，在欧洲享有"冬季厨房"美誉。

第二节　国际经验对我国的借鉴和启示

从国外乡村振兴发展实践可以看出：农业现代化并没有固定的模式。一个国家究竟采取什么方式走向农业现代化，是由其客观的资源条件和历史背景决定的，不可能完全照搬或模仿别国的模式。一般来说，实现工业化较早、土地资源丰富而劳动力又相对缺乏的国家，农业现代化的起步往往从生产工具和技术的改革上入手，走资本集约或技术集约道路。例如，美国主要以劳动力节约型为主，采用以州为单位的、区域性布局的农场或生产基地，充分利用农业机械、良种技术，形成规模化、产业化经营。以色列由于土地资源稀少，自然环境条件恶劣，因而重点进行了节水型农业科技的研究，形成其技术集约型农业特色。人多地少的国家以劳动集约作为农业现代化的起步方式，在节约土地资源和充分利用劳动力方面找出路，侧重于采用生物技术、精耕细作，进行集约经营以提高单产。例如，荷兰注重发展设施农业和"温室革命"，土地高产出型的家庭农场与完善的社会服务网络相辅相成，使其成为世界农业强国。日本是一个岛国，农业的发展主要采用了全盘合作化的土地节约型模式，即由农协联合分散农户形成劳动集约经营。各国自然条件和经济条件不同，农业发展方式也各有特点，对中国农业的发展有一定的借鉴意义。

一、要从国情出发探索建设农业农村现代化的道路

我国是中国共产党领导下的社会主义国家，这是我们最大的特色，也是与国外最大

的不同。与此同时，我国当前是长期处于社会主义初级阶段并是发生新变化的阶段，已进入中国特色社会主义新时代。实现乡村振兴必须从国情出发，走有中国特色的农业农村现代化发展的道路。

二、要注重规划先行和一以贯之地落实

实施"乡村振兴战略"，是破解"三农"问题，促进农业农村发展的全面、长远的计划。必须强化乡村规划制定与管理，既突出功能统筹、产业融合，又强调生态文明和城乡共融发展，做好人与自然、资源与生态、发展与环境的融合，增强规划的可行性和长远性，让规划经得起时间和实践的检验。

三、要制定和实施切实有效的农业支持和保护政策

农业支持和保护政策是政府促进农业发展的各类干预措施的总和。其具体形式是多种多样的，如对农民的直接收入支持、农产品价格支持、鼓励农产品出口、限制农产品进口；实行财政金融支持和农业灾害保险；增加对农业的投入、加强农业科研与技术推广、支持农业农村基础建设、保护农业资源和环境等。可以说，政府的大力支持和保护是发达国家农业现代化进程中一个不可或缺的重要因素。在世界贸易组织（WTO）的《农业协定》生效之后，尽管主要市场经济国家对农业的支持方式发生了某些变化，但对农业的支持和保护力度不但在总体上没有减小，许多国家还有所增加。2001年美国和欧盟的国内支持量分别达到其农业产值的50%和60%，日本更是高达76.7%。一般认为，人均国内生产总值达到1000美元左右是开始实行农业保护的最佳时机。尽快建立起保护力度更大、支持效率更高的国家农业支持和保护体系，加快推进我国农业现代化进程的基本条件已经具备。

四、要加大农业农村科技创新和教育培训投入

现代农业的生产经营和管理，需要具备农学、机械学、管理学、信息学等多方面的知识和技能，现代农业也被称为知识密集型和技术密集型产业。当前，我国农业科技投入不足，农业农村科技服务力量薄弱，农产品技术含量低，已经成为农业转型升级和乡村振兴的重要制约因素。我国农业研发经费投入强度不仅低于许多发展中国家的水平，更远低于主要发达国家3%～6%的水平，需要进一步加大对农业农村科技创新的财政支持力度。另外，高素质的农业劳动者是建设现代农业必不可少的条件。教育是人力资本投资的最重要形式，各发达国家对农业教育都十分重视，有着完善的农业教育体系。丹麦农民有85%是大学毕业生。法国有继承权的农场主子女，在接受基础教育之后，还要再上五年农校，再经过三年学徒期，考试合格后才能取得从事农业经营的资格。我国农村劳动力资源丰富，但是素质较低，要支持和鼓励农民就业创业，加强农村干部、农民和新型主体培训，培养造就一支懂农业、爱农村、爱农民的"三农"工作队伍。

五、要加强农业生态环境保护

在这方面，包括美国在内的许多发达国家都走过弯路，如由于大量使用化肥、农药等引起的土壤退化、环境污染以及水土流失等问题。欧洲环保意识较强，采取措施早，情况相对好一些。我国目前虽然高度重视生产环境建设与保护，采取了退耕还林等重大措施，但从总体上看，我国的环保水平还较低，全民的环保意识尚未形成，毁林开荒、过度开发使植被遭到了严重破坏，水土流失严重，荒漠化、沙漠化日趋扩大。为此，必须学习和借鉴国外经验，把环境保护摆到突出位置，坚决制止以牺牲环境为代价的生产开发模式，进一步加强生态建设，努力改善生态环境和农业生产条件，大力发展生态农业、有机农业，力争在短时间内，使我国生态环境恶化的势头得到有效遏制，促进农业可持续发展。

第三章　乡村振兴面临的科技瓶颈

第一节　乡村振兴的科技需求

一、农业农村发展的历史成就

改革开放以来，尤其是党的十八大以来，以习近平为核心的党中央坚持把解决好"三农"问题作为全党工作的重中之重，取消农业税，持续加大强农、惠农、富农政策力度，全面深化改革，建立健全农村基本经营制度，积极推进土地确权颁证和"三权分置"改革，推进农村管理体制和农产品流通体制改革，坚持以农业供给侧结构性改革为主线，扎实推进乡村振兴战略，农业农村发展取得历史性成就，发生历史性变革。根据武汉大学李楠等整理的资料，我国40年农村改革发展的成就主要有如下几个方面。

（一）农业生产力水平不断提高

持续推进农村改革，注重发挥科技创新在推进农业农村现代化中的动力作用，极大地解放和发展了农村社会生产力。现代农业建设迈出新步伐，农业机械化获得长足发展，主要农作物耕种收综合机械化水平超过65%；农业科技进步贡献率超过56%；土地适度规模经营所占比例达到40%。这标志着我国的农业生产已经实现以机械作业为主、主要依靠科技进步推动的根本性转变。我国依靠杂交水稻等重大农业技术创新，创造了用占世界9%的耕地养活占世界约20%的人口的奇迹。

（二）农业综合生产能力显著提升

我国粮食综合生产能力不断提高。1978～2017年，我国粮食产量由6095亿斤[①]增加至12 358亿斤，成功地解决了13亿人口的吃饭问题，做到了"中国人的饭碗任何时候都要牢牢端在自己手中"。党的十八大以来，我国国家粮食安全和大宗农产品基本供给能力明显提高，全国粮食总产量继2013年首次突破12 000亿斤大关后每年均稳定在12 000亿斤以上，全国肉类总产量和水产品总产量稳居世界第一，棉花、油料、糖料、蔬菜、水果等主要经济作物保持较高产量水平，成为经济发展、社会稳定的"压舱石"。

（三）农业经济结构持续优化

不断调整和优化农业产品结构、产业结构和布局结构，促进农业、林业、牧业、渔业全面发展，加快传统农业向现代农业转变。一是持续调整和优化农产品结构，大力推

---

① 1斤=500g。下同。

动绿色农业发展，着力推进农业供给侧结构性改革。二是持续调整和优化农村产业结构，促进农村第一、第二、第三产业融合发展，提高产品附加值，延长产业链，提升价值链。与文化、科技、生态、旅游、康养等深度融合形成的休闲农业和乡村旅游蓬勃发展，推动了主体多元化、产业专业化、业态多样化。三是持续调整和优化农业布局结构。第一产业即农业增加值占国内生产总值的比例由 1978 年的 28.1%下降到 2017 年的 7.9%；不断调优农业产业结构，2017 年在农村三次产业增加值中，第一、第二和第三产业的比例分别为 33.5%、51.6%和 14.9%。

（四）农民生活水平巨大提升

我国农民收入持续快速增长，人均纯收入由 1978 年的 134 元增加到 2015 年的 10 772 元，年均增长率 7.28%。农村反贫困工作取得了举世瞩目的成就：按照现行农村扶贫标准，我国农村贫困人口由 1978 年的 7.7 亿人下降到 2017 年的 3046 万人，贫困发生率由 1978 年的 97.5%下降到 2017 年的 3.1%，为世界减贫事业贡献了"中国方案"。农民生活质量得到极大提升，农村居民恩格尔系数由 1978 年的 67.7%下降到 2017 年的 29.3%。

（五）农村面貌发生根本变化

农村基层民主政治建设、精神文明建设、社会建设和生态文明建设等全面发展，新农村建设扎实推进。2000 年实现农村教育"两基"目标，逐步向"两全"阶段迈进，农村人口素质明显提高；2006 年全面取消农业税，农民轻装上阵，社会和谐；农村生态文明建设逐渐展开，环保意识日益增强。党的十八大以来，农村"五位一体"建设取得重大成就。

（六）农业科技创新成为我国农业发展的根本动力

目前，我国农业科技进步贡献率已经超过 56%，主要农作物耕种收综合机械化水平超过 65%，现在小麦基本上实现了全程机械化，水稻、玉米的收获环节基本实现了机械化，主要农作物良种覆盖率，2018 年稳定在 96%，农业科技进步贡献率达到 58.5%，农业科技为保障国家粮食安全、促进农民增收和农业可持续发展作出了重要贡献。

二、农业农村发展面临的挑战

当前，我国最大的发展不平衡仍然是城乡发展不平衡，最大的发展不充分仍然是农村发展不充分。乡村兴则国家兴。随着国内外形势深刻变化、经济社会深刻转型，我国农业与农村发展出现了一系列新情况、新特点，变化之快速、变动之广泛、变革之深刻，远远超出我们的预料。我国主要农产品需求刚性增长的压力将持续存在，农业发展面临的资源和环境约束更加严峻，我国农业将全面深度融入全球化进程，国际农产品贸易竞争日益激烈，对我国农业持续发展的影响日益深刻。农业现代化仍是"四化同步"的短腿、农村仍然是全面建成小康社会的短板，这种局面短时间内难以改变，必须找准对策。

（一）农业基础和物质条件差距大

我国人多地少，人均耕地面积为 1.52 亩[①]，不到世界人均耕地面积 3.75 亩的一半。要保持 95% 的粮食自给率，需要粮食单产年增长率保持在 0.8%，但依靠现有常规技术持续高产高效的潜力十分有限，难度很大，迫切需要在新品种、新技术上有新的突破，以保障农产品生产能力进一步提高。我国粮食深加工率仅 9.2%、蔬菜加工率不足 1%。我国传统农药使用量依然占总量的 95% 以上，且几乎所有的农药专利技术均来自国外。我国食品制造装备主要依靠进口，现有食品专利技术的工业化应用少。我国农业装备与发达国家相比整体落后 30 年，90% 以上的大型农业装备依靠进口。主要畜禽良种、部分高端种子主要依靠进口，严重制约了种业的发展。种业研发投入占销售收入比例小于 3%，很多企业不足 1%，远低于国际企业 10% 的最低线。美国目前 87% 以上的农场具有互联网信息系统，92% 的农场土地使用农田地理信息系统。发达国家从事农业的农民素质较高，美国具有大学学历的农民已达 90% 以上，我国具有大专及以上学历的农民比例不到 1%，差距巨大。

（二）农业农村发展方式差距大

我国人均水资源占有量仅为世界平均水平的 1/4，但利用率不足 40%，远低于发达国家利用率 60% 以上的水平。我国水土流失面积占国土面积的 37%，年水土流失量 50 亿 t，占全球的 1/5。我国化肥消耗量占世界的 25%、农药消耗量占世界的 30%。我国是水稻大国、养殖业大国以及农用化学品消费大国，农业活动的温室气体排放总量占全国的 17%，减排任务繁重。迫切需要推动农业生产方式转变。

全国农村有 2.7 亿多人生活饮水质量存在安全隐患，全国农村自来水普及率仅为 50%。全国 10.6 万多家小型食品企业中，60% 以上不具备食品安全检验技术。全国 96% 的村庄没有排水渠道和污水处理系统。农村建设土地资源管理及综合整治技术体系尚未建立，快速城镇化技术标准体系建立滞后于建设需求，农村住宅建设标准化体系不健全。改善农民生活质量的需求日益扩大。

（三）依靠科技促进农业发展差距大

与发达国家对比发现，我国农业领域的技术水平还相对落后，缺乏高影响力的重大原创性成果，国际竞争优势相对较弱。我国农业领域技术水平存在上游基础研究薄弱、中游关键技术落后和成果转化效率低下、下游产业发展滞后等问题。这些问题已成为我国整个农业产业发展的瓶颈。2014 年，科技部对植物育种、动物育种、数字农业、农业领域先进制造、农林生物质、农业生境控制与修复技术、农业生物药物领域、低产田改良、节水农业、海洋农业、食品绿色制造与加工、冷链物流、食品质量安全、村镇发展规划与环境整治、村镇宜居社区等农业领域科技中外竞争力进行深入分析。结果显示，我国仅少数技术处于国际领先地位，多数技术处于并行或跟踪研究阶段，形成了少量领跑，多数并行和跟跑的基本格局。农业领域整体技术水平与发达国家存在较大差距。

因此，未来 20 年，我国人口增加给农产品数量提出了更高要求，资源短缺与生态

[①] 1 亩≈666.7m²。下同。

环境压力给农业生产带来更大挑战，降本增效和国际竞争对转变农业生产方式提出了新的要求，绿色发展是未来农业发展的主旋律，提高劳动生产率是提升未来农业产业竞争力的关键，迫切需要发展节本、提质、增效、绿色、可持续农业，大幅提高土地产出率、资源利用率、劳动生产率，实现"农业强、农村美、农民富"。

总体来看，乡村振兴的总目标是农业农村现代化，围绕我国农业农村现在存在的主要问题，需要以问题为导向，针对农业农村现代化的科技需求展开探讨。

三、农业现代化的科技需求

1）农业结构性矛盾突出，发展方式落后，农业供给质量、综合效益和竞争力不高。我国经济发展进入新常态带来了深刻变化，面对农业生产成本"地板"太高与"天花板"下降的双重挤压，农产品竞争力不足，农产品供给侧结构问题突出。很长一段时间，我国农业科技投入主要围绕增加数量、提高产量进行，粮食实现"十二连增"，有效保障了我国粮食安全。随着社会的发展和人民生活需求的提高，现有的数量型、产量型的技术体系对于优质安全和多样性、差异化市场需求支撑不足。农业发展方式依然相对落后，现代农业产业体系、生产体系、经营体系不完善，农业产业结构不适应问题突出，农业增长方式落后。农业生产方式粗放、资源利用效率较低、经营管理效益不高等问题没有根本性扭转，迫切需要使农业生产增长转变到依靠科技进步和提高生产者素质的轨道上来。

2）农业产业业态单一、产业链不完善、农村第一、第二、第三产业融合发展深度不够。"产业兴旺"是乡村振兴战略实施的重点。目前，我国现代农业产业体系、生产体系、经营体系尚没有完全形成。我国农业产业主要集中在产业链上游的生产和加工环节，而对于流通、供应链、销售和消费环节的品牌升级增值关注不够，产品精深加工比例偏低，农业发展新业态创新不够，尚没有形成完整的全产业链体系。亟须通过科技创新促进农业产业链、创新链、价值链有机融合与产业链创新提质，实现农业产业大幅度提升竞争力和迈向价值链中高端。

3）资源透支与生态环境超载双重约束，绿色发展压力沉重。改革开放以来我国农业实现了跨越式发展，但是这种飞跃发展很大程度上依赖于化学品的大量使用，这不仅有损于农产品的质量，也对整个农业生产的生态基础造成了较大的破坏，造成土地质量堪忧，给农业的可持续发展带来沉重压力。农业资源环境压力大、面源污染依然严重。亟须通过科技创新促进农业生产方式的绿色化转型，切实落实"藏粮"战略，这也是改善生态环境、提高农产品质量的重大需求。

四、农村现代化的科技需求

（一）农村现代化"三生"空间重构和协同增强的需求

乡村空间分为生产空间、生活空间、交流空间、信仰空间、道德空间、商业空间等类型，与人们的生活密切相关。我国乡村土地面临数量少、质量差、效益低、生态恶化、景观文化功能缺失等一系列问题，这主要是由于我国当前乡村土地发展过度重视数量，而往往忽视乡村土地的质量保障、生态维护、功能协同等方面。乡村土地功能亟待从生产功能为主向经济功能、生态功能、景观文化功能等多功能协同发展转型,从单一的资源保护向高效利用和生态环境友好转变,充分发展和提升乡村土地的生态、景观、文化功能,是形成"节约资源和保护环境的空间格局、产业结构、生产方式和生活方式"的重要途径。因此,优化乡村土地功能,重塑乡村土地资源,重组乡村土地空间,是支撑我国粮食安全、生态安全、农民权益安全,调控与协同人地关系,实现我国乡村振兴战略的重要支撑。

（二）农村现代化"三生"基础设施需求

与城市相比,农村各项基础设施建设薄弱,是制约农村现代化水平的主要方面。基础设施配套的推进,要以第三产业发展作为动力,两者相互促进,形成协同作用。引用网络上部分网友的言论可以发现,基础设施的改善和生活设施的完善对于农村现代化的重要性。"欣喜的是泥巴路得到了硬化,污水经管道流向村外池塘;不幸的则是成堆的垃圾已经让昔日小桥流水的美景不复存在。要面对洗澡和如厕的不习惯,还要忍受没有了熟悉的生活圈、朋友和随时可以看到的演出展览,甚至是日常消费品牌短缺带来的尴尬。"

（三）生态宜居的农村现代化品质生活需求

生态宜居的农村现代化品质生活以实现"高品质"生态宜居为目标。对村庄建筑质量进行整合、评估,对不符合住房要求的建筑进行整顿、整治,统一建筑风格,展现当地建筑文化特色。在乡村规划中,从现代景观生态学的视角,营造富有造型的、具强震撼性的乡野景观,表现田园景观中最具有魅力的层面。在建筑形态设计上,以乡土地区的本土建筑为借鉴原型,融入我国建筑文化的精华,适当添加现代建筑符号,凸显本土文化,创新设计"田园民居"。

（四）农村现代化"三生"发展科技需求

从农村现代化对于"生活空间""生产空间""生态空间"的发展需求来看,大致将"三生"空间各类发展科技需求分为以下方面。①生产空间科技需求。农村生产空间主要由各类农业生产资料、各类产业等构成,针对农村生产对象和问题,农村生产现代化主要需求方面包括土地质量提升、功能转型、高效利用;生产设施配套;多功能产业融合;灾害防治;新型设备研发;信息化平台建设等方面。②生活空间科技需求。农村生活空间主要由人们生活的衣食住行等构成,针对农村生活空间的主要问题,农村生活空间现代化主要需求包括以下方面:村镇规划和建设、功能分区整合;现代化住宅设计;公共服务均等化需求;教育、医疗保障;生活能源供应;乡村治理现代化;公共设施配套;交通通信等。③生态环境现代化科技需求。针对农村生态环境问题,农村生态环境现代化主要需求包括绿色可持续发展;"三废"处理、治理和再利用;生态环境修复和改善;美丽乡村、美丽田园等。

第二节　乡村振兴存在的突出问题

面对日益激烈的国际竞争和孕育兴起的新一轮农业科技与产业革命,在充分肯定我国农业科技创新成就的同时，也要清醒地看到，我国农业科技创新依然存在诸多突出问题亟待解决。

一、农业科技创新能力与发达国家相比依然偏弱

农业科技无论在成果转化应用，还是在基础研究方面，都存在着差距和不足。第一，长期以来，我国对作为创新源头、引领学科发展的农业基础研究投入相对不足，导致支撑重大突破的基础前沿研究储备不足，很难催生颠覆性技术的形成。例如，在水土质量、农业生态等方面，缺乏长期、系统的观测监测等，重要资源底数不清，基础性、长期性工作积累不够；基因编辑、物联网等前沿技术的基础研究不够、研究起步晚、研究力量不足、发展较滞后，难以支持重大技术突破和产业变革。第二，在农业遗传育种、农机装备、畜禽水产品养殖、农业资源环境等方面，面向需求导向的技术研发不足，导致支撑传统农业向现代农业转型升级的过程中的重大技术突破和储备不足。第三，由于企业自主创新能力弱，协同创新机制不健全，立项评价机制有待完善等，农业"科技"和"经济"的"两张皮"问题始终没有得到有效破解。

二、农业科技创新体系"产学研"衔接有待加强

发达国家如美国是按照农业区域特点和行政区划划分八大区域的农业科研服务机构，而我国科研体系主要按照行政区划设立。在纵向层面上，形成了国家级、省级、地市级农业科研机构，为全国农业科技发展的共性问题和区域性问题的解决提供支撑，但科研单位对成果推广和产业发展的责任较为淡化，"产学研"结合不紧密；在横向层面上，农业部、科技部、教育部及其下属单位均可通过项目形式为农业科技创新提供支持，但课题的设置重点体系化程度不高，机构重叠、任务交叉的现象仍然比较多，成果推广和向产业延伸的动力不足，"产学研"衔接仍不够紧密。

三、农业科技人员的创新环境与创新动力存在较大樊篱

目前科技界最大的"矛盾"依然是广大科技人员积极投身一线报效国家的热情与体制机制创新的不充分、不平衡的矛盾，这极大影响了广大科技人员的创新活力。目前项目立项机制、执行管理、经费管理等方面还存在不少问题，科研人员多数精力用于应付检查、报账的状况没有得到根本扭转。国家创新驱动发展战略强调"双轮驱动"，目前体制机制创新滞后的情况导致了科技创新这一轮子"空转""原地转"的情况依然存在。因此，农业科技创新体系建设的本质问题还是体制机制创新。

2019 年，中国农业大学组织全国 50 余家涉农院校 2200 余名学子赴全国 20 多个省份 600 多个乡村开展科技支撑乡村振兴现状调研。结果显示：乡村创新载体极度缺乏，创新发展动力明显不足；乡村产业科技贡献率低，产业发展普遍呈现低端同质化，科技支撑乡村振兴不力。

1）创新要素缺乏合力。调研发现，当前普遍存在科研院校技术创新能力和社会化技术服务支撑不衔接，涉农科学研究、实用技术开发与乡村产业一线需求"咬合"不紧，

不同地区存在政策"软件"配套差异，导致科技创新无法在乡村有效落地。各级涉农部门也缺乏统一的农业农村创新发展大数据平台，相关信息散落于国家种业数据平台、农村土地承包经营权确权登记数据库、农业经营主体数据库、耕地基本信息数据库和农情信息调度平台等，难以有效发挥作用。

2）科技成果无处发力。调研发现，一方面，农民对科技产品兴农助农的满意度不高（低于 60%），乡村获得科技服务的主要形式、科技成果的供给渠道和农民最为急需的诸如新型品种、肥料、农药、机械和饲料等科技产品之间存在错位。另一方面，涉农科技工作组织缺乏风险防范和化解的保险、抵押支持，缺乏科技成果转化所必需的金融、政策等一揽子服务平台。

3）人才下乡激励乏力。调研发现，农业从业者受教育水平和科技素养现状严峻，具有大中专以上学历者不及总数的 10%，55 岁及以上人员比例超过 40%。高素质科技人才缺乏成为科技、资金等高端要素在城乡之间流动不畅的最主要制约因素。科技工作者、高校毕业生、农村能人、企业家进入农村缺乏统一的组织信息服务平台和明确的政策支撑。农业科技工作者和高校毕业生"下乡"还存在收入、职称、户口、住房、子女教育等"后顾之忧"。

针对当前我国乡村土地资源价值逐步缺失、优质劳动力资源加速流失、乡村发展后继无"人才"的现状，亟须大力发展"互联网+"乡村产业，推动科技金融、电子商务、创意文化等品牌、平台建设，拓展乡村产业链条和增值空间，助力乡村振兴战略实施，让全体农民成为乡村振兴的主要参与者和直接受益者。乡村振兴亟须"有文化、懂技术、会经营"的新型农民，迫切需要以知识型高素质农民培育为主体，以技术创新为引领，以发展特色科技产业为依托，大力推进创新型乡村建设。

第四章 乡村振兴科技创新的特征与需求

在中国特色社会主义新时代，创新是引领发展的第一动力，是建设现代化经济体系的战略支撑，以科技创新为核心的全面创新已成为推动我国经济社会发展的强大动力。农业、农村、农民问题是关系国计民生的根本性问题，没有农业农村的现代化，就没有国家的现代化。当前，农业是现代化建设的短腿，农村是全面建成小康社会的短板，我国发展不平衡、不充分问题在农业农村领域尤为突出。乡村振兴战略是党中央对当前"三农"工作做出的崭新战略部署。创新驱动是加快农业农村现代化的必然要求，是中国特色社会主义乡村振兴道路第一动力。乡村振兴的过程就是我国农业农村现代化的过程，必须将农业农村科技创新放在我国现代化强国建设的优先发展位置。

如何激发乡村振兴的内生动力，充分发挥亿万农民群众的主体性、积极性与创造性，唤醒亿万农民群众的主体意识、建设意识与角色意识，增强农民群众对乡村振兴的归属感、责任感和认同感，使愿意留在乡村的农民群众和人才安得下心、稳得住脚、干得成事，是乡村振兴战略迫切需要解决的现实问题。

未来很长一段时间，科技创新要围绕支撑乡村"产业兴旺、生态宜居、乡风文明、治理有效、生活富裕"进行，其中产业兴旺是重点、生态宜居是关键、乡风文明是保障、治理有效是基础、生活富裕是根本，目的是依靠科技推动农业全面升级、农村全面进步、农民全面发展，在全面乡村振兴过程中，要充分发挥农民群众在创业兴业中的主体性，充分保障农民群众参与经济活动的权利。乡村土地经营制度是乡村振兴战略的基础性制度，发挥农民群众在乡村经济活动中的主体性，必须保障农民对土地、宅基地的权利。建立农民群众自主参与乡村经济活动的内在机制，让农民群众有充分的经济活动话语权，推进以家庭经营为载体的"小农户、大产业"的乡村经济活动发展模式，引导农民群众兴业创业，在乡村振兴过程中实现民富业旺。如期实现第一个百年奋斗目标并向第二个百年奋斗目标迈进，实现"农业强、农村美、农民富"。

第一节 乡村振兴背景下农业农村科技创新的特征

一、产业融合和新型经营主体将催生新的农业农村科技革命

农村第一、第二、第三产业融合发展，是拓宽农民增收渠道、构建现代农业产业体系的重要举措，是加快转变农业发展方式、探索中国特色农业现代化道路的必然要求。专业大户、家庭农场、农业合作社、龙头企业将是我国农业主要的经营主体，其中家庭农场最终将成为我国农业生产中的主要经营主体。另外，土地流转和规模化经营将极大促进农业全程、全面机械化和信息化水平的提高，有利于现代农业经营体系的建立。加快培育新型农业经营主体的职业化、合作化、网络化是解决未来"谁来种粮"问题和发展现代农业的应对之策，也是深化农村改革的一个重点。未来要扶持发展农业产业化龙头企业、合作社、

家庭农场和社会化服务组织，积极培育新型农业经营主体。加快构建以农户家庭经营为基础、合作与联合为纽带、社会化服务为支撑的立体式复合型现代农业经营体系。这些新型经营主体必将催生新的农业产业革命，拓展农业其他功能。例如，农业与其他产业交叉融合，农业与生态、文化、旅游、健康等元素结合起来，大大拓展了农业原来的功能，使农业从过去只卖产品转变为还"卖风景、观赏""卖感受、参与""卖绿色、健康"等，极大地提升农业的价值。信息技术的快速推广应用，既模糊了农业与第二、第三产业间的边界，也大大缩短了供求双方之间的距离，使网络营销、在线租赁与托管等快速发展。

二、对产出高效、产品安全、资源节约、环境友好的迫切需求

农业农村科技创新对产出高效、产品安全、资源节约、环境友好的需求更加迫切。

当前我国农业正处在转变发展方式、优化经济结构、转换增长动力的攻坚期，推进农业供给侧结构性改革，加快培育农业农村发展新动能，提高农业综合效益和竞争力，必须依靠科技创新支撑引领。随着土地流转的不断加快，传统的小农户分散经营加速向适度规模经营转变，新型农业经营主体成为现代农业的生力军，现代农业的科技需求向质量效益整体转变，进入新一轮技术需求旺盛期。社会消费结构加快升级，对农产品质量安全、食品多样化和高品质、食物营养与健康提出了更高的要求。树立"大农业、大食物观"，实现农产品由低水平供需平衡向高水平供需平衡的跃升，亟须通过科技创新，发展高新技术产业，建立"粮经饲"统筹，"农林牧渔"结合，"种养加"一体，第一、第二、第三产业融合的现代农业产业体系。传统的依靠拼资源消耗，拼农业投入，拼生态环境的粗放的生产方式难以为继，这就对节能、减排、绿色、低碳等农业可持续发展技术提出了前所未有的重大需求。

实施乡村振兴战略，必须着力构建现代农业产业体系、生产体系、经营体系，提高土地产出率、资源利用率、劳动生产率，提高农业质量效益和竞争力，促进农业农村发展由过度依赖资源消耗、主要满足量的需求，向追求绿色生态可持续和更加注重满足质的需求转变，走产出高效、产品安全、资源节约、环境友好的农业现代化科技创新之路。

三、迫切需要构建智慧农业技术体系

信息技术的应用日益广泛，迫切需要构建智慧农业技术体系。当前"互联网+"、大数据、云计算等正在引领信息技术和产业进入一个转折期。集成电路正在逐步进入"后摩尔时代"，计算机逐步进入"后PC时代"[1]，互联网正在进入"后IP时代"[2]，云计算和大数据的兴起是信息技术应用模式的一场变革。无时不在、无处不在的信息网络环境，推动人类生产、生活和管理方式发生深刻改变。信息化新技术与农业交叉渗透，催生智能装备、智慧农业、农业现代化新模式。智慧农业的研究和应用快速发展，农业物联网技术、移动互联、空间信息技术和人工智能等先进信息技术将得到大量应用，传感设备朝着低成本、自适应、高可靠和微功耗的方向发展，未来传感网也将逐渐具备分布

---

[1] 后PC时代，网络流行用语，指将计算机、通信和消费产品的技术结合起来，通过互联网进入家庭的时代。
[2] 后IP时代，网络流行用语，指互联网进入一个以符号、价值观、共同特征等为特点的个人、组织或事物使其他个人、组织或事物产生共鸣或被吸引，并在一定范围内形成影响力的时代。

式、多协议兼容、自组织和高通量等功能特征，实现信息采集处理实时、准确、高效和智能，各领域知识库、模型库、推理分析机制系统融合，进行智能精准监测、预测并提供智能控制和决策管理，生物技术、种养工艺、信息技术和农业设施与装备将充分融合，成为现代农业发展的必然趋势。

四、掌控全球农业农村科技竞争先机的关键

世界新一轮农业农村科技革命孕育兴起，掌控全球农业农村科技竞争先机更加关键。

21 世纪以来，现代生物技术、信息技术、先进制造技术等高技术与新材料科技迅猛发展，正在加速传统农业技术变革与升级，传统农业生产方式与产业结构正在发生前所未有的深刻变革，逐步摆脱仅仅依靠土地等自然资源生产农产品的传统产业羁绊，向科技主导型的多功能现代农业产业转变。

当前，全球新一轮科技革命和产业变革蓄势待发，物质结构、生命起源等重大科学问题原创性突破正在开辟新前沿新方向，信息技术、生物技术、制造技术、新材料技术、新能源技术广泛渗透到农业农村各领域，带动了以"绿色、智能、泛在"为特征的群体性重大技术变革。农业前沿技术进入快速发展期，智慧农业进入发展提速期，全球创新创业进入高度活跃期。农业农村科技创新活动的网络化、全球化特征日益明显。

第二节　乡村振兴背景下农业农村科技创新的需求

一、充分发挥科技和人才的引领作用

要全面振兴乡村，就必须充分发挥科技和人才的引领作用，进一步集全国科技之力，形成创新要素向农业农村科技创新聚集之势，使信息技术、新材料技术、环保技术、海洋技术、航天技术、军工技术等都能在乡村振兴中找到落脚点和着力点。系统解决农业农村现代化进程中的重大问题。进一步加大农业科技资金投入，整合各方面的科技创新资源，完善国家农业科技创新体系、现代农业产业技术体系和农业农村科技推广服务体系，依靠科技创新激发农业农村发展新活力；同时，要激励更多优秀的城市人才下乡创业，支持和鼓励农民就业创业，加强农村干部、农民和新型主体科技培训，培养造就一支"懂农业、爱农村、爱农民"的科技创新人才和推广队伍。

二、坚持科技创新和制度创新"双轮驱动"

坚持问题导向、需求导向，针对农业科技突破性成果少、创新成果供给不足和不能满足农业发展新形势需要、区域内科技协同创新和资源共享不足、科研投入分散和发展后劲不足等突出问题，重点加强区域食物安全、水资源安全和农业绿色发展等领域的科技创新。以提高科技持续创新能力和效率为核心，以整合资源和创新机制为手段，从知识创新、技术创新、成果创新和产品创制四个方面进行系统设计的开放式体系。面对科技创新新态势、创新主体新变化、科技体制改革新要求，积极构建农业科技创新制度体系、创新主体系统、区域创新系统、科技推广服务系统和创新环境系统，探索建立符合

农业科技发展规律、各类农业科技创新主体协调互动和创新元素高效配置的国家农业科技创新体系。明确政府在科技创新战略规划和组织管理中的作用，加强高校、科研院所、推广机构和企业的"产学研推"合作，激发创新主体活力，增强原始创新和技术应用能力，建立大学和科研机构农技推广新格局，健全农业社会化服务体系，实现高校、科研院所、农业技术推广部门和小农户、企业与现代农业发展的有机衔接。

面向乡村振兴需求，创新科技投入方式，加强财政资金和金融手段的协调配合，鼓励和吸引地方、企业、民间等各种金融资本，加大对乡村振兴科技创新、研究开发及产业化应用的投入，逐步建立国拨、专项基金、风险投资、企业投入等多形式、多渠道、多元化的科技投入体系。建立企业创新补贴制度，鼓励企业加大研发投入，通过风险补偿、后补助、创投引导等方式，引导各类创新要素向企业集聚，支持企业开展农业科技创新，增强企业创新能力，制定高新技术培育与支持政策，提升农业科技贡献率。

三、加快面向乡村振兴需求的科技供给侧改革力度

围绕我国农业农村科技计划碎片化和科研项目取向聚焦不够的问题，加强科技计划顶层设计和整体布局，面向国家重点战略需求和农业生产重大问题，以目标和绩效为导向，开展前沿性、原创性基础科学研究和重大技术应用研究，建立符合农业科技创新规律要求的科研项目立项和管理机制。面向乡村振兴战略需求，规划并实施作物绿色高效安全生产、畜禽生态养殖、节水农业、耕地质量提升、海洋农业、森林资源培育与高效利用、农产品储藏加工与质量安全、农业应对气候变化与防灾减灾、区域乡村振兴与绿色发展、乡村民居与人文景观发掘与保护等一批农业农村领域重大科技工程和重大科技专项，建设东北黑土地保护、黄土高原农牧业可持续发展、内陆干旱区节水抑盐与白色污染防控、华北地下水超采区适水农业发展、长江中下游耕地重金属污染综合治理、西南华南石漠化综合治理、沿海水产养殖区渔业资源生态修复等不同类型的农业绿色发展与乡村振兴综合试验示范区。明确战略目标和重点任务，注重学科发展和学科交叉，抢占未来战略制高点。健全竞争性经费和稳定支持经费相协调的投入机制，适时启动实施一批非竞争性重大科技计划，逐步加大稳定支持力度，提高经费保障能力，营造自由宽松、适合潜心科研的创新环境。加强地方、行业部门科技规划的协调衔接，引导科技资源合理优化配置，统筹协调各级管理部门、高等学校、科研院所、企业，打破行业壁垒，协同创新，解决农业生产面临的重大技术瓶颈和发展困境。

围绕乡村振兴战略的科技需求，未来需进一步加强现代农业产业技术、装备制造、生物技术、信息技术、医疗技术、环境整治、饮水安全、食品安全等多学科协同，布局推进一批农业领域国家研究中心与重点实验室、国家工程技术研究中心、国家现代农业产业科技创新中心（区域创新中心）等，建立农村科技综合服务与技术推广体系、专业化农业技术转移服务体系，促进创新要素向农业农村汇聚。面向乡村振兴战略，重点支持动植物新品种选育、植物病虫害防控、动物重大疫病防控、高效安全生产、农业资源绿色高效利用、非传统耕地利用、智慧农业工程等基础性和公益性研究。继续优化中央财政科技计划（专项、基金等）管理，深入实施农业领域的国家科技重大专项、重大科技项目、重大工程等重大科技计划。

第 二 篇

乡村振兴科技创新重点与任务

第五章　科技发展思路与战略目标

全面贯彻党的十九大精神，以习近平新时代中国特色社会主义思想为根本遵循，紧扣我国社会主要矛盾变化，围绕"两个一百年"奋斗目标，深入实施创新驱动发展战略和乡村振兴战略，以科技创新引领和支持农业农村现代化、保障食物安全、提高农业综合效益和竞争力、服务现代化经济体系为目标，以创新驱动农业发展和实现农业增效、农民增收、农村增绿为主线，深化农业农村科技体制改革，完善国家农业农村科技创新体系，重点解决农业与农村现代化重大科学理论和重大关键技术问题，创新驱动农业生产方式和发展方式转变，支撑建设现代农业产业体系、生产体系和经营体系，实现绿色可持续发展，加快提高农业竞争力，不断满足广大人民群众日益增长的美好生活需要。重点实施以下三大战略。

第一节　"以人为本"战略

从满足人们对美好生活需求出发，从食物质量、生产方式、资源环境及文化传承等方面充分考虑新时代现实需要。在食物质量方面，在过去吃饱、吃好的基础上更多考虑营养健康，更多关注农产品品质和功能食品制造；在生产方式方面，以减轻乡村从业者的劳动强度为目标，强化农业机械化和智慧农业支撑，提高劳动生产率、经济效益以及农业竞争力；在资源环境方面，要大力改善乡村人居环境，实施绿色村镇规划与建设技术，促进生产生活废弃物资源化利用，推广清洁能源技术，实现生态宜居；在文化传承上，借助现代传媒技术，挖掘传统农耕文化，留住乡愁记忆，使乡村优秀传统文化得以传承和发展。

按照十九大报告中培养"懂农业、爱农村、爱农民"的乡村人才培养目标，加强涉农院校和学科专业建设，大力培育农业科技、科普和农技推广人才，提高农村专业人才服务保障能力；加大从优秀选调生、乡镇事业编制人员、优秀村干部、大学生村干部中选拔乡镇领导班子成员力度，夯实基层组织基础；通过本土人才回引、院校定向培养、县乡统筹招聘等渠道，每个村储备一定数量的村级后备干部，厚植乡村持续发展能力；全面建立高素质农民制度，培养新一代爱农业、懂技术、善经营的新型高素质农民，优化农业从业者结构，提高整体素质；挖掘培养本土人才，支持乡村文化能人，促进文化资源与现代消费需求有效对接。推动文化、旅游与其他产业深度融合；以乡情乡愁为纽带，引导和支持企业家、党政干部、医生教师、规划师、建筑师、律师、技能人才等，通过下乡担任志愿者、投资兴业、行医办学、捐资捐物、法律服务等方式服务乡村振兴事业。

第二节　"产业提升"战略

按照建设现代化经济体系的要求，构建现代农业产业体系，由增产导向转向提质导向，推动农业高质量发展，加快实现由农业大国向农业强国转变。一是加快农业结构调整步伐，构建优势区域布局和专业化生产格局，实现"粮经饲"统筹、"种养加"一体、"农牧渔"结合的现代农业，促进农业结构不断优化升级。二是深入发掘农业农村的生态涵养、休闲观光、文化体验、健康养老等多种功能，推动乡村资源全域化整合、多元化增值，实现农产品多层次、多环节转化增值。三是加快建立健全适应农产品电商发展的标准体系，加强农商互联，密切产销衔接，发展农超、农社、农企、农校等产销对接的新型流通业态；四是加快培育一批"农字号"特色小镇，在有条件的地区建设培育特色商贸小镇，推动农村产业发展与新型城镇化相结合。

第三节 "动力培育"战略

深化"政产学研金服用创"（政府、企业、高校、科研、金融、服务、市场、创业者）协同创新体系，共建乡村振兴利益共同体。政府在乡村振兴战略中的作用举足轻重，但是作为不够或者介入太多，都可能导致错位。按照"使市场在资源配置中起决定性作用和更好发挥政府作用"的改革要求，政府在乡村振兴中的职责和作用为发挥"引领、服务、监督、推动"四大作用。乡村振兴的主角是各类相关社会主体（高校、科研院所、金融业、市场、企业、创业者），而不是政府。政府的主要角色是宏观组织者、规则制定者、监督管理者。充分发挥各利益相关社会主体的作用，让他们都尽可能地参与进来，是乡村振兴战略成功实施的关键。政府着重研究并创新思路的内容主要是农业、生态产业、乡村文化产业及产业脱贫。充分发挥地方主体作用，形成以市场为导向，企业、高校、科研院所协同创新，服务乡村振兴的"产学研"合作机制。建立完善政府、企业、高校、科研、金融、服务、市场、创业者共同服务乡村振兴战略实施的工作体制机制，以"政产学研金服用创"融合互动模式，共建乡村创新利益共同体，助推乡村振兴战略实施。

科技与人才是乡村振兴的重要支撑，以三大战略为引领，着力构建新型农业科技创新体系，加快完善农村人才培育体系，畅通智力、技术、资金、管理下乡通道，激发农业农村创业创新活力。以科技支撑推进农业产业化联合体、农旅一体化综合体建设，延长产业链、提升价值链，构建现代农业产业体系；以科技支撑推动生产生活生态深度融合，全面提升生态宜居的农村环境，打造各具特色的现代版新乡村，让美丽乡村成为大花园的标志、美丽中国的底色；以科技支撑推进农村厕所革命、污水革命、垃圾革命，彻底消除脏乱差、根治污泥浊水。在此基础上发挥精神文明建设的引领力、凝聚力和推动力，推动乡村文化振兴，加快构建自治、法治、德治相结合的乡村治理体系，打造充满活力、安定有序的善治乡村，推动乡村全面振兴，实现"农业强、农村美、农民富"。

第六章 科技创新重点任务与发展路径

积极推进创新驱动发展战略与乡村振兴战略深度融合，发挥科技第一生产力、创新第一动力的重要作用，实行创新驱动乡村振兴发展，着力从提升面向乡村振兴的科技供给能力、强化科技引领产业兴旺的能力、夯实科技支撑乡村全面振兴的能力三个方面入手，推动农业农村发展由追求高产再高产向注重农产品品质、降本提质增效和绿色发展转变，由单一粮食安全向大食物安全和人类营养健康转变，由单一农产品生产功能向农业生态、休闲、养老等多功能转变，由传统耕地利用向非传统耕地（"山水林田湖草"）利用转变，由重点关注农业生产过程向延伸产业链、提升农业产业竞争力和促进乡村振兴转变。

第一节 提升面向乡村振兴的科技供给能力

一、建成高效顺畅的农业农村科技创新体系

构建符合农业科技创新和农村社会发展规律，结构完整、功能完善、运行顺畅、产出高效的国家农业农村现代化科技创新体系，形成创新驱动乡村振兴的实践载体和环境保障。

（一）培育符合乡村振兴要求的创新主体

明确乡村振兴事业中新型经营主体、企业、科研院所、高校、社会组织等各类创新主体的功能定位。培育创新型农业企业，更好发挥企业作为技术创新决策、研发投入、科研组织和成果转化的主体作用。充分发挥涉农高等学校和科研院所作为基础知识创新和农业科技创新人才培养的主体作用。充分发挥各类社会组织在农业科技普及、推广服务、教育等方面的作用，促进农业科技与农村经济深度融合。

（二）布局跨区域全链条协同的创新基地

围绕国家粮食安全、食品安全、可持续发展等重大发展问题，重点围绕区域优势产业和制约区域农业发展的重大科技问题，建设农业科技区域协同创新联盟和创新中心，推动优势区域打造具有重大引领作用的创新高地，实现农业科技区域协同发展。

（三）构建加速科技成果转化应用的服务体系

健全"一主多元"农业技术推广体系，改革完善公益性农技推广体系，建立科学规范的运行管理和利益联结机制，推动"农科教"有效对接。壮大社会化创新创业服务主体，形成农业科技成果转化的强大合力。

二、加快突破现代农业产业共性关键技术

针对事关现代农业产业核心竞争力的重大战略性、前瞻性及"卡脖子"瓶颈技术问题，围绕生产标准化、过程绿色化、装备智能化、管理智慧化思路，系统部署高效育种、农业生物制造、农业标准化、农业大数据与信息化、智能农机装备、食品制造等现代农业产业链技术创新，提升关键核心技术创新能力，为现代农业高质量发展提供有力科技保障。

（一）高效育种技术

重点突破杂种优势遗传、复杂性状耦合与分子模块设计、高通量精准表型鉴定、基因编辑与全基因组选择、合成生物、体外胚胎高效生产、遗传发育评估、繁殖调控与性别控制等技术，开发主要农作物、畜禽水产品、林果花草和微生物优质、多抗、高效、高产、突破性新品种。

（二）农业生物制造技术

重点突破精准标记与靶向筛选、细胞与代谢工程、发酵及酶工程、动植物重大疫病绿色安全防控、生物质规模化生产与收集储运等技术，开发新型生物农药、植物生长调节剂、兽用生物制品及疫苗、生物肥料、生物饲料、生物基材料、生物能源、生物化工产品等。

（三）农业标准化生产技术

重点突破光温水气系统控制、种子鉴定分选、产地环境构建与调控、水肥药高效施用、农产品减损与品质控制等技术，构建"粮棉油糖""果蔬茶药"等的农业投入品、产地环境、农产品流通、质量控制和检验检测、疫病防控、生物安全和生态保护等标准化技术体系。

（四）农业大数据与信息化技术

重点突破农业多源信息获取、跨媒体信息解析、表征识别与表达、"星–机–地–动植物–环境"信息协同、大数据与智能决策等技术，开发农业资源与农情监测、农用物资调度与运输、主要投入品精准施用等信息化系统。发展农村"互联网+"新业态技术。

（五）农机装备智能技术

重点突破农机装备数字化设计与可靠性验证、作业对象环境与机具传感和控制、自走式农机无级变速传动、自主作业及多机协同等技术，研制高端农机装备和丘陵果菜茶生产、林草花卉中药材生产、畜禽水产养殖与捕捞、农产品产地商品化等的自主可控装备。

（六）农产品加工与食品制造技术

重点突破高效萃取分离与物性重构、食品营养组学与靶向设计、新型杀菌与保质储

运、品质风险评估与溯源等技术，开发健康粮油、优质"果蔬肉蛋奶"、新型调理剂等产品，研制农产品保质加工、智能化中央厨房、健康食品精准制造与品质检测、食品绿色干燥与包装物流等装备。

三、加快建设现代农业产业科技支撑体系

统筹推进"山水林田湖草"，围绕影响国计民生的大宗作物、现代畜牧业、渔业、园艺、林业、草业现代化及区域特色农产品提质增效的重大需求，通过关键技术集成创新，形成系统化科技支撑体系。

（一）大宗作物科技体系

重点开展高效化、标准化、机械化、智能化的现代作物品种配置、种植模式、土壤管理、水肥一体化、有害生物防控以及农机农艺结合等关键技术研究与集成创新，构建主要"粮油经饲"等大宗农作物主产区现代化生产技术新体系。

（二）现代畜牧业科技体系

重点开展主要畜禽疫病监测与防控、营养代谢与营养调控、饲料精细加工与精准饲喂、健康养殖工艺与环境调控、自动化屠宰加工、养殖废弃物无害化处理与资源化利用以及养殖成套设备等关键技术研究与集成创新，构建现代化畜牧业科技支撑体系。

（三）现代渔业科技体系

重点开展渔业良种筛选、智能装备、健康养殖、资源养护与牧场构建、友好捕捞、保质储运、绿色加工与环境调控等关键技术研究与集成创新，着力打造一批支撑现代淡水渔业和海洋农业产业发展的新品种、新装备、新技术和新模式。

（四）现代园艺科技体系

重点开展蔬菜、果树、花卉等主要园艺作物新品种筛选，病虫草害绿色防控技术，小型化、电动化、智能化全程作业技术，资源高效利用、能源智慧管理、水肥一体化、便捷高效采收等技术及装备的研究与集成创新，构建现代园艺科技支撑体系。

（五）现代林业科技体系

重点开展林业基础数据库、资源监管体系、新型林区综合公共服务系统开发，开展林木种苗生产、林木种植与抚育、林业轻简装备制造、林产品采收与高品质加工以及森林数字化监测、生态修复与保护和机械化等技术的研究与集成创新，建立绿色生态的全产业链现代林业技术体系。

（六）草业和草原科技体系

重点开展草业资源与重要饲用作物品种利用、人工草地建植、规模化牧草丰产、优质安全草产品加工、草畜一体化、草原生态保护与修复等关键技术研究与集成创新，研发全程机械化作业、草种加工及草原修复等成套装备与设施等，构建现代草业高品质生

产与草原生态保护技术体系。

（七）区域性特色农产品科技体系

开展区域性特色优质蔬菜、果品、食用菌、油料和糖料、茶树、木本粮油、青稞、杂粮、天然芳香植物、道地中药材等特色作物和奶山羊、鸭、鹅、小龙虾、大闸蟹等特色畜禽水产品等产业化技术研究，建设品种、种苗、栽培、机械、加工、物流等产业链技术体系。

第二节　强化科技引领产业兴旺的能力

一、加快农业高新技术产业发展

建设国家农业高新技术产业示范区、国家农业科技园区、省级农业科技园区，吸引更多的农业高新技术企业到科技园区落户，通过高新技术引领改造传统农业，用现代商业模式激活农业，打造现代农业创新高地、人才高地和产业高地，推动第一、第二、第三产业融合，产城、产镇、产村融合和农业上中下游形成产业聚集效应，显著提升我国农业国际竞争力，让农民共享产业融合发展的增值收益，连片带动乡村振兴。

二、增强县域科技创新服务能力

面向基层，重心下移，统筹中央和地方科技资源支持基层科技创新，进一步加强对基层科技工作系统的设计与指导。部、省、市、县四级联动，重点布局和建设一批创新型县（市），发挥科技创新在供给侧结构性改革中的基础、关键和引领作用，强化科技与经济社会发展的有效对接，走出一条依靠创新驱动县域经济社会协调发展的新路径。加强基层科技管理队伍建设，加大对县域科技工作的指导和服务。落实国家创新调查制度，开展全国县（市）科技创新能力监测和评价。加快星创天地、高等学校新农村发展研究院等建设，培育发展新型农业经营和服务主体，鼓励创办、领办科技型企业和专业合作社、专业技术协会，加大先进适用技术的推广应用力度。

三、建立完善农业科技成果转化应用体系

鼓励高校、科研院所建立一批专业户的技术转移机构和面向企业的技术服务网络，通过研发合作、技术转让、技术许可、作价投资等多种形式，实现科技成果市场价值。推进高校新农村发展研究院的升级，打造新型乡村振兴科技服务机构，鼓励高校、科研院所联合龙头企业和社会化服务组织，建立乡村振兴科技示范与服务基地。健全省、市、县三级科技成果转化工作网络，支持地方大力发展技术交易市场。

四、建立完善农业农村社会化服务体系

通过政府引导、社会广泛参与、科技资源系统集成，着力构建公益性与商业性协同

的农业农村科技社会化服务体系，适应农业农村发展新需求，促进小农户和现代农业发展有机衔接。推动农业农村生产生活全领域的技术服务型专业协会、合作社、龙头企业等科技型社会服务化服务组织建设，积极培育科技型社会化服务主体，大力扶持科技型农业服务企业，发展"互联网+"科技社会化服务。

第三节 夯实科技支撑乡村全面振兴的能力

一、建立和完善农业绿色发展科技支撑体系

以农业资源节约、空间优化、环境友好和乡村生态宜居为目标，重点开展耕地质量提升与土地综合整治、农业高效用水、化肥农药减施增效、农业污染防治、循环农业、农业应对气候变化技术研究；以农林生态系统保育与修复等支撑农业绿色发展的科技支撑体系研究，促进农业生产、农业生态、乡村生活有机融合。

二、建立和完善宜居村镇科技支撑体系

围绕宜居村镇的住宅建设和环境综合治理等方面的科技需求，重点开展村镇规划与评价、宜居村镇住宅建设、村镇环境治理与新能源利用、传统村落与传统建筑保护利用等技术研究，建设一批地域特色鲜明、技术针对性强的示范工程，构建适合我国不同区域、不同类型的新农村建设模式，充分发挥科技在保障宜居村镇建设方面的支撑作用。

三、建立和完善农村现代化科技支撑体系

围绕农村现代化的需求和目标导向，重点围绕乡村人居环境建设、分布式农村能源、数字乡村建设、乡村科普等领域开展关键技术研究与集成应用示范以及新模式开发，促进乡村人居生活环境与自然生态有机融合、和谐共生，完善农村现代化科技支撑体系。

第七章　科技创新重大工程

第一节　乡村产业提升科技工程

一、农业主导产业竞争力提升

粮食安全和农产品有效供给是保障国家安全的首要战略。2035年我国粮食刚性需求总量大，消费结构更加多样化，要求农产品更安全、更营养、更健康，生产环节更简化、更高效，生产过程更加智能化，环境友好。重点围绕粮食安全与食品安全保障的战略需求，以粮食与经济作物、畜禽水产品等关系国计民生的主要农产品的产业竞争力提升为主要目标，着力保障我国主要农产品的有效供给与质量提升，推进农业高质量绿色发展。重点围绕现代生物种业构建分子育种技术体系，选育高产、优质、抗逆的农业新品种；针对生态种植和健康养殖需求，开展关键环节科学技术攻关，集成优化并形成技术体系，促进农业生产提质增效；通过科技延伸特色农牧产业的产业链，不断提高特色产业链的生产质量和经济效益，促进特色农牧产业的转型升级。强化主要粮食作物、经济作物、畜禽水产及特色食品等农副产品深加工关键技术。强化农林机械、农业装备提质增效关键技术，突破绿色设计、绿色工艺关键和共性技术。针对目前不同农业装备使用现状，加强科研机构与设备制造企业联合攻关，推进农机装备产业转型升级。应用现代信息技术创新农业科技服务体系与发展模式，打造区域特色农产品和农资电子商务服务体系；建立农产品质量溯源体系；加强农产品产后分级、包装、营销，突破生鲜农产品冷链物流、仓储关键技术，加快推进农产品流通现代化。

二、乡村新业态培育

（一）农业生产性服务业

围绕农业生产的信息、物流、市场、品质、品牌等需求，通过应用先进信息技术，发展农业信息服务产业、电子商务产业和品牌服务产业。针对农村地区信息滞后等问题，大力推动新一代信息网络进村入户，构建低成本、快速便捷的信息服务高速通道，将智能传感器、射频识别、物联网和云服务等现代信息技术与农村产业深度融合，打造乡村基层信息服务资源，构筑基层信息服务站点，为乡村信息服务产业提供技术支撑；针对农产品流通中存在的滞后等问题，重点研究射频识别、区块链、仓储物流环境监控、运力优化调度、跨境电子商务、多源复杂数据分析等技术，发展现代物流技术，构建基于大数据和区块链的农产品电子商务平台，提供农产品物流、展销和生产、加工、储运、检验等信息追溯服务，促进农商互联，为农村居民提供一体化的农村电商和物流服务，提高农村物流效率、降低社会物流成本、强化农村生活供给；针对农产品质量不稳定、缺乏市场定价权、经济效益低等问题，重点研究行业高端产品和龙头企业的资源整合与推广模式、乡村品牌的流程与组织、乡村品牌的创造与维护，发展农产品品牌服务产业，促进农业生产规模化经营、农产品品质增强，提高农产品品牌化比例。到 2022 年，初步实现全国 1000 个行政村"产–供–销–品牌"信息化和品牌化服务全覆盖。

（二）农业生物制造产业支撑技术

农业生物制造产业是以农林废弃物等生物质为原料，生产可再生能源和可再生材料的产业，是农业产业链延伸、增值的过程，也是增加就业、丰富农业农村服务功能的途径。建设以农林生物质梯级充分利用为核心的多联产示范工程，构建国家农业生物制造的产业体系，能够实现每年数十亿吨农林废弃物高值化可持续利用，每年生产 1 亿 t 生物油品和 1000 亿 m^3 生物天然气，每年减排近 10 亿 t CO_2 当量的温室气体，为国家能源安全、环境改善和乡村振兴起到重要科技支撑作用。通过重点研发生物质原料规模化高效供应技术，生物质高效绿色转化技术，生物质多元产品联产技术，先进生物燃料、可降解材料、功能性材料、精细化学品等新产品创制技术，能够为社会经济可持续发展提供可再生的物质和能源基础，整体提升农业农村的品质和价值。到 2022 年，全国初步培育 100 个农业生物制造产业示范乡村。

（三）乡村休闲产业

随着我国城市化进程发展，城镇对农村地区休闲度假、旅游观光、农耕体验等需求日益旺盛。重点发掘农村区域特色农业生产、乡村生活、旅游景观和传统文化资源，研究数字化模型构建、互动体验、共享服务和数字科普作品快速开发等关键技术，建设一批地域特色鲜明、数字化体验良好、文化传承优良的乡村区域，构建涵盖我国不同区域乡村特色和不同类型农业主题的乡村生活、农耕文化、民俗文化、民间艺术文化等的资源库，充分发挥科技在提升乡村地域传统休闲度假、旅游观光、农耕体验等方面的支撑作用。到 2022 年，初步构建覆盖全国 1000 个典型乡村的休闲农业体验试点。

（四）乡村人力资源产业

针对国家人力资源开发需求和农村地区农民教育培训需求，响应国家主体产业发展需求，融合用人企业标准和资源，探索适合不同类型乡村的"互联网+教育培训"模式，研发增强现实（augmented reality，AR）、虚拟现实（virtual reality，VR）、混合现实（mixed reality，MR）等交互式培训关键技术，融合乡村农民共享教育资源，构建面向不同文化层次新型农民的"智慧课堂"，实现城乡教师同步教研、同步备课、同步评价，提供农民远程学习、在线考核、能力认证等服务，整体提升乡村地区职业人才的培养质量，提升乡村适龄劳动人口的专业素养，提升国家乡村人口红利。到 2022 年，实现培训系统在全国 1000 个行政村示范应用。

（五）乡村总部经济产业

针对城市过度集中的"城市病"和乡村资源闲置的"乡村荒"问题，在交通便利、环境良好、资源丰富的乡村地区，建设产业相适应的乡村总部经济产业。乡村总部经济基地以数家到数十家业务相关的行业龙头企业为主体，以服务这些产业的行业、人群和条件为辅助，在信息、生产和物流条件方面与城市同步，生活、交通、教育、医疗和环境条件优于城市，是未来高水平综合发展的乡镇雏形。通过规划方案、环境治理、发展途径、运行机制、管理模式等软硬件研究，探索建立乡村总部经济产业示范项目。到2022年，建成乡村总部经济产业示范项目10个。

三、乡土特色产业提质增效

随着消费结构加快升级，中高端、多元化、个性化消费需求将快速增长，加快推进农业由增产导向转向提质导向是必然要求。以各地资源禀赋和独特的历史文化为基础，有序开发优势特色资源，做大做强乡土特色产业。工程重点是以健康、养生、生态、创意为出发点，通过开展乡土特色农产品及营养功能成分研究挖掘技术、专用动植物品种选育应用技术、乡土特色农产品加工技术、乡土特色农产品风味保存与开发技术，以及乡土特色产品标准化生产与监测技术等研究与集成，实现特色产品的原汁、原味、原生态目标，丰富和充实消费者的多元化需求，提升乡土特色农产品的整体水平；加强在乡土特色农产品优势区建设标准化生产基地、加工基地、仓储物流基地，完善科技支撑体系、品牌与市场营销体系、质量控制体系，建立利益联结紧密的建设运行机制，形成乡土特色农业产业集群；实施乡土特色产业兴村强县行动，培育乡土特色农业产业强镇，打造一乡一业、一村一品的发展格局；传承培育特色传统文化产业，通过深入挖掘乡村特色文化符号，盘活地方和民族特色文化资源，形成特色文化产业，并结合特色小镇、美丽乡村建设，走特色化、差异化发展之路。

第二节　乡居环境改善科技工程

一、乡村科学规划与建设

遵循乡村生产与生活区域分离的原则，做好人与自然、资源与生态、发展与环境的融合规划。重点研究乡村科学规划与建设的关键技术，在生产生活安排、给排水、废弃物收集清理、交通便利、水土环境保护、人居环境设计等方面要适应不同区域特点、不同产业结构、不同文化特征的乡村规划建设原则与模式，研究适应乡村建设的绿色环保材料与设备等。

二、乡村能源动力工程

乡村能源动力是乡村环境改善的关键制约因子。冬季供暖和夏季降温条件是影响乡村生活质量的最主要因素，其次还有炊事用能的现代性，洗浴用热水的便利性等。重点研究风能、光能、生物质能和电能结合的清洁、可再生、经济的能源耦合供应技术及关键设备，炊事、洗浴、供热、制冷等方面节能、便捷、高能效和经济的家具、家电等设备，以及乡村规模和家庭规模的多能结合管理软件系统等。

三、乡村废弃物处理与利用

乡村固体废弃物和液体废弃物是造成乡村环境污染最重要的源头，也是导致乡村环境脏乱差、乡村人居环境恶劣的最直接因素。重点研究乡村生产生活垃圾污染减量与分类技术、乡村污水收集处理模式和处理设施，乡村固体废弃物收集处理设施、技术和模式，乡村有机废弃物资源化利用设施、技术和模式等。

第三节　乡村居民服务科技工程

一、农业传统文化传承与发掘工程

中国农业传统文化是人类与其所处环境长期协同发展中，创造并传承至今的独特的农业生产系统，这些系统具有丰富的农业生物多样性、传统知识与技术体系和独特的生态与文化景观等，对我国农业文化传承、农业可持续发展和农业功能拓展具有重要的科学价值和实践意义。要把传统文化传承作为乡村振兴的"软实力"和"助推器"。充分依靠科技，挖掘、整理、编撰和传播农耕文明、乡村文物古迹和农业文化遗产；支持开展村志、村史编研，以及各类非遗项目的文字和录音、录像等数字化多媒体的开发，服务和发展乡村特色文化产业，推进文化惠民，带动文化致富。

二、乡村振兴人才培育工程

培养、造就一批乡村振兴战略科技人才、科技领军人才。支持组建一批乡村振兴领域等跨学科、综合交叉的创新团队和创新研究群体，加强对从事基础性研究、公益性研究的拔尖人才和优秀创新团队的稳定支持。引导企事业单位专家深入基层服务乡村振兴。支持推动"农科教"结合、"产教"融合协同育人的模式创新，加强乡村紧缺人才培育和新型农民职业培训。探索培养农业职业经理人，鼓励高等学校、职业院校开设乡村规划建设、乡村住宅设计等相关专业和课程，培养一批专业人才，培育一批乡村工匠。制定有效政策，鼓励高校毕业生、企业主、农业科技人员、留学归国人员、退休回乡人员、进城农民工等各类人才回乡、下乡和创新、创业，将现代科技、生产方式和经营模式引入农村，带动现代农业和农村新产业新业态发展。

三、公共服务与平台建设工程

围绕农业农村领域基础理论、核心关键共性技术和公共支撑平台等方面需求，加快建设一批乡村振兴前沿科学中心、重点实验室、创新（工程）中心、创新联盟等创新基地；以交叉、前沿、突破和国家区域发展等重大需求为导向，促进高校、科研院所和企业等创新主体协同互动，建设协同创新中心；鼓励建设新型乡村振兴研发机构，开展跨学科研究。支持高校和科研院所以地理分布和地域农业特色为基础，建设乡村扶贫和乡村振兴试验与实践基地。支持一批乡村振兴国际联合研发平台和基地。

四、成果转化示范工程

围绕乡村振兴需求，依托农业科技孵化平台、技术转移中心（含国际技术转移中心）、军民融合平台、创新创业基地以及科研单位"产学研"基地等，推动科技、人才、平台、成果等资源向乡村聚集。按照"城乡融合、一体设计、多规合一"理念，立足区域发展特征，创新有中国特色、区域特征、地方特点的乡村振兴发展模式，建设一批乡村振兴示范县、示范镇、示范村，形成示范样板。建设一批乡村振兴"技术转移转化中心"、科教兴村和数字乡村示范工程，构建集科技服务、科技孵化、专利运营为一体的成果转移转化体系；加强有关行业部门协作，重点放在节本增效、生态保护、农田培肥修复、食品加工、疫病防控、空间规划、设施农业、防灾减灾、节能环保等新型实用技术的成果示范和应用上，在乡村产业、教育、文化、医疗、建筑、交通、生态、安全等领域形成新产业和新业态，孵化一批乡村振兴引领型企业，推动形成若干产业集群。

第 三 篇

乡村振兴科技资源配置与政策体系

第八章 构建中国特色现代化农业
农村科技创新体系

党的十九大报告明确指出创新是引领发展的第一动力，要求加强国家创新体系建设，强化战略科技力量。农业农村科技创新体系是农业农村领域国家创新体系建设的重要组成部分，对于支撑引领我国农业农村现代化具有重要意义。

第一节 农业农村科技创新体系的困境

一、农业农村科技创新管理体制机制相对落后

新形势下，我国已经形成了社会主义市场经济体制，并形成了与之相适应的经济社会发展方式，但从农业科技创新管理体制机制看，还没有走出计划经济体制管理模式，这既与市场经济体制格格不入，同时也不符合时代发展需求，已经严重影响了农业农村现代化建设。目前我国仍然实行国家和地方两层分级管理机制，从横向上看，农业农村科技创新机构隶属于不同的行政组织，在空间上分属于不同省份和科研机构，相互之间缺少沟通平台和互动机制，造成研究成果重复、研究资源浪费等诸多问题。从纵向上看，很多科研机构都隶属于各个部委，而更多省（区、市）级机构归地方管理，这就造成纵向上的科技资源配置，首先要满足上级科研机构需求，剩余资源才会向下输送，很多时候上级科研院所为农业科技创新资源过多而发愁，而下面的科研院所却为缺少研究资源而发愁，这种农业科技创新资源配置不平衡也是我国农业技术创新管理体制机制相对落后的重要体现。

二、农业科技推广与服务体系不够健全

长期以来，农业科技推广难一直是制约我国农业科技化的重要掣肘，在农业科技推广与服务过程中主要存在两个方面的问题。一方面，我国农业科技推广与服务体系机构和人才队伍缺乏。一直以来我国农业科技推广与服务都是政府主导的，虽然在县、乡、村三级都已经设立农技推广和科技协会等组织，但在人力、财力和物力上却很难满足农技推广与服务的现实需求。以黑龙江某农业大县为例，全县共有超过 40 万人从事农业生产劳动，共有耕地面积超过 550 万亩，其中主要以玉米和水稻种植为主，县委县政府也非常重视农业科技推广与服务体系建设，但全县从事农业科技推广的在编、在岗人员不过 50 人，根本就不能满足广大农民朋友对农业科技的需求。另一方面，由于基层农业科技推广人员年龄结构偏大，面对日新月异的科技创新成果，在普及过程中难免力不从心，特别是在农业科技推广过程中多是按照上级文件精神有所侧重，有时候今年推广

玉米技术，明年又开始推广水稻技术，让很多农民不知所措，并对农业科技推广将信将疑，在服务质量上大打折扣。

三、农业科技成果转化率和产业化水平有限

农业科技成果只有转化为可以运用于农业生产的科学技术，才能真正地发挥其效应。从我国农业成果转化率和贡献率层面看，与很多西方农业大国还存在很大差距，据相关数据统计，我国每年有 7000 余项农业科技成果被创造出来，其中很大一部分农业科技成果还处于初级水平，无法进行科技成果转化或者无法进行产业化，最终只有 40%左右的农业科技成果可以转化为现实生产力，但要进行农业大规模推广的科技成果都不足 30%，这与西方国家 70%~80%的农业科技成果转化差距还十分明显。特别是一些农业科技研究成果只是注重学术价值和先进性，对成果是否能够转化为现实生产力考虑较少，这种研究成果既与市场需求严重脱节，又造成了大量的农业科技资源浪费，从实用性角度来看，这种研究成果毫无意义，更不要想进行农业科研成果转化和产业化生产了。

四、农业科技创新体系人才队伍建设滞后

新形势下，我国大力倡导"大众创业、万众创新"，积极为"三农"人才创业创新提供广阔的创造空间和外部服务条件，虽然也涌现出了一批农业科技创新人才，但与市场需求和农业发展需求还存在极大差距。特别是在农业创新人才队伍建设和人才体系建设上还相对滞后。一方面，在人才队伍建设上，很多青年都不愿意从事与农业生产相关联的农业科技创新工作，特别是一项研究成果从开始到成果转化少则三五年多则几十年，以袁隆平为代表的农业创新人才毕竟是少数，由于缺少农业科技创新人才储备，很大程度上影响了人才队伍建设。另一方面，由于缺少完善的人才体系建设，加之薪酬和奖励体系不够完善，很多农业科技创新成果研究出来之后，农业创新人才只能获得很少的物质奖励，与农业科技创新人才几十年的努力和投入不符，这也造成了农业科技创新人才培养体系缺乏激励性，严重影响了人才创新的积极性和主动性。

五、农业科技创新政策体系和投入机制不够完善

从农业科技创新政策体系看，新形势下我国也根据农业科技创新实际情况和市场需求制定了一系列支持和保护农业科技创新的政策和指导性意见，但对于农业科技创新成果专利保护、农业科技创新成果转化和产业化利益分配等还没有出台相关政策和规定，这在一定程度上影响了农业科技人才的创新热情。加之，我国对农业科技创新资金投入不足，也严重影响了农业科技创新体系建设。从国外相关研究的历史经验看，只有当农业科技投入占农业总产值的 2%以上时，农业科技创新才会真正显示其内在作用，才能推动农业和国民经济其他部门协调发展。但从目前看，我国农业科技研究投入一直徘徊在 1%左右。从农业科技投资强度看，我国始终徘徊在 0.1%~0.2%，低于

国际平均水平（1%），与国外农业发达国家已经出现了 10 倍以上的差距。从长远看，现行的农业技术资金投入对我国农业科技创新发展将会是致命的打击。

第二节　重构农业农村科技创新体系

通过建立完善国家农业科技创新体系，推动形成合理的创新布局，培育多元化的创新主体，建设一流学科和团队，建成功能完备的平台体系，建立需求和问题导向的任务形成机制、激励相容的财政支持体系和科学的分类评价体系，构建"一盘棋"、"一体化"和"一条龙"的协同创新组织模式，促进全国农业科技整体跃升，为推动农业农村经济的质量变革、效率变革和动力变革，促进乡村振兴和可持续发展提供强有力的科技支撑和决策支撑。

一、推进涉农高校和国有科研机构改革

首先，要对涉农高校和科研机构进行定位。高校是学术思想相互碰撞和自由探索之地。在培养人才之外，高校应当承担涉农科学研究探索的职责。应用技术开发是高校自身发展的自选项，不是国家赋予的职责。国家设立的涉农科研院所定位在公益性技术研发职能。因为市场主体不愿做公益性技术研发，需要由政府纠正市场失灵。现在中国科学院、中国农业科学院等都在做以技术开发为辅的基础研究。国有科研院所属于政府附属机构，应按照批准的研究计划给予稳定支持。

其次，要推进国有高校和科研院所的改革。一是根据高校和院所定位，强化公益属性，重点开展公益性科技研发、公共性基础研究工作。加强目标结果导向的院所评价和人才评价、绩效考核。二是推进人事制度改革，取消事业身份管理，加强竞争流动。三是逐步取消高校和科研院所行政级别，建立理事会，逐步走上独立运行、自我管理之路；增加稳定性研发经费支持，比例提高到 50% 以上。

最后，积极发展新型农业研发机构。一是鼓励企业牵头设立现代农业产业技术研究院，提高研发费用加计扣除比例、对科研人员收入减免所得税，投资研究院的资本金免征企业所得税、个人所得税。二是鼓励非营利社会组织发起成立涉农科技研发机构，政府在科研用地、人才引进、运行经费等方面给予支持；充分发挥好慈善捐赠机制筹集研发经费。地方政府设立专门研发经费支持非营利涉农研发机构发展。三是借鉴德国弗劳恩霍夫学会模式，结合国家农业高新技术产业示范区建设在全国布局农业高技术创新中心。由中央政府和地方政府共建定位明确、独立运行（组建理事会、委托非营利组织管理）、岗位管理、全员聘用的公益类研发机构，聚焦关键核心技术攻关和高新技术在农业农村领域的应用。

二、培育技术创新主体

企业是农业农村技术创新的主体。要积极培育技术创新主体，壮大农业高新技术产业。实施农业高新技术企业培育工程，面向生物种业、农机装备、农业物联网、食品制

造等现代农业产业，研究出台孵化、培育农业高新技术企业的扶持政策。进一步完善农业高新技术产业补贴政策，制定专门针对农业农村领域的高新技术领域目录和农业高新技术企业认定管理办法，给予农业高新技术企业更大力度的税收优惠。加快农业生物、信息、新材料、节能环保等农业高新技术产业发展，促进优势特色农业产业提档升级，培育具有竞争优势的高新技术产业集群。

三、优化现代农业农村科技服务体系

发挥政府引导作用，促进多元主体协同。继续深化公益性农技推广服务体系改革，加强保障条件建设，全面提升科技服务能力。引导高等学校、科研院所成为公益性农技推广的重要力量，以建立新农村发展研究院为试点，推进大学"农科教"推广模式。发挥科技型农业产业化龙头企业的示范带动作用，建立以现代农业龙头企业为中心、以农民专业组织为依托的新型社会化农业农村科技服务体系。深入推行科技特派员制度，鼓励高校、科研院所、科技成果转化中介服务机构以及农业科技型企业等各类农业生产经营主体，作为法人科技特派员带动农民创新创业，服务产业和区域发展。

四、统筹基地建设形成国家农业科技战略力量

优化农业农村领域国家科技创新基地布局，建设一批战略定位高端、组织运行开放、创新资源集聚、面向全行业的科技创新基地；积极谋划农业领域国家实验室，培育国家重点实验室、国家技术创新中心，推进高校学科创新引智基地建设，提高国家南繁科研育种基地科技水平。建设国家农业高新技术产业示范区、农业科技园区和农业产业园区等。引导地方建设区域性创新基地，鼓励农业企业建设技术创新中心、研发中心。

第三节　优化农业农村创新体系资源配置

一、优化政策环境，加强农业科技人才队伍建设

实施农业科技人才培养计划，培养和造就一大批具有国际水平的农业科技人才和科研创新团队。结合农业领域科研的实际情况，设立人才评价指标，突出品德、能力、业绩导向，克服唯论文、唯职称、唯学历、唯奖项倾向，推行代表作评价制度，注重标志性成果的质量、贡献、影响。制定知识、技术、技能等生产要素按贡献参与分配的方法，健全农业科研单位分配激励机制，重点向关键岗位和优秀拔尖人才倾斜。建立多元化的科技人才资金投入体系，形成由政府主导、各级职能部门全力支持的开放性、多元化的农业科技人才资金投入保障机制。

二、强化县域创新，加快科技成果转化应用

开展全国县（市）科技创新能力监测和评价，建设一批创新型县（市）和创新型乡镇，挖掘一批典型科技示范村，为乡村振兴战略实施提供典范示范。探索建设"乡村绿

色技术银行"，加大绿色技术供给，加强集成应用和示范推广。开展"三农"科技创新宣传与科普"下乡入村"行动，提高农民基本科学素养。推进高等院校新农村发展研究院建设，鼓励创办领办科技型企业和专业合作社、专业技术协会，加强现代种业为引领的新品种技术成果供给，加大先进适用技术的推广应用力度。

三、加大农业农村科技创新投入

建立符合农业农村发展特点和高质量发展要求的投入体系。一是增加涉农科技财政投入。财政部门在科技支出科目下设立涉农科技支出子科目，公开年度预算。到 2020 年，财政用于农业科技的支出占农业增加值的比例达到 1%；涉农科技支出与农业增加值的比例达到 2%。二是优化研发支出结构。提高财政科技经费中用于研发的比例到 80%。提高农业基础研究比例到 10%；设立农业科技创新引导基金，引导社会对农业的研发投入，到 2035 年达到 50%。三是新增财政投入主要用于支持新型农业研发机构发展。四是建立目标和结果导向的科技经费使用制度，大幅度提高财政经费使用效率。

第九章　乡村振兴科技措施与政策建议

乡村振兴科技创新需要更多关注食物营养和健康、产业竞争力提升、乡村变美、农民变富等问题，要从体制上、机制上、政策上、资源分配上切实出台政策和重大举措，解决制约和影响乡村振兴战略实施的重大科技问题和技术瓶颈，为乡村振兴提供强有力的科技支撑。

第一节　建立乡村振兴科技创新与服务体系

深化农业科技体制改革，建立乡村振兴科技创新与服务体系。紧紧围绕促进乡村振兴，打破传统体制机制的制约，强化国家各部委在乡村振兴战略实施中的协同互动，以加强科技创新、促进成果转化应用为目标，以服务乡村振兴目标和调动广大科技人员积极性和创造性为出发点，以促进全社会科技资源高效配置为重点，以建立企业为主体、"产学研"结合技术创新体系为突破口，全面深化农业科技体制改革，推动政府职能从研发管理向创新服务转变，创新科研组织模式，建立农业研发投入稳定增长的长效机制，完善适应农业科技创新规律的保障制度，培育创新型农业企业，培育和建设世界一流农业大学和科研院所，为乡村振兴提供源源不断的动力。

在项目设计上要转变科技创新理念，应由追求高产再高产向注重农产品品质转变；由高水、高肥、多药、高产向控水、减肥、减药、优产、优质、高效转变，更加重视降本提质增效、绿色发展；由单一粮食安全向大食物安全和人的营养健康转变；由单一农产品生产功能向关注农业生态、休闲、养老等多功能转变；由传统耕地农业向非传统耕地利用转变；由重点关注农业生产过程的科技创新向延伸产业链、提升农业产业竞争力和促进乡村振兴的科技创新转变；由单一农业高产的科技创新向促进"农业强、农村美、农民富"的科技创新转变。

在创新领域上要进一步拓展，要由传统追求单产最高的农业科技创新拓展为提升农业产业竞争力，促进"农业强、农村美、农民富"的科技创新；大力发展资源节约与高效利用技术，拓展美丽乡村建设科技创新领域，包括不同区域特色美丽乡村建设模式、海绵乡村建设、新型乡村建筑材料、乡村新能源利用等；发展乡村人居环境整治科技，关注分散农户供水、污水和垃圾处理的新技术，促进农村环境改善和绿色发展；支持乡村新业态（功能食品、都市农业、旅游观光、康养产业）培育领域的科技创新。

第二节　激发创新创业活力

打造乡村振兴利益共同体，激发创新创业活力。建设乡村振兴利益共同体，不仅是乡村发展的美好愿景，更是新时代背景下实现乡村振兴战略的理想追求。实现乡村振兴，需要构建乡村振兴利益共同体，实现农业现代化。构建乡村振兴利益共同体，需要转变政府职能，不断完善乡村服务体系。建立完善政府、企业、高校、科研、金融、服务、市场、创业者共同服务乡村振兴战略实施的工作体制机制，以"政产学研金服用创"融合互动模式，共建乡村创新共同体，助推乡村振兴战略实施。在实施乡村振兴的过程中，政府要转变治理理念，以协调者和引导者的身份重新定位自己的角色，重视乡村振兴利益共同体建设。实施乡村振兴，更要发挥企业、高校、科研、金融、服务、市场、创业者等集中力量办大事的制度优势，组织好科研院所、高校、企业、创业者等创新主体，打造新型"政产学研金服用创"联合体，推动"产学研"深度融合，助力乡村振兴。

第三节　加快重大科技创新成果供给

强化乡村科技创新，加快重大科技创新成果供给。进一步优化我国农业科技整体布局，加快布局乡村振兴领域创新平台和基地，构筑先发优势。面向科学技术发展的前沿，面向国家战略的重大需要，面向乡村振兴的主战场，加快在生物种业、生物制造、智慧农业、食品加工、机械装备等领域的部署研发，在杂种优势遗传机制、动物干细胞育种技术、三维生物打印、农业"互联网+"、分布式能源、合成生物技术、基因编辑技术等重点领域突破一批原创性、引领性和颠覆性科技成果，为乡村产业振兴提供有力支撑。

第四节　提高科技服务乡村振兴能力

健全农业农村科技服务体系，提高科技服务乡村振兴能力。农业的深度和广度正不断拓宽，新品种、新技术、新产品、新模式、新业态层出不穷，农民对农业科技服务的需求更加多样化，农业科技服务体系呈现新特征。要坚持市场化导向，创新农业科技推广服务方式，走市场化、专业化、特色化、社会化之路。要以市场化的企业为主体推进农业生产服务体系发展，采取"自下而上"的生产组织合作和市场利益联结机制。要打破界限，有效整合资源，切实加强各方面的协作配合，推进"农科教""产学研"紧密结合，建立部门之间、区域之间和学科之间的联合和协作机制。大力发展"互联网+"现代农业，推动科技金融、电子商务、创意文化品牌平台建设，拓展农业产业增值空间，满足人民对美好生活的追求。要构建一批适合不同区域特点的美丽乡村建设示范模式，支撑 2035 年乡村振兴战略的实现。

第五节　建设创新型乡村示范点支撑战略目标实现

建设一批创新型乡村示范点支撑 2035 年乡村振兴战略目标实现。面向全国 2800 多个县域、近 4 万个乡镇、60 多万个村庄的乡村振兴主战场，以涉农高校和科研院所为"先锋"，联合龙头企业和工商资本，发挥高校和科研院所的人才和科技优势，带动地方政府、企业以及各类新型农业经营主体，推动"产学研用"融合，形成乡村振兴的协同战斗力量，按照全国区域农业特点以及乡村发展实际，在 2035 年前先期开创有代表性和示范意义的乡村"创新根据地"，按照产业引领型、产业融合型、文化传承型、农旅结合型、脱贫攻坚型、生态保护型等类型，聚力打造乡村振兴"创新样板间"，使之成为未来30年全国乡村振兴的"创新活教材"。

1）研究出台"构建'乡村振兴利益共同体'建设创新型乡村的意见"。做好顶层设计，研究制定促进科技创新要素向乡村优先流动的政策，以利于构建"政产学研金服用创"乡村振兴利益共同体，集聚科技创新要素，激活乡村"沉睡"资源，开创全党全社会共同参与和推动乡村振兴的新局面。

2）研究出台"支持涉农高校和科研院所服务乡村振兴的意见"，激励科技人员下乡入村。完善科技人才激励、税收优惠与财政扶持等政策，借鉴美国等发达国家经验，深化大专院校、科研院所人事政策和评价机制改革，引导科技人员特别是有理论、有技术、有实践经验的专家深入一线，鼓励和支持青年科技人员下乡，开展创新创业和科技服务，并将该项工作优先纳入各类人才评价体系。设立乡村振兴"菁英人才"培育计划，每年遴选1万名大学毕业生下乡创新创业，鼓励和引导各类人才将现代科技、生产方式和经营模式引入乡村，与农民形成利益共同体，助力科技成果转化和乡村特色产业发展。

3）设立国家创新型乡村建设专项资金，打造一批创新型乡村样板。吸引工商资本、科技资源、人才资源等优势资源形成合力，针对不同区域的特点和需求，建立"风格各异、形式多样"的创新型乡村示范点。延续和巩固精准脱贫、对口支援等的成果，支持现有对口支援单位牵头建设100个政府引导的创新型乡村；支持高校、科研院所牵头建设100个科技支撑的创新型乡村；支持龙头企业牵头建设100个资本驱动的创新型乡村。打造一批看得见、易复制、可推广的创新型乡村示范样板。

附　　件

科技创新支撑乡村振兴调研报告

农业的出路在于现代化，农业现代化的关键在于科技进步。本附件基于"助力精准脱贫，聚力乡村振兴"专项实践行动，以全国 353 个乡村为调查对象，分析了当前我国农村经济社会发展现状和农业科技使用情况，总结了农民对科技的需求及目前科技支撑乡村振兴的短板，明确科技支撑乡村振兴发展思路与任务，对农业农村科技发展提出政策建议，为未来进一步促进科技支撑乡村振兴提供参考。

一、引　　言

改革开放以来，我国农业农村发展取得重大成就，但仍然存在较多短板。农业科技创新动力不足成为我国农业现代化建设进程的极大障碍。在农业农村现代化建设发展背景下，乡村振兴战略实施必须以农业科技创新为支撑（朱俊杰等，2019）。农业科技是第一生产力，是激发农业农村发展活力的"钥匙"，是全面建成小康社会和实现社会主义现代化的关键。乡村振兴战略对我国农业农村发展提出新要求（王琳和林克剑，2020），其重要支撑就在于科技创新。

"助力精准脱贫，聚力乡村振兴"专项实践活动联合全国农学院协同发展联盟共同组织，于 2019 年暑期组建两百余支调研小队前往全国 20 余个省份下辖村庄展开调研，以问卷调查形式了解我国"三农"发展现状和农民对未来农业科技的需求。调研范围涵盖不同经济发展水平的村庄，调研对象包含农村各个社会阶层群体，调研累计发放问卷6000 余份。

二、科技与农业现状

当前，我国科技实力存在明显区域差异，科教资源主要集中在经济发达省份，经济欠发达地区科技力量薄弱。全国农业机械化、现代化科学技术应用亦存在区域间差异，主要表现为东西部地区不平衡与发展阶段不平衡。下面就我国科技与农业发展现状分别进行讨论。

（一）我国不同地区科技实力概况

我国不同地区科技实力发展不平衡，尤其是东西部地区差距较大，呈现明显的东高西低态势。从各省份规模以上工业企业 R&D（研究与发展）经费和项目数分布图（附件图 1-1 和附件图 1-2）可以看出，科技资源集中聚集在中东部，东部地区工业企业研究与试验发展经费和项目数均明显高于其他地区，广东、江苏、浙江等东部地区整体科技表现突出，而新疆、西藏等西部地区整体科技实力较弱。

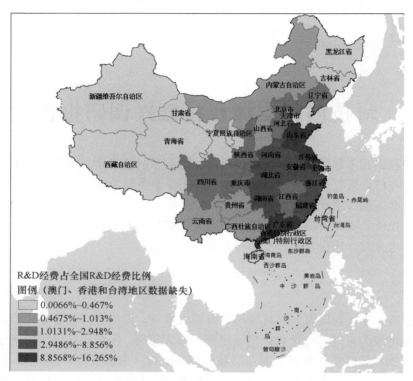

附件图 1-1　各省级行政区规模以上工业企业 R&D 经费占全国 R&D 经费比例

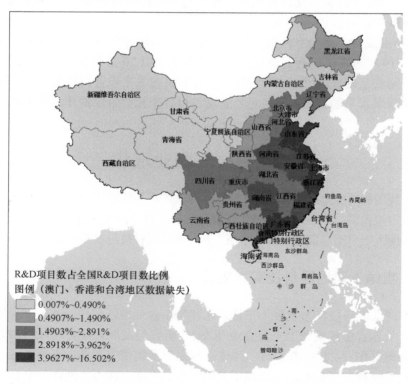

附件图 1-2　各省级行政区规模以上工业企业 R&D 项目数占全国规模以上工业企业 R&D 项目数比例

我国不同地区科研经济投入和科技人力投入亦呈现东高西低的态势。各省科学研究、技术服务和地质勘查业城镇单位就业人员工资总额在一定程度上代表当地科研人员的待遇和所获报酬，工业企业 R&D 人员全时当量反映地区科技人力投入。如附件图 1-3、附件图 1-4 所示，北京、广东等地的科技人力投入和科研人员工资总额明显高于其他地区，西藏、青海等地区科技投入水平则较低。

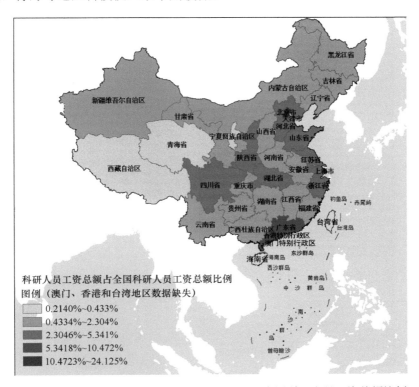

附件图 1-3　各省级行政区科研人员工资总额占全国科研人员工资总额比例

此外，高等教育为地方发展提供了主要科研后备力量，其发展水平代表地区科技实力和发展潜力。我国高校分布具有明显地区差异，呈东多西少逐渐递减态势。东部沿海地区高校数量较多，如江苏、山东；其次为中部地区，如河南；西藏、青海等西部地区高校数量则较少，如附件图 1-5 所示。北京、上海等地高校科研实力雄厚，西部地区整体科研实力较弱。

（二）我国不同地区农业发展水平

我国农业发展水平存在区域差距，中部和东部地区农业总产值高于西部地区。如附件图 1-6、附件图 1-7 所示，山东、河南、四川作为我国传统农业大省，2019 年各省农业总产值位居全国前列，且山东、河南两省的农业机械总动力较高。而西藏、青海由于区位及气候因素农业发展水平低于全国平均发展水平。

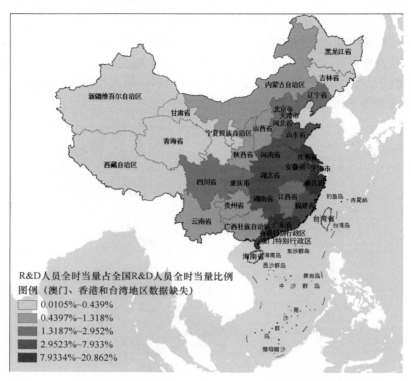

R&D人员全时当量占全国R&D人员全时当量比例
图例（澳门、香港和台湾地区数据缺失）
- 0.0105%~0.439%
- 0.4397%~1.318%
- 1.3187%~2.952%
- 2.9523%~7.933%
- 7.9334%~20.862%

附件图 1-4 各省级行政区规模以上工业企业 R&D 人员全时当量占全国 R&D 人员全时当量比例

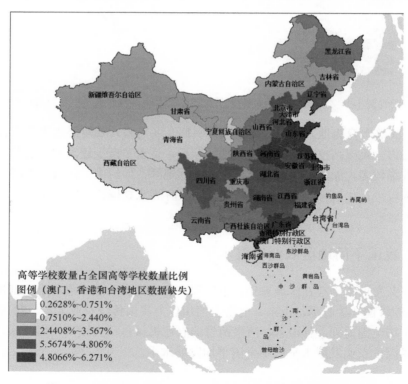

高等学校数量占全国高等学校数量比例
图例（澳门、香港和台湾地区数据缺失）
- 0.2628%~0.751%
- 0.7510%~2.440%
- 2.4408%~3.567%
- 5.5674%~4.806%
- 4.8066%~6.271%

附件图 1-5 各省级行政区高等学校数量占全国高等学校数量比例

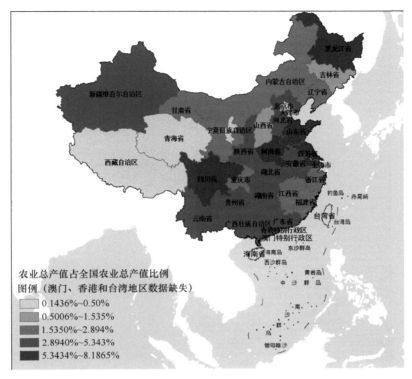

附件图 1-6 各省级行政区农业总产值占全国农业总产值比例

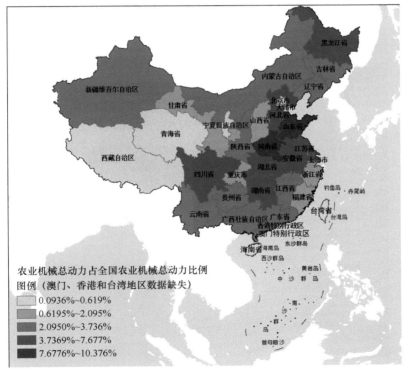

附件图 1-7 各省级行政区农业机械总动力占全国农业机械总动力比例

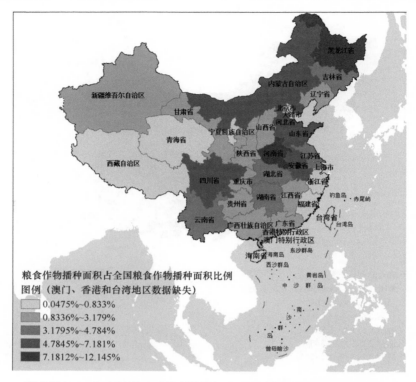

附件图 1-8　各省级行政区粮食作物播种面积占全国粮食作物面积比例

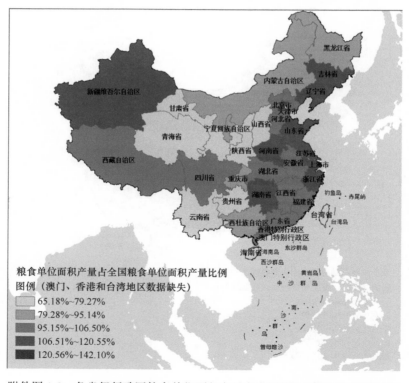

附件图 1-9　各省级行政区粮食单位面积产量占全国粮食单位面积产量比例

但我国各省级行政区粮食耕种面积与粮食单位面积产量匹配性较弱，甚至呈现负相关性（附件图 1-8 和附件图 1-9，来自国家统计局 2018 年度统计数据）。黑龙江、山东、河南、安徽粮食作物播种面积在全国范围内较高，但黑龙江粮食单位面积产量明显低于其他省份，新疆地区播种面积少但粮食单位面积产量却很高。这种粮食播种面积与单位面积产量相悖的状况反映了农业科技投入和发展水平区域间的差异性。

（三）我国农科产品及农业投资现状

当前，现代技术在我国农业使用当中存在不平衡性，除地区发展的不平衡外，还存在不同时间发展阶段的不平衡。从全国范围来看，固定资产交付使用率越大，表明建设速度越快，农业投资效果越好，2003～2017 年，固定资产交付使用率基本维持在 70%～85%，实现了农业方面较稳定投资，当然这与国家政策有一定的关系，如附件图 1-10 所示。我国农药质量监督检查批次合格率基本维持在 85%～90%，且中国农药进口总额总体呈上升趋势，国内农药产品质量有待提高，相应市场监管更需要加强，如附件图 1-11 和附件图 1-12 所示。

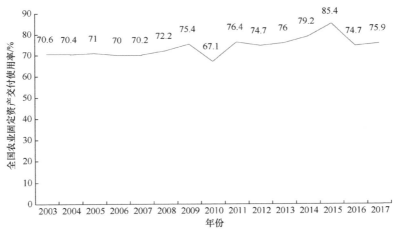

附件图 1-10　全国农业固定资产交付使用率

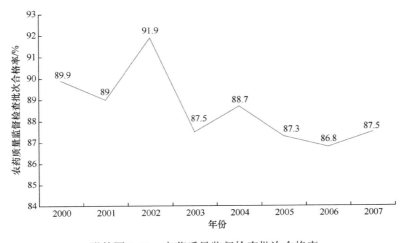

附件图 1-11　农药质量监督检查批次合格率

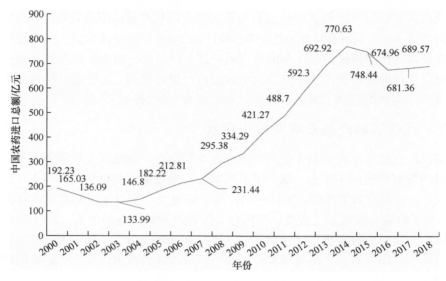

附件图 1-12　中国农药进口总额

三、调研开展和执行过程

在充分了解我国农业与科技整体发展状况的基础上，本次调研项目结合联盟专项活动"全国农科学子联合实践行动"，以实地调研和问卷访谈形式展开。

（一）调研项目介绍

本项研究依托全国农学院协同发展联盟、中国作物学会人才培养与教育专业委员会发起的"助力精准脱贫，聚力乡村振兴"专项实践行动，联动全国 50 余家涉农院校参与课题研究。在全国范围内共组建调研小队 286 支，邀请调研学生 3063 名，邀请指导老师 294 人。累计去往 20 余个省份、353 个乡村和 169 个贫困县（乡）。调研过程中各联盟单位还围绕"帮学支教""支农增收""创新创业""技术转化"等方面开展了一系列社会服务活动，引导技术、人才等向乡村聚集。

（二）调查对象基本情况

本次调研对被调查者的基本情况做出统计。通过问卷分析发现，被调查者年龄集中在 50 岁左右，其中 61%左右为男性，如附件图 1-13、附件图 1-14 所示。被调查者学历普遍偏低，初中及以下学历者占 73.350%，大专以上学历者不足 10%，如附件图 1-15 所示。

（三）调查问卷质量评估

1. 问卷调查前期

在调研项目前期准备过程中，为保证调研数据的科学性与可靠性，调研项目组于

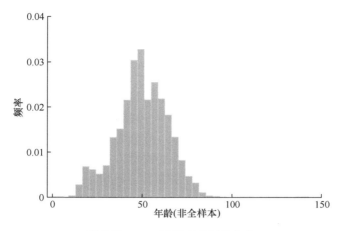

附件图 1-13　被调查者年龄分布

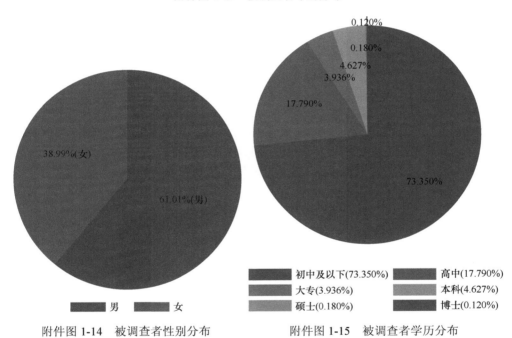

附件图 1-14　被调查者性别分布　　　　附件图 1-15　被调查者学历分布

2019 年 7 月 4 日举办网络直播培训会，邀请中国农业大学农学院陈源泉教授、人文与发展学院臧雷振教授分别讲授实践技巧与调研方法，对参会师生进行问卷介绍、问卷填写、问卷常见问题及处理办法等环节培训，进一步保障调研行动实施。

2. 问卷调查中期

乡村振兴现状及科技需求调查问卷涉及乡村经济社会发展和科技使用现状、乡村振兴对科学技术需求、"三农"科学技术推行阻力、基本信息、访员记录 5 个方面，共 120 个问题。

本次调查对全国范围内 4100 余户农户发放问卷 6000 余份，共收回并录入 3415 份问卷。在 3415 份调查问卷中，通过统计核心问题——问题 1~问题 97 的回答完成度发现，总问题数共计 949 370 个，回答问题数 916 672 个，未回答问题数共计 32 698 个，缺失值仅占 3.4442%，由此可见，问卷回收率及问卷回答情况质量较高。

3．问卷调查后期

为了解受访者对本次调研活动满意度，由访员对受访者疑虑、受访者普通话熟练程度、受访者配合程度、受访者兴趣、受访者回答问题可信度五个方面进行打分，满分十分。在受访者配合程度方面，根据访员反馈，打分为八分、九分、十分的占比例分别为 18.66%、17.31%、26.1%，说明共计 60% 以上的受访者十分欢迎并配合调研，数据可信度高。且调研村庄涵盖了我国乡村各种经济和社会阶层，代表性强。

四、乡村经济社会发展概况

本次问卷调查重要组成部分为乡村经济社会发展现状，研究分析中主要以交通便利情况、住房规划与建设、基础设施以及商业发展程度等作为指标，辅之以居民收入来源和对教育重视程度来衡量乡村经济发展现状。

（一）交通

附件图 1-16、附件图 1-17、附件图 1-18 分别显示村到镇距离、村到镇交通便利情况以及交通工具使用情况。由附件图 1-17 可知，村镇距离大于 6km 占比例高，但大多数村民认为村镇交通"比较便利"，村民普遍偏好选择电动车和摩托车作为出行工具。

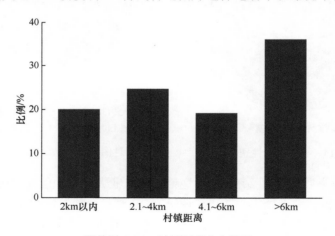

附件图 1-16　村镇距离分布情况

（二）住房

如附件图 1-19 所示，在住房分布方面，农村住房较为聚集但尚未全部完成集中规划，集中农村住房任务还很艰巨，集中规划后有利于规模商业中心形成和快递物流行业分布。通过统计邮政快递情况发现，大多数村民对邮政快递服务评价为"相对较好"或"一般"，但超过五分之一的农村地区邮政快递不发达，如附件图 1-20 所示。

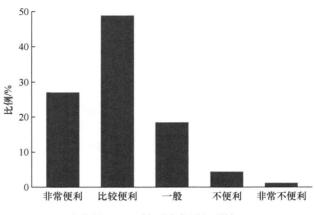

附件图 1-17　村到镇交通便利情况

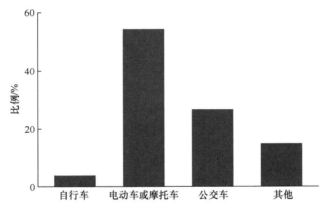

附件图 1-18　村到镇交通工具使用

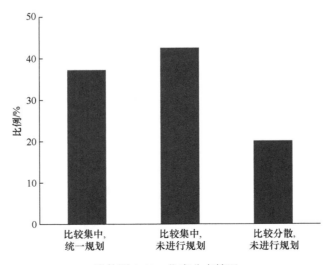

附件图 1-19　住房分布情况

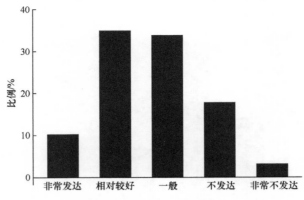

附件图 1-20　邮政快递情况

（三）基础设施

　　在全国所有城市已实现全网络覆盖的今天，农村地区停水、断电、断网情况时有发生，农村基础设施建设仍不容忽视，如附件图 1-21 所示。此外，商业的发达程度与基础设施建设呈正相关，一般基础设施建设越全面，商业发达程度越高。调研统计发现，农村商业相对发达地区不到 40%，农村基础设施建设在很大程度上制约了农村经济发展，如附件图 1-22 所示。

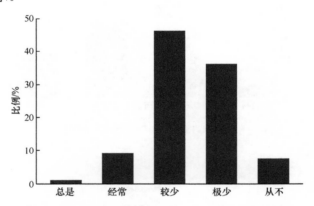

附件图 1-21　基础设施情况（停水、断电、断网情况）

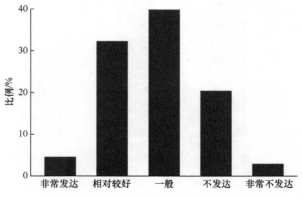

附件图 1-22　商业发达程度

（四）居民收入与支出

农村居民收入主要包括生产性收入、经营性收入、财产性收入、转移性收入。由附件图 1-23 可知，农村居民收入来源仍以农产品收入为主，外出打工也占相当的比例，其次是养殖业及家庭副业，收入来源于企业的比例较少。因此，提升农村农民经营性收入、财产性收入成为农民增收的重要开拓方向。

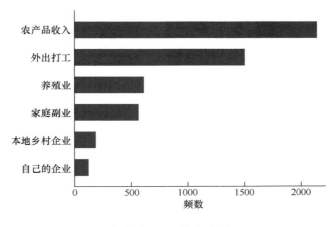

附件图 1-23　收入来源

农村居民支出主要用于生产生活及教育投入，其中子女教育支出占比例最大，极少部分用于养老和其他用途（附件图 1-24）。农村居民对教育的投入也反映了其对子女受教育的态度，如附件图 1-25 所示，近七成父母表示非常支持子女接受高等教育，其余居民持有"有条件就上""看情况而定""无所谓"等态度，一定程度上表明家庭收入仍是决定子女受教育程度的主要影响因素。

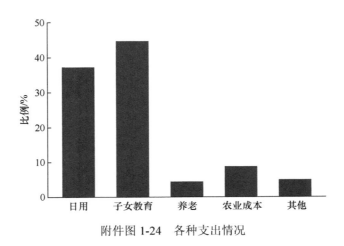

附件图 1-24　各种支出情况

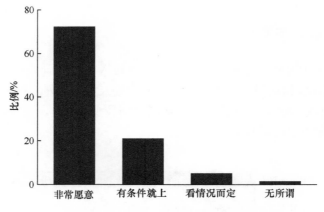

附件图 1-25 父母对子女接受高等教育态度

五、乡村科技使用与推广现状

上一小节对乡村经济社会的发展现状展开介绍，本小节将侧重于对乡村科技使用与推广现状进行分析。改革开放以来，我国各项政策不断向农业农村倾斜，农业科技投入不断加大，但基层农业科技投入仍不足，乡村仍然存在着科技发展水平低、农业科技普及不到位、生产方式落后等问题。

（一）农村科技宣传力度

从附件图 1-26 和附件图 1-27 可看出，农村科技宣传力度总体上难以满足农业现代化发展需求。综合村民对科技宣传频率评价和参加科技指导次数来看，农村居民认为科技宣传频率整体较低，且仍有超过 40%的村民从未参加科技指导。因而，加强科技宣传和推广成为农村农业发展重要抓手。

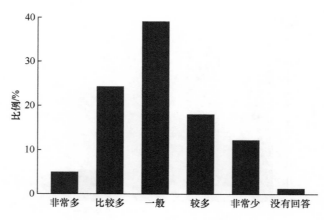

附件图 1-26 村民对科技宣传频率评价

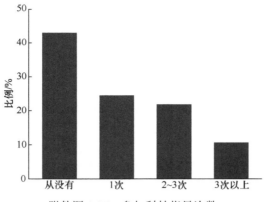

附件图 1-27　参加科技指导次数

（二）农村"三农"信息交流

在广大农村地区，"三农"信息交流方式仍然依靠传统媒介，村镇信息公开栏、电视、手机为主要信息获取和交流方式，如附件图 1-28 所示，讲座交流会、服务热线、宣传手册频数较少。通过统计村民出村频率发现，经常和比较经常出村频率不足 50%，说明村民生活和信息交流较为闭塞，如附件图 1-29 所示。

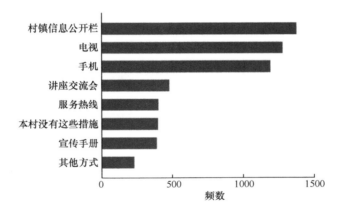

附件图 1-28　"三农"信息交流方式

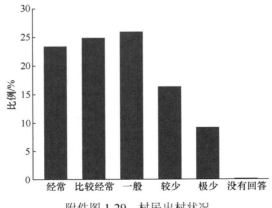

附件图 1-29　村民出村状况

（三）农业生产存在问题

在农业生产方面，资金、技术、土地规模是农民在农业生产中主要考虑的因素，也成为阻碍农业生产的三大制约因素，如附件图 1-30 所示。其中，土地规模小、零散地块多使得农业生产田间管理困难、机械耕作难以开展、灌溉不便利、田埂多造成耕地浪费等。因而，扩充资金储备、提供科技支撑、改善土地规模是农业现代化发展中的重要方向。

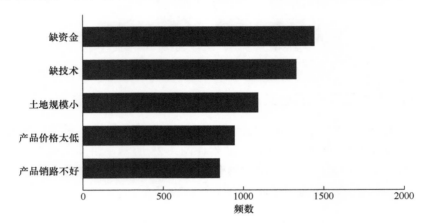

附件图 1-30　农业发展最烦愁的事情

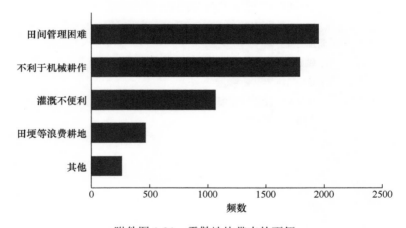

附件图 1-31　零散地块带来的不便

六、农民对科学技术的需求

在讨论了乡村科技使用与推广现状之后，本小节将对农民科学技术的需求问题做进一步分析。在对村级路况、村干部、乡镇干部、农业生产中科技使用、卫生环境、技术推广满意度调查中，村级路况满意程度最高，说明目前乡村道路建设已取得一定成效。村民普遍对农业生产中科技使用及技术推广的满意度较低，农业科技应用比较落后，我国农村科技普及力度仍需加强，如附件图 1-32 所示。

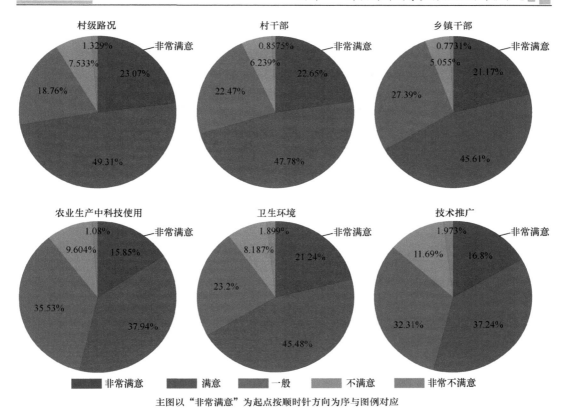

主图以"非常满意"为起点按顺时针方向为序与图例对应

附件图 1-32　村民满意度

　　乡村振兴总体要求是产业兴旺、生态宜居、乡风文明、治理有效、生活富裕。从乡村振兴主体——农村居民角度来讲，他们在乡村振兴过程中最关心医疗条件、住房条件和教育条件三项内容，如附件图 1-33 所示。进一步调查显示，农村居民认为村镇农业发展最需要的是灌溉设施、育种技术、农产品加工和营销，如附件图 1-34 所示。

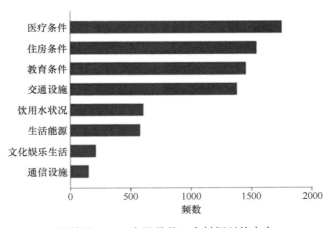

附件图 1-33　农民最关心乡村振兴的内容

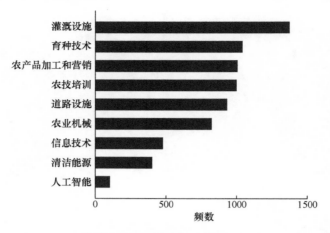

附件图 1-34　村镇农业发展重点

（一）农村建设

农村居民对基础设施的关注集中在医疗设施、公共道路、供水设施三个方面（附件图 1-35）。目前，农村地区燃料使用方式调查中，柴草使用仍为主要方式之一，如附件图 1-36 所示。就此深入调查发现，农民选择传统燃料为主要方式的缘故，一方面是因为农业生产习惯养成，另一方面燃料使用价格偏高或供给燃料的基础设施建设不完善使得清洁能源普及率还比较低，许多地区尚未使用上清洁能源。因而管道天然气、沼气等配套设施持续建设和推广非常有必要。

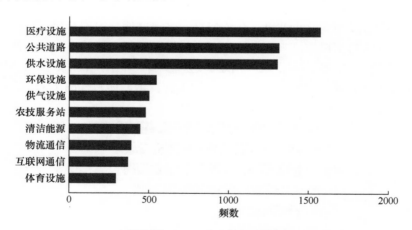

附件图 1-35　重要的基础设施

美丽乡村建设对农村发展提出新要求。如附件图 1-37 所示，在生态宜居方面，生活垃圾处理、住房条件、废弃物处理成为农民最关心的问题。推进生态文明建设和社会主义新农村建设，农村居民认为，在人居环境方面应重点发展生活垃圾治理、厕所粪污治理、医疗设施，如附件图 1-38 所示。可见，农村生活垃圾处理问题亟须解决。

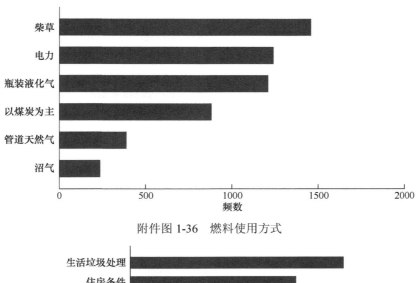

附件图 1-36 燃料使用方式

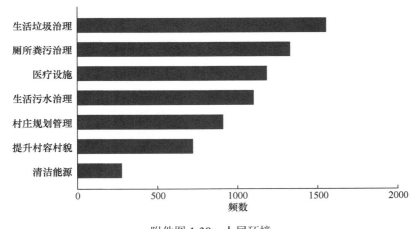

附件图 1-37 生态宜居

附件图 1-38 人居环境

（二）农业技术

调查问卷显示，农民最需要的农业技术是栽培技术、施肥技术和植保技术（附件

图 1-39）。由附件图 1-40 可知，目前农民获取技术的渠道主要是电视、互联网等新媒体、街坊邻居（附件图 1-40）。由此可见，我国农技推广系统仍不完善，政府科技部门主导的科技推广在广大农村地区还未普及开来。

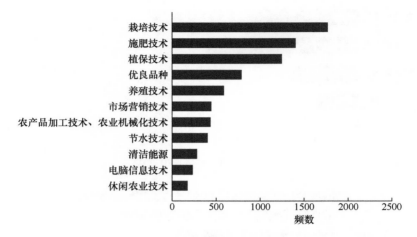

附件图 1-39　农民最需要的技术

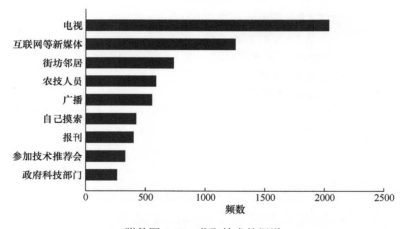

附件图 1-40　获取技术的渠道

在农村居民看来，土壤质量、灌溉排水条件、作物品种是影响作物产量提高的三大主要因素（附件图 1-41）；而改善灌溉排水条件、品种质量、水肥管理等可以提高作物产量（附件图 1-42）。解决农民农业生产问题，改善作物生长条件，培育优质农作物品种对当前农业发展有着重要影响。

（三）科技服务

目前在农业产业方面最缺乏核心技术和竞争力的领域分别为病虫害防控、作物改良以及生态循环农业（附件图 1-43）。这说明农作物生产过程管理和生态管理仍是目前的短板，应加大该领域投资和重视度，加大对农业产业领域投资与研究，提升农业科技转化率，助推我国农业发展。

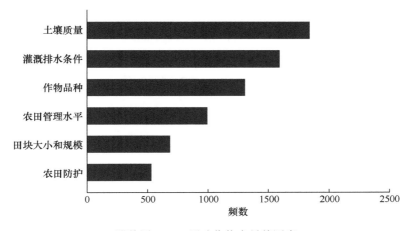

附件图 1-41　影响作物产量的因素

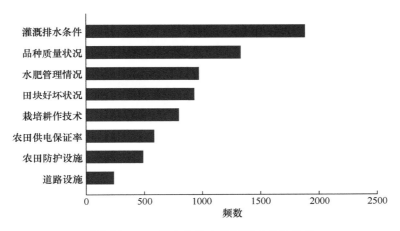

附件图 1-42　提高作物产量需要改善的条件

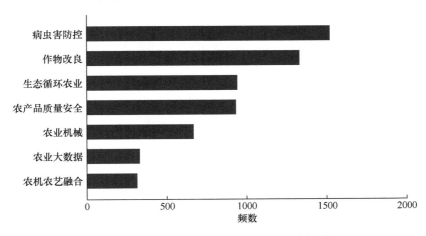

附件图 1-43　农业产业最缺乏竞争力的领域

通过调研发现，目前农村居民急需的科技产品为农作物新品种、新肥料和新农药，对新农业机械需求也较高（附件图 1-44）。农民对科技服务形式需求意愿中（附件图 1-45），根据被访者反馈，农民普遍愿意接受更加直接的对接形式，科技特派员、农科驿站和科技超市更受农民欢迎，是较为适合农村科技服务推广的形式。

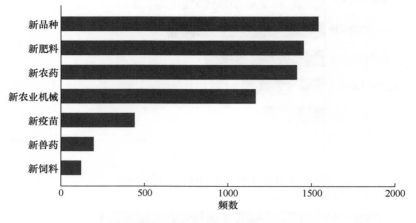

附件图 1-44　急需的科技产品

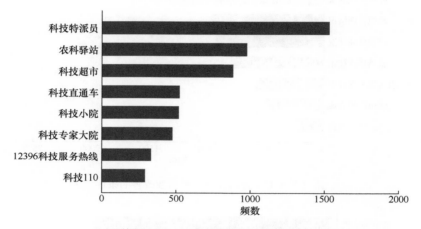

附件图 1-45　适合农村的科技服务形式

七、科技支撑乡村振兴的短板

前文详细讨论了我国农村居民目前对科学技术需求的意愿，这充分展示了当前科技支撑乡村振兴短板。农业科技人才和农业科技创新不足极大阻碍我国农业现代化建设进程。传统农业技术推广服务体系难以满足现代农业生产经营的需要，新型农业科技服务网络建设亟须建立（张玉赋等，2019）。下面就科技支撑乡村振兴的短板作具体论述。

（一）乡村振兴亟须强有力的农业科技支撑

农村基础设施建设一定程度上制约了农村产业发展。农村基础设施建设不完善，农业科技难以到达田间地头，而基层农业则支撑了现代农业发展。在农业生产领域，乡村振兴需要科技创新，目前看来，科技对乡村的支撑作用尚显薄弱。

调查数据显示，超过 40% 的村民从来没有机会参加科技指导，农村科技宣传整体上来说并不到位。农民需要更多农业相关技术和专业指导，需要普及农业科学知识。

乡村需要培育新型农业经营主体，实现小农户和现代化农业有机衔接。乡村振兴的主体归根结底是广大农民，只有加大农业技术和专业指导的宣传力度，满足农民对农业现代化技术和知识的需求，充分发挥好农民的能动性，才能够使得乡村拥有源源不断的内生动力。

（二）乡村振兴亟须更具针对性的农业科教体系

乡村振兴离不开人才，调研对象中大专以上学历者不到 10%，农业从业者素质亟待提升。发达国家从事农业生产的农民素质较高，美国大学毕业农民占 90% 以上，我国大专以上学历农民比例不到 1%，91.8% 的农民为初中以下文化程度。法国有 300 多所农业职业教育学校，我国仅有 80 多所。由此可见，我国的农业科技体系与发达国家还存在很大的差距。

2017 年农业部《"十三五"全国新型职业农民培育发展规划》提出，到 2020 年全国新型高素质农民总数超过 2000 万人，也才仅占农业从业人员的 5% 左右。因此，提升农业从业者受教育程度的任务空前严峻。乡村振兴需要有文化、懂技术的人才参与，建立具有针对性的农业科教体系是关键。

（三）乡村振兴亟须更接地气的农业科技推广体系

附件表 1-1　影响农民对农业生产中科学技术使用满意度的因素分析

因素	非常满意	满意	不满意	非常不满意
年龄	−0.001	−0.001	−0.013***	−0.034***
	(−0.89)	(−1.47)	(−2.79)	(−2.58)
机械化程度	−0.413***	−0.473***	0.254**	0.456
	(−4.14)	(−6.21)	(2.12)	(1.34)
性别	−0.021	0.077	−0.135	−0.395
	(−0.17)	(0.83)	(−0.96)	(−0.98)
科技宣传	−0.687***	−0.269***	0.250***	0.850***
	(−9.63)	(−5.32)	(3.45)	(4.15)
科技指导	0.349***	0.376***	−0.230**	0.256
	(5.40)	(7.32)	(−2.38)	(0.97)
出村频率	−0.039	−0.008	0.005	−0.146
	(−0.77)	(−0.21)	(0.10)	(−0.95)
产品销售	0.133***	−0.011	0.104**	0.106
	(3.45)	(−0.39)	(2.44)	(0.88)
常数项	1.149***	1.226***	−1.941***	−6.088***
	(2.75)	(3.85)	(−3.67)	(−3.82)

注：Mlogit 模型（多元有序逻辑斯谛模型）以"一般"为基准。问卷中，机械化程度、科技宣传变量为数字 1 代表最积极，数字 5 代表最消极，科技指导和农产品出售比例则相反。所以回归系数为负数说明变量越小越可能选择其选项，以非常满意选项中机械化程度为例，系数为 −0.413 说明问卷统计中数字越小越可能选择非常满意，也就是越积极的答案；*** 表示分析结果有极显著性，** 表示分析结果有显著性。

从分析结果可以看出，机械化程度、科技宣传、科技指导以及农产品销售比例显著影响农民对科学技术的满意程度（附件表1-1）。其中科技宣传影响最为明显，并不因群体区别（年龄、性别）而变化。农产品销售比例更多体现了作为销售方的农民对科学技术的满意度。

ROC（接收器操作特征曲线）敏感性分析结果与 Mlogit 模型基本类似，科技宣传 ROC 下面积达到 0.7 以上，是影响村民对科技使用满意度最为关键的因素，如附件图1-46 所示。由此可见，科技宣传是影响农户对科技使用与推广满意度最为关键的因素，要多方位、多渠道进行科技宣传。从被访问者反馈对科技使用与推广满意程度来看，目前满意度仅刚过半，农村居民对科技培训与服务的需求仍很大。对于科技服务形式，人们普遍更希望直接对接，如科技特派员需求成为所有科技推广形式中最受村民欢迎的方式。

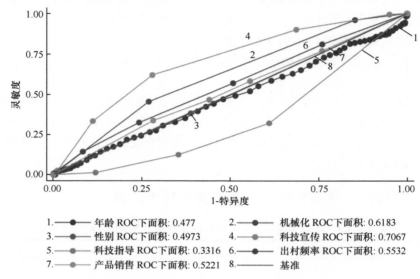

1.	●— 年龄 ROC下面积: 0.477	2.	●— 机械化 ROC下面积: 0.6183
3.	●— 性别 ROC下面积: 0.4973	4.	●— 科技宣传 ROC下面积: 0.7067
5.	●— 科技指导 ROC下面积: 0.3316	6.	●— 出村频率 ROC下面积: 0.5532
7.	●— 产品销售 ROC下面积: 0.5221	8.	—— 基准

附件图 1-46　影响农民对农业生产中科技使用满意度因素（ROC 图形分析）

"新时代=农业科技推广将在乡村振兴战略中发挥更重要的支撑作用"，乡村振兴亟须更接地气的农业科技推广体系。

八、结论与政策建议

我国农村经济社会已基本摆脱贫困，农业生产整体上有了很大提高，但农业科技在农村应用有很多局限性，基层农业科技投入不足，农民对科技仍有很大需求，农业科技创新动力不足、基层农业科技人才匮乏极大阻碍了我国农业现代化建设进程。在广大农村地区，科技支撑乡村振兴存在明显短板，农民普遍对农业生产中科技使用以及技术推广满意度较低，我国农村科技普及力度仍需加强。综合此次调研项目，明确科技支撑乡村振兴发展思路与任务，提出乡村振兴科技政策建议。

（一）明确科技支撑乡村振兴发展思路与任务

1. 发展思路

坚持科技创新和制度创新"双轮驱动"，重构农业科教体系，充分发挥科技和人才的引领作用，激活科技要素主体的积极性与创造性，有效配置科技资源，使科技成为推动乡村振兴的内生动力。

（1）科技支撑乡村的愿景

科技支撑乡村的愿景是支撑乡村新产业新业态新模式，促进产业兴旺；支撑乡村多元化、高级化、个性化需求，助力品质生活；支撑乡村绿色、宜居、智慧发展，建设人文乡村。

（2）科技支撑乡村振兴的目标

科技支撑乡村振兴的目标是建成"创新型乡村"。创新驱动新农业，促进农业现代化发展，让农业成为有奔头的产业；创新发展新农村，建设文明富裕生态乡村，让农村成为安居乐业的美丽家园；创新塑造新农民，打造有知识、懂科技、会创新的乡村人才，让农民成为有吸引力的职业。唯有创新的乡村，才有复兴的中国。

2. 实施三大战略

科技支撑乡村振兴要坚持以人为本，提升农民的幸福感；以产业提升为抓手，产业兴旺是农村经济发展的突破口；以动力培育为机制，激活科技创新动能，发挥市场的作用。

（1）"以人为本"战略

一是在吃饱、吃好的基础上更多考虑营养健康，更多关注农产品品质与风味；二是减轻乡村从业者劳动强度，提高劳动生产率和种地效益以及农业竞争力；三是大力改善乡村人居环境，营造品质生活；四是传承乡村文化，挖掘传统农耕文化，留住"乡愁"记忆。

（2）"产业提升"战略

一是由增产导向转向提质导向，促进农业结构优化升级，推动农业高质量发展；二是深入发掘乡村生态涵养、休闲观光、文化体验、健康养老等多种功能，推动乡村资源全域化整合、多元化增值；三是加快建设数字乡村，健全乡村电商体系，加强农商互联，密切产销衔接。

（3）"动力培育"战略

一是实施创新驱动乡村振兴，坚持科技创新和制度创新"双轮驱动"；二是充分激活科技要素支配和使用主体的积极性与创造性，共建利益共同体；三是使市场在乡村振兴科技资源配置中起决定性作用，更好地发挥政府的作用。

3. 实施三大科技工程

（1）乡村产业升级科技工程

实施乡村产业升级科技工程，坚持以农业主导产业为中心，优化农业产业结构，充分挖掘乡村特色产业，积极引进互联网、电子商务等新要素，发展乡村新业态，拓宽乡村产业链，推进农村第一、第二、第三产业融合发展。

（2）乡居环境改善科技工程

乡村振兴，生态宜居是关键。统筹"山水林田湖草"系统治理，加大对生态环境保护力度，把绿色还给自然，把生机留给乡村。实施乡居环境改善科技工程，积极引导使用绿色建材、宜居建筑、清洁能源，建设生态宜居的美丽家园。

（3）乡村居民服务科技工程

科技改变民生，推进乡村居民服务科技工程建设，提供便民服务。普及营养健康知识，改善乡村医疗卫生条件，加强基层医疗卫生服务体系建设。立足乡村文明，保护和传承乡村优秀文化，创新表现形式，赋予时代内涵，实现传统文化与现代文明的融合。加快农村地区宽带网络和第四代移动通信网络覆盖步伐，建设乡村网络信息服务站，为村民信息获取提供方便，推进乡村信息化发展。

4. 实施两大示范工程

（1）科教兴村示范工程

大力培育新型高素质农民，建立完善的新型高素质农民等级评价体系，加强农村专业人才队伍建设，提供全面技术培训指导，真正培养一批"懂农业、爱农村、爱农民"的"三农"工作队伍，加强本土专业化人才培养，以乡村能人带动产业发展。深入推进农业绿色化、优质化、特色化、品牌化，调整优化农业生产力布局。加快农业科技成果转化，健全农业科技推广体系，推动农业科技转化为生产力，助力乡村产业发展。

（2）数字乡村示范工程

实施数字乡村示范工程，开发适应"三农"特点的信息技术、产品、应用和服务，发展数字农业、智慧农业，加快农业现代化进程，强化乡村物流、互联网、广播电视等基础设施建设，信息惠民深入乡村，推进乡村治理信息化和城乡信息化融合发展。

（二）乡村振兴科技政策建议

1. 深化科技体制改革，建立新型科教服务体系

（1）以发展乡村特色产业为突破口，重构农业科技创新体系

全面深化农业科技体制改革，优化我国乡村科技整体布局，解决我国农业科技创新体系与乡村创新需求不相适应的问题，彻底改变以往只重发论文，不重解决农业一线问题的局面。优化科研评价机制，由客观数字评价逐渐向解决生产实际评价转变，推动农业科研创新"接地气"，促进科研与生产相结合。

以发展乡村特色产业为突破口，重构农业科技创新体系。依托乡村自身的资源优势和地理优势，明确主导产业，形成能够充分利用自身资源并符合市场需要的产业结构（刘合光，2018），着重发展特色产业。大力推动特色农产品提质增效，依托乡村特色产业和地理标志产品，增强品牌价值和市场竞争力。积极引导和支持发展农业科技，建设一个以现代农业为主、具有鲜明特色的科技创新平台（牛峰等，2019）。

（2）以培育知识型农民为主抓手，重塑农村职业教育体系

乡村振兴和科技创新都需要源源不断的内生动力，新型农村科技人才是支持乡村发展的关键，加强培育新型农业经营主体，促使农村人力资源得到整合。支持推动"农科教"结合、产教融合协同育人模式创新，加强乡村紧缺人才培育和新型农民职业培训；结合农业从业者生产经营需求，理论联系实际，有针对性地传授"一看就懂、一学就会、一用就灵"实用技术，为乡村振兴战略实施提供强有力的人才保障（吕迎春等，2019）。

加强对新型农业经营主体科技输出。培育和发展壮大新型农业经营主体是推进现代

农业建设的必然要求，加大对家庭农场主、农民专业合作社理事长等新型农业经营主体的培训力度，提升经营管理水平（黎丽菊等，2019）。

（3）以强化乡村创新创业为着力点，重建新型科技服务体系

充分发挥政府、农林院校、企业、农业生产经营者等多元主体的能动性，培育壮大市场化、社会化乡村科技服务产业；着力引导农林院校和地方科研院所的科研人员扎根农村、服务"三农"；鼓励科研人员深入实践指导研究，把论文写在祖国的大地上，完善农业科技推广机制，把科技成果落到实处，让农民真正感受到科技利好，推动科技成果及科技成果转化服务向农村转移转化。鼓励返乡农民工参与创新创业，对大学生创新创业给予政策支撑，为农村青年参与乡村振兴提供良好创新环境，引导知识型农民积极参与农业科技创新和特色科技产业发展。

2. 建设一批创新型乡村，打造"乡村振兴利益共同体"

乡村振兴战略以农业农村现代化为共同目标，确保全体农民共同受益，实现乡村共同发力、共同发展。创新型乡村建设是实现乡村振兴的关键举措。针对不同区域特点，遴选建设100个创新型乡村，建立不同模式示范点，树立乡村创新样板，创建可复制、可推广的模式，做好引领示范带动。引导科技要素下乡入村，构建新型乡村科技服务体系，满足新业态、新需求，为乡村振兴提供科技支撑。大力发展"互联网+"乡村产业，推动科技金融、电子商务、创意文化品牌平台建设，拓展乡村产业增值空间，为乡村产业振兴赋能，激发农业农村发展新活力。建设创新型乡村，打造"乡村振兴利益共同体"，政府积极引导，鼓励企业投资乡村产业，释放乡村新动能，实现乡村多元化发展。

3. 建立有针对性的地域发展规划，农业科技推广体系更接地气

我国农业科技发展存在较大区域差异，未来对于全国各个地区农业科技的发展规划更要具有针对性。不同地区需要的科技资源不同，所需农业技术不同，农业发展目标不同，农业科技推广体系要更加接地气，让村民看得懂、用得上。结合当地农业农村发展的实际情况，实行一区域一规划，建立有针对性的地域发展规划，使农业技术普及更注重实用性。加强对农业的投资力度和政策指引，提高农业科技产品质量，提高农业科研工作者待遇和补贴，鼓励农业科技创新，让更多的科学技术运用到农业农村，为乡村振兴提供强有力的科技支撑。

九、总　　结

当前，全国农业科技发展水平不平衡，建立有针对性的科技发展规划非常有必要。农业科技要为乡村振兴服务，只有实现农业科技创新，才能为乡村振兴战略实施提供强有力支撑（寇爽和赵东明，2019）。科技创新是农业农村发展第一动力源，是产业升级不可或缺的要素。依靠科技转变发展方式，不断提高农业发展创新力，深化农业科技体制改革，建立健全农业科技推广体系，推动农业科技社会服务体系建设，以发展乡村特色产业为突破口，重构农业科技创新体系，实现科技创新成果转化，推动乡村经济可持续发展。

创新型乡村建设是实现乡村振兴的关键举措，科技创新为农业农村发展提供生产力，农业现代化离不开科技创新。乡村振兴必须以知识型高素质农民为主体，以技术创新为引领，以发展特色科技产业为依托建设新型乡村；农民需要更多的农业相关技术专业指导，普及科学的农业知识，培育新型农业经营主体，实现小农户和现代化农业有机衔接（豆书龙和叶敬忠，2019）。农民是乡村振兴的行动主体和最终受益者，必须充分调动广大农民参与乡村振兴的积极性和主动性。

科学技术宣传是影响农户对科技使用与推广满意度最为关键的因素，建立和完善农业科技推广体系，多方位、多渠道进行科学技术宣传，引导科教服务要素下乡，打造乡村振兴利益共同体，让全体农民成为乡村振兴的主要参与者和受益者。

科技创新支撑乡村振兴，必须以创新型乡村建设为抓手，以培育知识型农民为重点，以乡村特色产业发展为引领，重构农民职业教育、农业科技创新和科技服务体系，加速推进乡村振兴和农业农村现代化。

附录 乡村振兴现状及科技需求调查问卷

问卷编码	1	9												
编码规则	年份		月份		日期		城市区号				问卷序号			

前　　言

尊敬的受访者：

本调查旨在了解广大农民对我国"三农"发展和未来科技需求的主要认识和见解。

本问卷采用匿名作答方式进行，调查结果将严格保密，遵从国家相关法律政策并郑重承诺：不将您个人填写结果透漏给任何第三方，充分保证您的个人信息安全；调查问卷信息仅供学术研究之用。

所有题目选项保持中立立场，请您按自己的实际情况填写。我们需要知道您的真实想法，以保证学术研究结果和政策建议的科学性，诚恳地希望得到您的支持和帮助。

以下为调查的主要选项。如果您对其中某些具体问题不便回答，可直接略去这类问题。再次感谢您的合作！

A. 乡村经济社会发展和科技使用现状

1. 您对"乡村振兴战略"是否了解？
□A.非常了解　□B.比较了解　□C.一般了解
□D.不太了解，仅仅听过　□E.不了解
2. 您村里主要是什么路？
□A.柏油路　□B.水泥路　□C.石子路　□D.土路　□E.其他_____

3. 满意度调查。

您对以下各方面的满意度	非常满意	满意	一般	不满意	非常不满意
（1）村里的路况					
（2）村干部的工作					
（3）乡镇干部的工作					
（4）村务收支公开					
（5）村里的环境卫生					
（6）农业生产中科学技术使用					
（7）村里的农业技术推广					

4. 您村里到田地的交通如何？

□A.非常便利　　□B.比较便利　　□C.一般　□D.不便利　□E.非常不便利

5. 您村到镇上的交通如何？

□A.非常便利　　□B.比较便利　　□C.一般　□D.不便利　□E.非常不便利

6. 您村到最近镇上的距离：

□A.2千米以内　□B.2.1～4千米　□C.4.1～6千米　□D.大于6千米

7. 您村到镇上的主要交通方式：

□A.自行车　□B.电动车或摩托车　□C.公交车　□D.其他_____

8. 您村的村民住房：

□A.比较集中，统一规划　□B.比较集中，没有规划　□C.比较分散，没有规划

9. 您所在乡镇邮政或者快递是否发达？(网购、邮寄东西等)

□A.非常发达　□B.相对较好　□C.一般　□D.不发达　□E.非常不发达

10. 您周边的商业是否发达？

□A.非常发达　□B.相对较好　□C.一般　□D.不发达　□E.非常不发达

11. 您所在的乡镇是否停水断电断网？

□A.总是　　□B.经常　　□C.较少　　□D.极少　　□E.从不

12. 您村的民电：

□A.从不停电　　□B.有时停电，不频繁

□C.经常停电，停电有通知　□D.经常停电，也不通知

13. 您村有宽带网络接入吗？

□A.有　　□B.没有

14. 您家的厕所：

□A.水冲式厕所　　□B.旱厕　　□C.无厕所

15. 您家的生活垃圾、污水处理方式：

□A.随意堆/排放　□B.村里统一处理　□C.堆到自家农田肥田　□D.其他_____

16. 2018年您收入的主要来源：【最多选3项】

□A.农产品收入　□B.养殖业

□C.家庭副业（手工业、农副产品加工、采集、打猎、捕捞等）

□D.本地乡村企业收入　□E.外出打工　□F.自己的企业　□G.其他_____

17. 您家每月在什么方面花钱最多?

□A.日常生活必需品　□B.供孩子读书　□C.赡养老人　□D.农业成本　□E.其他_____

18. 您现在了解"三农信息"的主要方式:【最多选3项】

□A.村、镇信息公开栏　　　□B.开通农民服务热线　　　□C.定期发放宣传手册

□D.定期举办讲座交流会　□E.手机　□F.电视

□G.其他方式　□H.无法了解"三农信息"

19. 您村的家庭燃料主要是:【最多选3项】

□A.沼气　□B.液化气　□C.通管道天然气　□D.柴草　□E.煤炭　□F.电

20. 您家农业生产的机械化程度:

□A.全部机械化　□B.部分机械化　□C.几乎不用现代化机械

21. 您家使用优良作物品种的程度:

□A.全部采用　□B.部分采用　□C.几乎不采用

22. 您目前空闲时主要:【最多选3项】

□A.看电视　□B.手机上网　□C.读书看报

□D.参加村里文化活动(比如广场舞)　□E.棋牌麻将　□F.其他_____

23. 您村的农业科技宣传:

□A.非常多　□B.比较多　□C.一般　□D.较少　□E.非常少

24. 您接受科技人员或者相关专家指导的次数:

□A.从来没有　□B.一次　□C.两到三次　□D.三次及以上

▲其中,2017年_____次,2018年_____次,今年已有_____次。

25. 您是否愿意您的子女接受高中、中专或以上学历的教育?

□A.非常愿意　□B.有条件就上　□C.看具体情况　□D.无所谓

26. 您出村的频率:

□A.经常　□B.比较经常　□C.一般　□D.较少　□E.极少

27. 您村近十年来耕地面积是否减少?

□A.减少较多　□B.减少较少　□C.不变　□D.增加

28. 您村耕地减少的主要原因:

□A.建设占用　□B.退耕还林　□C.撂荒　□D.其他_____

29. 您的家庭总耕地面积为_____亩;共有_____块,面积分别是_____、_____、_____、_____亩。

30. 您家耕地的利用情况:

□A.主要种粮食作物(小麦、玉米、水稻等)　□B.主要种果树　□C.主要种蔬菜

□D.主要种植高附加值的其他经济作物　□E.土地流转　□F.其他_____

31. 您觉得零散地块对农业生产主要带来哪些不便?【最多选3项】

□A.不利于机械耕作　□B.田间管理困难(打药、施肥等)　□C.灌溉不便利

□D.田埂等浪费耕地　□E.其他_____

32. 在保证耕地面积不变的情况下，把几块零碎耕地合并成一块，您觉得可行的办法是：

□A.地块互换 □B.重新分配 □C.承包给种粮大户或合作社 □D.其他_____

33. 您在农业生产中最犯愁的事情：【最多选 3 项】

□A.缺技术 □B.缺钱 □C.土地规模太小 □D.产品卖得不好 □E.产品价格太低

34. 您村有没有农民合作组织（协会）？

□A.有 □B.没有

35. 您家施用的肥料种类有哪些？【最多选 3 项】

□A.商品有机肥 □B.氮肥 □C.磷肥 □D.钾肥 □E.复合肥

□F.自产农家肥 □G.其他_____

36. 您一般隔多久施放农药化肥？

□A.每周一次 □B.每个月一次 □C.每个季度一次 □D.每半年一次

□E.根据农作物需求施放 □F.其他_____

37. 您家使用的农药有哪些?【最多选 3 项】

□A.杀虫剂 □B.杀菌剂 □C.除草剂、催熟剂等生长剂 □D.不曾使用 □E.其他__

38. 您认为长期使用化肥农药会对农田和作物产生哪些影响？【最多选 3 项】

□A.作物产量提高 □B.影响不大或没有影响 □C.土壤板结

□D.农田有益生物减少（如蚯蚓、蜻蜓、蜜蜂、吃虫的鸟等） □E.其他___

39. 要推广科学施用化肥、控制化肥施用量，最应采取的措施是：

□A.提供便利的科技指导与服务 □B.加强相关知识的培训

□C.确立相关法律法规并严格监管 □D.其他_____

40. 要鼓励农户积极使用农家肥，最应采取的措施是：

□A.提供并组织有效的农家肥供应源（如修建村沼气池，与肥料企业长期合作）

□B.政府补贴 □C.提高化肥价格 □D.其他_____

41. 要鼓励农户选用高效低毒低残留农药，最应采取的措施是：

□A.提供便利的科技指导与服务 □B.提供专用的廉价农药 □C.政府补贴惠民

□D.逐渐在市场上取消高毒高残留农药 □E.其他_____

42. 您家耕地是否有污染？

□A.是 □B.否

43. 您认为导致耕地被污染的原因有哪些？【最多选 3 项】

□A.工业废水 □B.生活污水 □C.生活垃圾 □D.化肥农药过量使用 □E.其他____

44. 您认为受污染的田地还能耕种吗？

□A.能 □B.不能 □C.不知道

45. 您家耕地灌溉方式主要有哪些？【最多选 3 项】

□A.大水漫灌 □B.抬高水位后自流灌溉 □C.水管管灌 □D.喷灌

□E.滴灌 □F.其他_____

46. 您家灌溉设施是否足够？

□A.充足　　□B.勉强可以　　□C.旱时浇不上水　　□D.缺少（靠天收获）

47. 您村新建或维修灌溉设施主要依靠：【最多选 3 项】

□A.国家出钱　　□B.村集体出钱　　□C.村民集资　　□D.国家农田建设

48. 您是否加入了专业合作社？

□A.是　　□B.否

▲您不加入合作社的原因：

□A.不信任合作社　　□B.不了解合作社　　□C.没有多大影响　　□D.人际关系复杂

49. 您村是什么单位或专门机构提供小额贷款等种地资金的服务？【最多选 3 项】

□A.商业银行　　□B.信用社　　□C.公司　　□D.向邻居或亲朋好友借

□E.合作社　　□F.村集体　　□G.其他____　　□H.没有

50. 您生产的农产品出售的比例？

□A.都是自己吃　　□B.1%～30%出售　　□C.30%～50%出售

□D.50%～70%出售　　□E.70%以上出售

问卷问题	是	否
51. 您家的土地是否有流转给别人？		
52. 您家的土地是否有从别人家流转过来？		
53. 您家是否参加了农业保险？		
54. 您家是否参加了农村养老保险？		
55. 您家是否参加了新型农村合作医疗？		
56. 您家是否被评为"星级文明户""文明家庭"等？		
57. 您村是否有村规民约？		
58. 您村是否有农村社区综合服务站？		
59. 您是否听说过农村金融？		
60. 您是否知道农村金融的作用与意义？		
61. 您是否有兴趣了解农村金融？		

B. 乡村振兴对科学技术的需求

63. 您认为农民最需要的技术服务是什么？【最多选 3 项】

□A.栽培技术　　□B.施肥技术　　□C.植保技术（农药施用技术等）　　□D.节水技术

□E.优良品种　　□F.养殖技术　　□G.清洁能源　　□H.休闲农业技术

□I.市场营销技术　　□J.计算机信息技术　　□K.农产品加工技术、农业机械化技术

64. 您主要从什么渠道获取新型农业技术？【最多选 3 项】

□A.广播　　□B.电视　　□C.报刊　　□D.互联网、手机等新媒体　　□E.街坊邻居

□F.农技人员　　□G.参加技术推荐会　　□H.政府科技部门　　□I.自己摸索　　□J.其他____

65. 您认为哪些因素影响作物产量提高？【最多选 3 项】

□A.灌溉排水条件　　□B.土壤质量　　□C.田块大小和规模　　□D.作物品种

□E.农田防护　　　　□F.农田管理水平

66. 您觉得改善哪些条件可以提高作物的产量?【最多选3项】

□A.灌溉、给排水条件　□B.农田供电保证率　□C.田块好坏状况　□D.道路设施

□E.农田防护设施　□F.品种质量状况　□G.水肥管理情况　□H.栽培耕作技术

67. 您认为当前最需要改进的农田水利设施条件是?

□A.疏通河道　□B.修建水库、水坝　□C.修建沟渠

□D.打机井　□E.提升灌溉技术　□F.其他_____

68. 您认为当前的土地整治工程对农业生产的改善主要体现在哪些方面?【最多选3项】

□A.灌溉、给排水条件　□B.农田供电保证率　□C.道路设施　□D.农田防护设施

□E.土壤质量　□F.其他_____

69. 您最关心您村的:【最多选3项】

□A.住房条件　□B.交通设施　□C.生活能源　□D.饮用水状况　□E.通信设施

□F.教育条件　□G.医疗条件　□H.文化娱乐生活　□I.其他_____

70. 您觉得村镇农业发展的重点:【最多选3项】

□A.育种技术　□B.灌溉设施　□C.道路设施　□D.农技培训

□E.农产品加工、农产品营销　□F.农业机械　□G.清洁能源

□H.信息技术　□I.人工智能

71. 您觉得您村需要重点建设:【最多选3项】

□A.公共道路　□B.供水设施　□C.供气设施　□D.环保设施　□E.物流通信

□F.医疗设施　□G.清洁能源　□H.体育设施　□I.互联网通信　□J.农技服务站

72. 您觉得美丽乡村建设需要重点发展:【最多选3项】

□A.住房条件　□B.生活垃圾处理　□C.道路硬化　□D.自来水供应　□E.绿色农业

□F.清洁能源　□G.秸秆与畜禽粪便处理　□H.村庄景观绿化　□I.厕所改造

73. 您觉得在人居环境方面应重点发展:【最多选3项】

□A.生活垃圾治理　□B.厕所粪污治理　□C.生活污水治理　□D.提升村容村貌

□E.村庄规划管理　□F.医疗设施　□G.清洁能源

74. 您觉得您村最急切需要的科技新产品:【最多选3项】

□A.新肥料　□B.新农药　□C.新疫苗　□D.新兽药　□E.新的农业机械

□F.新饲料　□G.新品种　□H.其他_____

75. 您觉得什么样的科技服务形式适合您村?【最多选3项】

□A.科技特派员　□B.科技超市　□C.科技110　□D.科技农家专家大院

□E.科技小院　□F.农科驿站　□G.科技直通车　□H.12396科技服务热线

□I.其他_____

76. 您认为目前农业产业哪些领域缺乏核心技术和竞争力?【最多选3项】

□A.作物改良　□B.病虫害防控　□C.生态循环农业　□D.农产品质量安全

□E.农机农艺融合　□F.农业大数据　□G.农业机械　□H.其他_____

77. 在每一选项的空格处画 √ 。

您认为乡村建设中以下各方面重要程度	非常重要	重要	一般	不重要	非常不重要
（1）农业科技					
（2）"互联网+现代农业"技术					
（3）农业科技成果转化、先进适用技术推广					
（4）农村社会化服务和综合治理技术					
（5）新型职业技术农民培训					
（6）农产品品牌建设					

78. 您认为农业科学技术的主要作用：【最多选 3 项】

□A.提高农产品产量　　□B.降低生产成本　　□C.减轻劳动强度

□D.提高农产品品质　　□E.改善生态环境　　□F.其他

C. 涉及"三农"科学技术的落地阻碍

79. 有关单位举办免费的实用"三农"技术培训班，您愿意参加吗？

□A.非常愿意　　□B.比较愿意参加，但希望内容符合自己的需要

□C.一般，去不去都行　　□D.不太愿意　　□E.不愿意

80. 生产中遇到难题时，您会怎么做？

□A.找当地农技人员　　　□B.自己找资料学习探索

□C.请教有经验的农民　　□D.听天由命

81. 以前您没有参加科技培训的原因：

□A.培训内容不合适　　□B.估计（听说）效果不好　　□C.没时间参加

□D.要交部分学费　　　□E.不知道有培训　　　　□F.想参加，但据说没有名额

82. 您是否愿意与政府共同出资做乡村发展科技设备购买工作？

（如果愿意请回答 83 题，否则请跳至 84 题）

□A.非常愿意　□B.比较愿意　□C.一般，没想好　□D.不太愿意　□E.不愿意

83. 如果愿意，您愿意出资：

□A.20%以下　□B.20%～40%　□C.40%～60%　□D.60%～80%　□E.80%～100%

84. "三农"科技推广需要您做一点义务的事，您愿意吗？

□A.愿意　□B.不愿意

85. 您如何看待政府组织的农业技术指导和培训活动？

□A.特别希望参加　□B.比较希望参加　□C.参不参加都行，无所谓　□D.不太想参加

□E.抵触，留恋传统耕作管理方法

86. 您接受何种乡村科技培训的做法？

□A.村里统一搞　□B.乡村牵头，农民自愿　□C.干部带头，农民自愿　□D.其他___

87. 您认为"三农"技术在农民日常劳作中的使用频率是？

□A.特别频繁　□B.频繁　□C.一般　□D.较少使用　□E.不使用

88. 您认为影响农民获取"三农"科技的因素包括：【最多选3项】
□A.自己的文化水平偏低   □B.感受到的农业科技作用不大
□C.需要但获取不方便 □D.承担不起费用 □E.增产但不增收 □F.其他_____

89. 当前农民接受过的农业技术培训类型包括：【最多选3项】
□A.村干部组织的培训   □B.农村合作社、行业协会组织的培训
□C.乡科技站组织的培训   □D.农业类高校、科研院所组织的培训   □E.其他_____

90. 您认为科技培训最好的方式：
□A.科技人员上课   □B.科技人员现场指导
□C.组织科技下乡   □D.农村黑板报   □E.发送实用技术资料

91. 您希望政府为乡村建设提供的科技服务：【最多选3项】
□A.帮助开拓科技设备购买渠道   □B.加大公路设施建设
□C.组织科技设备使用培训   □D.提供科技和信息服务
□E.帮助解决科技设备贷款资金等问题   □F.其他_____

92. 您认为政府用科技解决"三农"问题的作用：
□A.非常重要   □B.比较重要   □C.一般   □D.不重要   □E.没有作用
最后，我们期望了解下您个人的情况。

93. 您的性别：□A.男 □B.女

94. 您是_____年出生的。

95. 您的学历：
□A.初中及以下 □B.高中/职高/中专 □C.大专 □D.本科 □E.硕士 □F.博士

96. 您家共有_____口人。

97. 您家是否在城市区购买住房？
□A.没有 □B.已经购买了 □C.有意向，准备买

98. 您的村子是否正在拆迁？
□A.没有   □B.已经拆迁了 □C.准备拆迁

99. 您家近五年有人出过大病吗？您家近五年有什么灾难性事件吗？
□A.无   □B.有（_____大病，或_____大事）

100. 2018年您的家庭年总收入_____元，家庭纯收入_____元。
您全家2018年全年的总收入中，以下各类收入各有多少？（记录具体数字，并高位补零）

收入来源	百万	十万	万位	千位	百位	十位	个位	
①农业、林业、牧业、渔业收入								元
②非农职业收入（不包括流动人口外出的收入）								元
③非农兼营收入（包括农村副业）								元
④流动人口外出带来的收入								元
⑤离退休人员收入								元
⑥财产性收入（包括存款利息，投资红利，股票、基金、债券等金融收入，出租房屋收入等）								元

续表

收入来源	百万	十万	万位	千位	百位	十位	个位	
⑦政府补贴、救济等								元
⑧赠予或遗产性收入								元
⑨出售财产收入								元
⑩出租或转包土地收入								元
其他收入（请注明）								元

D. 访员记录

101. 受访人填写这份问卷总共花费大约多少时间？

A.18 分钟以内　B.19～25 分钟　C.26～33 分钟　D.34～50 分钟

102. 受访者到最近的县（乡镇）有_____千米，坐车需要_____（小时、分钟）。

103. 受访者到最近的县（乡镇）的农贸市场有_____千米，坐车需要_____（小时、分钟）。

104. 问卷质量评价（1 表示最差，10 表示最好，请在所选数字画圈）

①受访者对调查的疑虑	1	2	3	4	5	6	7	8	9	10
②受访者的普通话熟练程度	1	2	3	4	5	6	7	8	9	10
③受访者对调查的配合程度	1	2	3	4	5	6	7	8	9	10
④受访者对调查的兴趣	1	2	3	4	5	6	7	8	9	10
⑤受访者回答的可信程度	1	2	3	4	5	6	7	8	9	10

105. 受访地评价（1 表示最差，10 表示最好，请在所选数字画圈）

①村居经济状况（最差—最好）	1	2	3	4	5	6	7	8	9	10
②村居马路整洁程度（最整洁—最脏乱）	1	2	3	4	5	6	7	8	9	10
③村民精神面貌（最差—最好）	1	2	3	4	5	6	7	8	9	10
④村居建筑格局（最单调—最多样）	1	2	3	4	5	6	7	8	9	10
⑤村居房屋拥挤程度（最拥挤—最宽松）	1	2	3	4	5	6	7	8	9	10

您所在的村子：	是	否
106. 是否有名特优新产品？		
107. 是否是特色优势农产品产区？		
108. 是否属于农业高新技术产业示范区？		
109. 是否属于国家农业可持续发展试验示范区？		
110. 是否是国家农业科技园区？		
111. 是否是星创天地？		
112. 是否是淘宝村或淘宝乡镇？		

113. 作为学生或者是科技人员，访员未来是否愿意去乡村工作？

□A.非常愿意　□B.比较愿意　□C.一般，去不去都行　□D.不太愿意　□E.不愿意

114. 作为学生或者是科技人员，如果不太愿意去乡村工作，觉得有哪些原因？

□A.部分农村生活条件差　　□B.薪资待遇一般　　□C.无法发挥所学知识

□D.其他_____　　□E.不想回答

115. 受访者住家前的道路状况如何？（不定项选择）

□A.足够宽广，可容汽车通过，并且铺有柏油、水泥或人造材料

□B.汽车无法通过，但铺有柏油、水泥或人造材料　　□C.石子路　　□D.泥土路

116. 受访者住处是否有自来水？

□A.有　　□B.没有

117. 电力是否为受访者家中照明的主要来源？

□A.是　　□B.不是

118. 以步行的距离计算，最近的大众交通工具站牌（如公交车、火车、船舶、电车等）距离受访者住家有多远？

□A.步行 10 分钟以内　　□B.20 分钟以内　　□C.40 分钟以内　　□D.2 小时以内

□E.3 小时以内　　□F.4 小时以内　　□G.4 小时以上

119. 受访者住家附近有哪些公共设施或公共服务？

	没有服务	10 分钟以内	20 分钟以内	40 分钟以内	1 小时以内	无法判断
A.邮局						
B.学校						
C.派出所/警察局						
D.排水/下水道系统						
E.医疗设施（医院或诊所）						
F.接受到手机信号						
G.公共休闲设施						
H.宗教建筑（教堂、寺庙、神坛）						
I.公所/集会场所/活动中心						
J.市场/市集						

120. 您的时间估计是根据步行还是坐车？

□A.步行　　□B.坐车

★【注】此题由实践小队向当地民政部门咨询。

121. 您觉得村里离婚状况严重吗？

□A.不严重　　□B.有一点严重　　□C.一般，还行　　□D.比较严重　　□E.非常严重

科技助力新时代乡村振兴的路径及政策建议
——典型案例分析

党的十九大首次提出实施乡村振兴战略，并将它列为决胜全面建成小康社会需要坚定实施的七大战略之一。农业科技对于推动现代农业发展，对实现乡村振兴具有决定性作用，也为破解乡村振兴进程中遇到的难题指明方向。但目前我国农业农村发展总体上还处于要素驱动阶段，实施以科技创新为核心的创新驱动发展尚存在诸多问题。本附件基于 2019 年 10 月课题组在浙江省安吉县高家堂村、上海市松江区泖港镇、河北省石家庄市塔元庄村、陕西省泾阳县龙源村四地的实地调研，通过考察当地科技在美丽乡村中的应用情况，了解当地农村产业发展模式，同时通过与东亚典型农业代表——日本、韩国以及国内农业现代化水平较高的台湾省等在农村现代化进程中的科技应用情况进行比较，探索因地制宜地使科技助力新时代乡村振兴的路径和新思路，为科技兴农强农提供素材，为探索农业农村可持续发展提出政策建议，为新时代的乡村振兴贡献学术力量。

一、国内外典型案例的实践比较

（一）科技助力乡村振兴的日韩经验

日本和韩国作为中国一衣带水的邻邦，在自然条件、人口分布、农业结构等诸多方面与中国有类似之处，且中日韩三国经贸关系紧密，吸取和借鉴日本、韩国农村建设与发展的经验和教训对解决我国农村农业问题有重要意义。

1. 日本通过农协积极助力乡村，培育农业产业化联合体

对于以自耕农为主体的日本农村来说，将农户融入产业链之中，培育农业产业化联合体并非易事。日本的农民合作组织——农业协同组合（农协）在这方面发挥了重要作用。农协是依据 1947 年颁布的《农业协同组合法》而设立的遍布全国的农民合作组织。农协不但日常为农户提供技术指导、金融服务，而且在农产品的市场营销、农村建设等方面也扮演了举足轻重的角色。以高知县马路村为例，当地农协积极改进科技推动柚子产品的深度加工，扩展产业链深度，进而开发新产品，同时积极开发物流管理软件，提升效率。如今的马路村与高知大学已开展共同研究，利用柚子原料开发化妆品与健康食品，其中化妆品已经进入消费市场。

2. 韩国加大农产品 R&D 的投资，推进信息现代化建设

韩国政府通过持续扩大对农产品 R&D 的投资和持续推进农业信息化建设来应对农

业发展中存在的市场化进程缓慢、能源资源短缺等问题，其中，韩国农业、食品与农村事务部，农村发展部和林业局是农产品 R&D 投资的主管负责单位，根据统计资料，三部门在农产品 R&D 领域年度预算以年均 7.7% 累进增加，国家预算年均增幅达 8.2%，同时期，三部门年均总支出达全国 GDP 的 2.7%（Lee，2016）。经费预算的持续增长，主要用以支持和促进农业核心技术，包括农业和高新生物材料等五个方面的累计 15 项关键技术的发展。在农业信息化建设方面，韩国农林水产部下设农村振兴厅，是韩国境内各道、市、郡农村振兴院和农业指导所的负责单位，这一系统吸纳了超过 60% 的农业发展科研人员，从而为国家农业科研项目的推进提供了人力资源保证。

（二）科技助力新时代乡村振兴的中国实践

1. 网络信息化建设打造智慧新乡村

（1）通过新媒体宣传扩大乡村影响力

浙江省安吉县高家堂村在景点宣传方面采取互联网与自媒体相结合，积极加入大型销售平台的模式，目前，其"云上草原"景区和村内特色民宿已经登录到驴妈妈、携程、大众点评等多个旅游网站。除了与外界平台合作，高家堂村也积极利用微信公众号、抖音号等开展自媒体运营，对外宣传高山草原、彩虹滑草、云朵乐园、霍比特人卫生间等网红景点，提升大众关注度。在售票方面，高家堂村主打的旅游品牌"云上草原"景区目前采用实名制分时预约售票的方式，给每个游客"放绿灯"，让游客"少堵车"，这一技术的应用进一步增加了市场占有率。由于对未来游客数量有了预期，便可减少季节性损失，同时简化和加快了旅游业的销售程序，增加了可处理的交易量，提高了旅游的经济效益。

（2）建立停车场智能管理与收费系统

面对人工成本逐渐升高的趋势和人工效率低的弊端，以及农村老年人数增多的情况，高家堂村在停车场建立了智能车场管理系统和停车场收费系统，实现停车场管理无人化。通过电子化控制，系统对进入停车场的每一辆车都会自动储存一个停车记录，智能车场管理系统还具备图像对比、车主车辆抓拍等功能，车辆进出停车场时可以进行信息对比，系统自动计算停车时间和缴费金额，同时，车主可以通过自助缴费功能缴纳停车费用，可通过微信、支付宝、银联卡、ETC（电子不停车收费）等进行电子支付。停车场管理技术的应用也间接地扩大了停车场的容量，为游客提供高质量的服务。科学技术的发展，使未来的旅游服务设施具有高度的智能性，符合游客的便利性和舒适性要求。

2. 农业科技构建农产品产销新格局

（1）引进农业科技提高种植技术

陕西省泾阳县作为陕西省最早的国家级蔬菜标准化示范县，是西北地区最大的蔬菜批发市场，紧抓陕西省百万亩设施蔬菜工程这一机遇，大力推广现代农业标准化示范模式。泾阳县现有龙泉蔬菜批发市场等 10 多个蔬菜市场，占地总面积 30hm²，年销量达 100 余万吨；共有冷库 19 座，储藏能力达 3100t，利用蔬菜储存设备，平衡蔬菜的供求成为促进蔬菜销售的必要条件。泾阳县目前已在 7 个重点蔬菜生产镇初步形成了 4 条蔬菜产业长廊与 12 个特色蔬菜优势生产区，创立蔬菜品牌 26 个。在高家堂村，种植白茶不再使用化肥农药，而是采用杀虫灯、防虫材料等新兴科技产品来应对病虫害，同时采用喷灌、滴灌技术节约农业用水。

（2）利用电商平台提高销售效率

陕西省泾阳县形成了以电商为平台的合作机制模式，并建立线上线下销售平台以便更好地推广本地区农副产品。高家堂村也将毛竹流转，成立合作社，到收获的三四月份与营销商进行协商交易。高家堂村的茶商也采用线上线下相结合的销售方式，买家在当地的实体店或者寄出样品确认质量，再进行电商平台线上购买，既保证品质，也保证价格和服务质量。这样的线上购买方式，减少了实体店的面积和数量，降低了经营成本，提高了销售效率和市场占比，可以说，科技使旅游市场的外延和空间在不断扩大。农产品电商平台作为一种新型直销渠道，有助于农户及时了解国内外农产品销售情况，改变供需双方信息不对称情况，解决农产品滞销问题。

3. 生活污水处理技术改善生态环境

高家堂村处于丘陵地带，依山而建，山体北面地势较缓，村内有仙龙湖，拥有丰富的生物资源。为了保护优秀的自然风光，该村在响应浙江"五水共治"政策的基础上，建立了农村生活污水处理系统，保证优质的水资源供应，营造了良好的生态环境。经调查，该村有污水处理系统6个，且拥有湿地、微动力等多种模式，具有模式多、针对性强的特点，其中还特意引进了美国的阿科蔓污水处理系统，成为浙江第一个拥有农村污水处理系统的村落。经过生态净化以后的生活污水，用来浇灌蔬菜和冲刷公厕。目前，高家堂村生活饮用水卫生合格率达100%，空气质量已达一级标准，环境质量达Ⅰ类。

4. 农业技术培训培养新时代农民

上海市松江区农业农村委员会（区农委）举办诸如"黄浦江大闸蟹品牌建设现场交流培训会"，对全区养殖黄浦江大闸蟹的水产专业合作社生产负责人进行培训，就大闸蟹的品牌建设、起捕及销售等情况进行交流，区站科技人员对起捕、暂养、运输等技术要领进行了培训。区农委不定期举办农业植物检疫培训，邀请市农业技术推广服务中心植物检疫科老师进行授课，松江区各镇植物疫情监测点检疫员、繁种企业负责人以及部分家庭农场主参加了培训。为提高全区水稻种植户和统防统治植保员的生产与经营水平，松江区举办了粮食统防统治植保员培训与特有工种职业技能鉴定，培训对象包括镇、村两级植保技术员和家庭农场主。附件表2-1是各地在建设现代化乡村中的经验总结。

5. 发展有机生态农业，把握资源优势建立"特色IP"

我国台湾省桃米村在重建过程中始终坚持"生态为体，产业为用"的发展思想，着力打造"生态、生产、生活"协调发展的生态社区。独特的地理位置所造就的地域环境和丰富的自然物种资源是桃米村发展生态产业的优势。目前桃米村已发展成为"有机农业+生态保育+文化创意+休闲旅游"乡村建设的典范。生态旅游产业是桃米生态村的主要产业，这一产业进一步满足了游客多样化的需求，推动了桃米村产业链的进一步优化，改变了原来单一的产业结构。在生态观光产业的基础上，桃米村通过建设生态教育园区，将餐饮、住宿、文创、休闲农业连接起来，形成一条和谐高效的生态产业链。特别是桃米村以其种类丰富的青蛙资源优势建立起了自己的"生态文化IP"——"青蛙共和国"，为进一步延伸产业链打下基础。导演杨仁贤以此为原型制作的三维立体动画电影——《桃蛙源记》于2014年10月3日上映，最终取得较好的票房，电影的成功上映亦回馈至当地生态旅游的发展。

附件表2-1　日韩与我国五省（市）乡村调研的经验汇总

经验＼地区	日本	韩国	浙江省	上海市	河北省	陕西省	台湾省
加快乡村网络信息化建设	利用动漫资源拓展客源	推进农业信息化建设	拓宽宣传渠道，扩大游客来源	5G率先覆盖，打造智慧型乡村	依托信息技术，打造智慧乡村		利用网络进行宣传
发展特色旅游业	"观光立国"与白川村的旅游业	开展韩国"村落艺术"项目	打造个性化旅游产品		将红色旅游与生态农业结合	科技促进乡村旅游走新路	打造个性IP
发挥政府、农业组织和乡村带头人的作用	农业协作组织与农村带头人		引入社会资本，村民按比例入股，其余运作交给旅游公司经营	政府全程化指导服务	强化组织建设，保障项目实施	培育农民合作组织，乡村振兴带头人	新故乡文教基金会与桃米社区发展协会是支持、合作单位
加强村庄基础设施建设	重视基础设施建设	农民生活改善计划；村庄改建工程	完善基础设施，完善污水处理等	加快村庄基础设施建设	完善基础设施	重视水电暖等基础设施的建设	开展村庄重建、"生态复育""清溪活动"等
发挥农民主体作用		政府主导、村民自助发展的"新村运动"	村民全员加入合作社	扎实推进新型高素质农民培育	推广以村民为主导的养老市场	厚植龙源创业实干精神	村民主体作用
加快农村产业建设	推动农产品的深度加工，扩展产业链深度	开发多项农业科技核心技术	延伸特色农产品产业链，促进第一、第二、第三产业融合发展	种养结合与机农结合的家庭农场模式，建设高新产业园区	建立"六区一带"的农业产业园	着手建立以研发中心为依托的泾阳茯茶产业科技示范园	有机农业产业链
保护生态资源	积极维护并提升旅游资源质量	积极保护民俗村落，保持村庄原始形态	科学规划，推动生态旅游可持续化发展	弘扬生态农业文化价值，坚持环保理念	积极响应"两山"理念，保护境和文化的当地生态资源	重视对生态环境的保护	重视"生态复育"，开展多项生态教育课程

（三）新时代乡村振兴科技应用的政策启迪

1. 重视农业科技推广与作用

进入新时代后，科技对农业的贡献越来越大，2019年，我国农业科技进步贡献率达59.2%，《创新驱动乡村振兴发展专项规划（2018—2022年）》中提出，到2022年，我国创新驱动乡村振兴发展取得重要进展，农业科技进步贡献率达到61.5%以上，实现农业科技创新有力支撑全面建成小康社会的目标。在新时代乡村振兴建设中，要高度重视农业科技在农业发展、农村建设和农民增收中的重要作用，优先保证农业科技R&D支持资金投入，确保农业科技得到有效推广与广泛普及，真正实现产、学、研三者相结合。

2. 加强村庄网络建设与管理

随着智慧城市建设的推进以及互联网在农村地区的推广，农村逐渐成为信息技术应用发展的下一个"主要阵地"。首先，加快提升互联网宽带的速度，尤其是对于主导产业为旅游业的村庄，网络是制约目前客源留宿度的关键因素。其次，要引进培养具有互联网专业背景的运营管理型人才，做到及时处理村庄网络问题。最后，依托信息技术，打造智慧乡村，物联网作为信息技术的重要载体，如何进一步发挥物联网作用，对于建设智慧乡村显得尤其重要。

3. 优化农业科技投入格局

实施乡村振兴战略的本质在于推进农业农村现代化，而农业农村现代化的关键就在于科技进步。目前，我国农业农村科技投入不足，科技供给水平低。首先，农业科技创新需要大量且稳定的资金投入，要进一步增加对农村科技的投入，同时，加强财政投资的导向功能，引导社会资金的投入，鼓励各类社会投资主体参与农业科技的研究开发和培训推广，形成以政府为主导，多主体参与的农业科技投入多元化格局。其次，重视乡村振兴中人才振兴的重要作用，大力培养和扶持电商人才，发挥其聪明才智，为农业现代化建设和全面建成小康社会提供强大人力基础和保障。

4. 创新农业科技服务方式

目前，一些村庄的科技服务培训过于形式化。部分村民参与培训的目的以利益为中心，课堂秩序和收获并未达到培训要求，个别科技人员重理论轻实践也使得培训效果不佳。创新科技助农服务应把实用性农业技术送到农户的田间地头，树立问题导向，及时解决大家最关心的问题，将农业科技服务方式与农民的实际需求紧密结合起来，如设立本村农业"种植能手奖"，给予一定的补贴和奖励。因此应创新科技培训服务的服务方式和方法，为农户提供更加全面的服务，从而实现双赢。

5. 规范农业技术推广与管理

首先，强化农技推广人才激励考核机制，根据《中华人民共和国农业技术推广法》，制定完善的农技推广奖励办法，规范农技推广奖励流程，落实农技推广人才相关待遇。其次，科学布局乡镇农技推广机构，保证农技推广人才在县乡之间、乡乡之间正常流动，合理安排农技推广人才的工作量。最后，完善农技推广人才引进与培养机制，支持各类人才加入基层农技推广工作，积极鼓励和引导相关专业的"三支一扶"大学毕业生深入基层，到基层农技推广机构服务，同时严格落实教育培训制度。

二、日本农村发展的借鉴与启示

中日两国经贸关系紧密，日本在自然条件、人口分布、农业结构等诸多方面与中国有类似之处，日本农业发展的经验教训对解决我国农村农业问题有重要借鉴意义。本小节首先介绍了日本的农业概况与农业政策变迁历程，然后通过"故乡税"、观光产业与农村协作组织三个方面对日本乡村振兴政策进行分析，最后指出日本经验对我国农村发展的参考价值。

（一）日本农业概况

日本是人多地少多山的岛屿国家，农业自然条件较为恶劣。2019 年日本耕地面积约 44 000km^2，农业就业人口约为 168 万人，农业 GDP 约为 3630 亿元人民币，约占日本

GDP 的 1%，粮食自给率 37%①。尽管农业人口有限，经济效益不大，但日本大力推动农业机械化，每 10 亩水稻生产所需投入的劳动时间从 1960 年的 180h 降低至 1995 年的 40h 左右。农业劳动时间的减少使得农民在农闲季节可以外出务工，从而提高收入，2019 年大约有 63% 的农民还从事农业之外的兼职工作。

为了实现"老有所养"，日本实行覆盖全体国民的年金制度。日本农民可以加入国民年金和农民年金。年金的加入者在年轻时每年缴纳保费，加入满 25 年者在 65 岁之后可以获得年金。以缴纳 40 年的国民年金为例，65 岁后每月可以获得 4000 元人民币左右的年金。此外，农民还可以加入个人共济保险，这种保险是由政府支持的非营利性保险，为农民的老年生活提供更多保障。在医疗保障方面，日本实施国民健康保险制度，无论城市还是农村居民均被要求加入国民保险制度，依据自身收入缴纳保费。多数情况下，投保者只需负担医疗费用的 30%，收入较低或者老年人的自付比例更低。

总体来说第二次世界大战后日本经济保持了几十年的高速成长，一度成为仅次于美国的经济大国，日本的农业与农村也迅速实现了现代化。日本的农业现代化水平较高，但是农业产业规模不大，粮食自给率较低。农民经济收入与城市差距较小，社会保障等配套制度比较完善，农村生活水平较高。中日两国是一衣带水的邻邦，经贸合作紧密。日本的农业在经营规模、自然条件、农业人口结构等方面与中国有一定的相似之处，回顾日本农业政策的发展历程，吸收借鉴日本的发展经验，对于我国当前农村建设具有重要意义。因此本小节将对日本农业概况与农村政策的发展、日本独具特色的"故乡税"制度、日本的农村旅游业以及农村合作组织四个主题进行介绍，以期对我国农业及农村发展有所助益。

（二）日本农业发展历程与农业政策变迁

明治维新之后，传统封建土地所有制和领主阶层瓦解，取而代之的是地主-佃农式的租佃制。直到第二次世界大战结束之前，日本基本采取自给自足的农业政策。这一阶段，日本政府仍利用廉价的农业劳动力，出口生丝，获取大量外汇，为处于资本主义初期的日本迅速实现工业现代化奠定了基础。第二次世界大战后实施农地改革，地主制度解体，形成了以自耕农为主的农业生产结构，并且通过税制改革等方式，大幅降低了农民负担（晖峻众三，2011）。此后几十年时间里，采取传统耕作方式、以家庭为主要经营单位的日本农村迅速实现了农业与农村的现代化。第二次世界大战后日本的农业政策变迁（附件图 2-1）分为两个阶段。

1961 年颁布的《农业基本法》确立经济高速成长期的农业政策，主要目标是扩大农业生产，维持农产品价格稳定，提高农民收入（附件图 2-1）。20 世纪 60 年代，日本消灭贫农阶层，农户收入基本与工薪阶层家庭相仿。为缩小农村贫富差距，减少社会矛盾，日本从 1970 年开始设立农民年金制度，为农民老年生活提供保障。尽管这一时期的农业政策提高了农民的生活水平，但却暴露了日本农业的一些问题。

1）农村人口急剧减少。农业就业人口逐渐向工业和第三产业转移。农户子女中初高中毕业生回家从事农业的人数，从 1955 年的 26.3 万人，降低到 1964 年的 6.8 万人，

① 数据来自日本农林水产省网站（https://www.maff.go.jp/j/tokei/sihyo/index.html），2020 年 2 月 19 日访问。

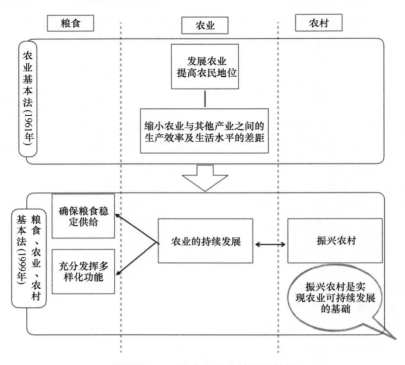

附件图 2-1　日本农业政策变迁简图

减少到原来的四分之一（晖峻众三，2011）。因此农村人口流失的问题在 20 世纪 60 年代就开始显现，且一直未能改善。

2）农产品自给率低。在外向型经济形态主导下，日本农产品市场很早就大幅度对外开放。1955 年加入关贸总协定（GATT）以后，日本开始大范围地实施农产品的贸易自由化，仅有大米、乳制品等少数几项农产品的进口受到限制。此前以全部农产品增产为目标的政策不复存在，而是开始有选择性地保留一小部分自给性的农业。例如，小麦的自给率从 1955 年的 41%降低到 1975 年的 4%。进口的廉价小麦拉低了小麦价格，也促进了日本饮食文化的西化，面包开始成为日本家庭日常早餐，肉类、奶制品消费量也迅速攀升。

随着日本的经济腾飞以及国际局势发展，为解决《农业基本法》实施后产生的一系列问题，1999 年日本政府颁布《粮食、农业、农村基本法》。新的基本法确立了保证粮食稳定供给、发挥农业多种职能和推动农业可持续发展三大目标。而农村振兴正是这三大目标的基础。可以说，从 20 世纪 60 年代片面强调以农业生产为中心的方针转变为粮食生产、农业发展、农村振兴三者有机结合，注重可持续发展，突出新时期农村建设对于农业发展的重要意义。日本政府也充分认识到日本农业结构的脆弱性，采取了一系列措施。①增加农业就业人口，促进大学生、退休人员以及失业人口在农村就业与再就业。地方政府还针对迁入农村地区的新住民进行多种多样的补助活动。②中央及地方政府对规模化农场进行补助，实施研修生制度，增强农业人口职业技能。③修订《农地法》，推动农地规模化经营。此前的《农地法》出于保护自耕农利益，对于农地的租赁、买卖限制较为严格。为保证农地有效利用，2009 年日本政府修订了《农地法》，放宽对于农地交易的限制，允许公司及非营利性组织租借农地，从而促进农业生产规模化。

附件图 2-2 是日本农村的稻田。保障一定程度的粮食自给率是日本农业政策的基本目标之一，因此水稻是少数几项并未对外开放的农产品。然而由于欧美饮食习惯的流行，日本的人均大米消费量从 20 世纪 60 年代初的人均每年 118kg 的最高值开始逐年递减，2015 年已经降为人均每年 55kg。水稻产业在农业中所占比例也逐年下降。

附件图 2-2　日本农村的稻田

（三）日本乡村振兴方案 1——"故乡税"

与我国中央集权制政体有所不同，日本实施地方自治制度。中央之下是"县"（相当于中国的省）。县以下设"市、町、村"，这些都是平级的基层行政组织。无论是县还是基层的市、町、村都是由选民直接选举行政组织领导人以及各级议员。日本将税分为国税和地方税，町、村政府财政来源主要是地方税。由于人口流失，税收急剧减少，农村政府难以维持正常运转，如难以提供必需的公共服务。因此中央政府通过多种方式解决地方财政困难，如实行过几次基层政府的合并计划。最近的一次是 2000~2007 年，日本市、町、村数量从 3229 个减少到 1804 个，减少了 40%之多，这大大减轻地方政府财政负担。再如，不同地区所承担国税与地税的比例不同，东京都人均国税与地税比为 4：1，岛根县则为 1：2，这样财政困难地区获得了更多的地方税收入（焦必方和孙彬彬，2009）。除此之外，日本还设立独具特色的"故乡税"制度。

"故乡税"设立背景是由于日本区域经济发展的极度不平衡使得各地年轻人大量前往东京等都会区工作。地方政府承担这些年轻纳税人口教育、医疗等费用，但其税收却流入都会区。因此，为缓解由于人口"空心化"而导致的地方政府财政收入不足问题，在几位地方政府领导人倡议下，日本于 2008 年设立"故乡税"。"故乡税"名为"税"，实际上是一种通过捐赠获得免税额度的制度，即个人向地方政府捐助一定金额，捐助金额中超过 2000 日元部分可以抵作其本应缴纳的所得税以及住民税（冲抵的上限视个人情况有所不同）。与此同时，地方政府会给捐助人返还一定纪念品，通常是地方土特产品，法律规定返还产品价值限制在捐赠额度 30%以内。所以说，"故乡税"实质上是一种捐赠免税制度，并非是直接向地方政府纳税。2011 年日本大地震之后，不少地方政府推出支持受灾地区重建的"故乡税"，即通过税收方式向受灾地区捐款，这种形式的"故乡税"公益性更强，不会返还礼品。对于纳税人而言，"故乡税"相当于将本来要缴纳给政府的税金换成了很多礼品。因此这一制度推出后受到热烈欢迎，使用人数从 2009 年的 3.3 万人迅速上升到 2018 年的近 300 万人（柳下正和，2019）。

起初，"故乡税"返还的纪念品多是当地土特产品或者地方工厂作坊产品，在增加地方政府收入的同时，也起到了扩大产品需求、刺激地方经济的作用。但是近年来"故乡税"制度也受到一些批评。①获得"故乡税"的地方用较低的税负提供了更好的公共服务，有违税收的"受益者负担"原则。②所谓故乡并没有明确的定义，人们往往会选择返还奖励较为丰厚的地方捐赠"故乡税"，这进一步加剧了各地收入的不平衡状态。③财政状况不佳的地方政府本来就会收到中央政府的财政转移支付资金，"故乡税"与转移支付制度有所重合。与此同时，都会区不仅承担了中央政府绝大部分赋税，还因为"故乡税"而流失了大量住民税。④各地为了增加"故乡税"纷纷推出价值较高的纪念品，不少地方甚至可以返还易于折现的购物卡。针对"故乡税"纪念品的恶性竞争，日本政府从 2015 年开始逐渐对"故乡税"的返还商品进行限制。2019 年，大阪府泉佐野市因为"故乡税"返还物品与总务省规定不符，被排除在"故乡税"制度之外。

因此，日本政府也在研究如何进一步改革"故乡税"制度。例如，2016 年日本政府又推出了"地方创生应援税制"，被称为企业版的"故乡税"。企业可以向所在地以外的地方政府捐款从而获得一定程度的税收减免。

（四）日本乡村振兴方案 2——"观光立国"与白川村的旅游业

如果说"故乡税"是对农村地区的"输血"的话，那么日本政府其实也采取了不少举措培养农村的"造血"能力。对于拥有一定旅游资源的农村地区，日本政府注重以旅游业为龙头来带动农村建设，增强农村经济的可持续发展能力。此处以白川村为例介绍日本农村地区旅游业的发展。白川村位于日本岐阜县庄河流域。这一地区冬季降雪量很大，在古代人们建造人字形屋顶的茅草屋以避免积雪压坏屋顶，这一建筑样式被称为"合掌造"。白川村地区现存有大量江户时代兴建的"合掌造"茅屋。1995 年，白川村地区（白川乡）及其"合掌造"茅屋被列为世界文化遗产。

2017 年，常住人口仅有 1600 人的白川村，吸引游客人数达到 176 万。值得注意的是，其中外国游客超过三分之一，这除了白川村本身优质的旅游资源之外，还与当地政府在海外营销上的努力紧密相关。岐阜县很早就重视旅游业的发展，县知事（行政机构领导人）经常亲自赴海外推广该县旅游资源。该县所提供的观光手册也多达 8 个语种，并且不同语种观光手册内容也有所不同，会特别强调在该语种地区内比较受欢迎的景点与特色。岐阜县与白川村地区也紧密合作，白川村地区的几个村庄主打不同的景观，互相区别，避免重复，形成互补多元的复合型旅游资源。

如附件图 2-3 所示，白川村地区游客数量基本上维持稳定增长态势。日本国土交通省观光厅的官员曾表示，日本观光景点在被列为世界文化遗产后，游客人数会有短期增长，之后就又转趋减少，而白川村的观光人数始终保持增长。其原因有如下几个。①重视基础设施建设。白川村的游客人数在1995年与2008年有两次明显增加。第一次是1995年白川村地区被列为世界文化遗产。第二次就是随着2008年东海北陆高速公路修通带来的游客人数进一步增长。②积极维护并提升旅游资源质量。例如，该村将部分停车场收入用来设立"世界遗产保护协力金"，以维护村庄风貌。③强调将旅游资源与地方特色产业相结合，延长旅游产业链。白川村地区一直有养蚕的传统，当地政府将养蚕制丝和旅游业结合起来，开展体验式旅游，开发具有白川村特色的丝织品。④利用动漫资源拓展客源。首播于2006年的动画片《寒蝉鸣泣之时》在日本电视台播出后大受好评，之后又推出了一系列续作，而该动画片的主要场景就是以白川村为原型的。因此，许多动画片爱好者纷纷前往白川村。当地政府因势利导，在景区建设中有针对性地突出动漫元素，标识出动漫中出现过的地标，吸引了许多年轻游客。

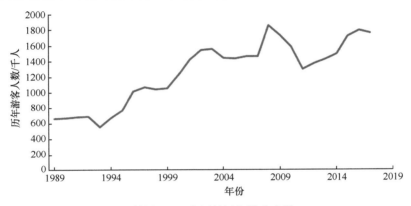

附件图 2-3　白川村历年游客人数

日本设立的针对发展中国家的援助机构"国际协力机构"也注意到白川村的成功经验，在白川村开展了多次《世界遗产"白川乡"与旅游振兴》为主题的研修活动，招揽发展中国家的旅游官员，推广白川村的经验。日本政府在2007年正式确立了"观光立国"的基本国策，挖掘培养了一大批像白川村一样拥有优质旅游资源的农村地区，不仅缓解了经济停滞所带来的财政压力，而且通过旅游业带动乡村地区的基础设施建设，使得不少面临人口老龄化困境的乡村重新焕发活力。

（五）日本乡村振兴方案 3——农业协作组织与农村带头人

农村的发展根本在农业，立足优势资源打造特色的农业产业链是农业发展的重中之重。对于以自耕农为主体的日本农村来说，将农户融入产业链，培育农业产业化联合体并非易事。日本的农民合作组织——农业协同组合（JA）在这方面发挥了重要作用。农业协同组合（农协）是依据1947年颁布的《农业协同组合法》而设立的遍布全国的农民合作组织。农协不仅为农户提供日常技术指导、金融服务，而且在农产品的市场营销、农村建设等方面也扮演了举足轻重的角色。20世纪60年代后期开始，为减少中间流通环节成本、提高农民收益，农协开始积极推广直销方式销售农产品，建立了三个全国范围的生鲜食品集配中心并很快成为重要的农产品流通渠道。由于农协拥有众多农民会员，还有一定的经济实力与组织能力，农协也成为左右日本政治的重要势力，日本自民党之所以能够在第二次世界大战后长期执政，也离不开农协的全力支持。本书拟通过高知县马路村乡村振兴个案，来解读农协与个人在农村发展中所发挥的作用。

马路村位于日本四国岛上的高知县东部，远离都市，群山环绕，交通不便，至今不通铁路与国道。当地雨水丰沛，森林覆盖率达97%，历史上马路村经济收入主要依靠其丰富的林业资源。第二次世界大战后马路村林业经济遭遇困局。在当地农业协会理事长东谷望史带领下，如今的马路村发展出完整的柚子产业链，柚子年产量占据日本国内产量的50%以上。马路村目前人口仅有约900人，每年产值达到30亿日元，成为日本知名的"柚子村"。

马路村是东谷望史的家乡。他高中毕业后曾在高知市工作两年。20世纪70年代回到马路村的农协工作。当时的马路村主要产业是林业，农地不多，农协发挥空间有限。随着传统日式建筑逐渐式微，木材需求急剧减少，同时砍伐以及运输费用高涨，林业作为马路村的支柱产业遭遇危机，村庄经济陷入困局。马路村有种植柚子的传统，起初只是作为一般的水果贩卖，知名度不高，外销困难，经济效益并不理想。针对这一情况，东谷望史以及当地农协采取了以下措施。

1. 推动柚子产品深度加工，扩展产业链深度

20世纪六七十年代的柚子产品仅仅局限于榨汁，市场接受程度不高，商业效益较低。而马路村村民做饭时经常会把柚子作为食材和调味料使用。东谷望史由此获得灵感开发出柚子醋（日语为"ポン酢"），这一产品大获成功，成为现在日本每家每户必备的调味料。在1986年举办的"日本101村展"中，马路村的柚子醋获得金奖以及101万日元的高额奖金。创业初期，农协人手不足，东谷望史坚持开发新产品，农协开发出的一款蜂蜜柚子饮料也大获成功，日本的饮料业界竞争激烈，很多产品寿命仅仅几年，而这一饮料一直销售至今，也成为马路村的名片。

2. 建立多样化的销售渠道

四国岛的很多村镇都是柚子产地，因此马路村的柚子产品在四国地区很难打开销路。20世纪70年代还没有网络以及现代物流业，当时日本的百货商店会定期举办各地土特产展销会。东谷望史就自己开车往返于全日本各地的展销会，推广马路村的柚子产品。大城市消费能力强，市场规模更大，也可以避免在四国岛的激烈竞争。与此同时，他们在距离村庄35km交通较为便利的安云市建立据点，通过电话下单的方式向全国发货，从此"一炮打响"。

3. 以农产品带动旅游业

马路村曾经试图推动温泉观光业，然而村庄基础建设不足，承载能力有限，效果欠佳。之后东谷望史带领村民以柚子为主题，推动休闲度假游。他们将柚子产品的营销与旅游业结合起来。在蜂蜜柚子饮料的宣传上突出马路村，从而让不少日本人成为马路村的粉丝，进而带动了村庄的观光业。同时又将林业衰退后残留的一些基础设施作为新的旅游主题进行开发，如废弃不用的森林铁路修复后成为追忆昭和时代记忆的重要景点。

4. 重视农业技术

长期以来柚子剥皮一直依靠人工，效率低、成本高。东谷望史得知生产干柿的长野县开发出柿子剥皮机器后，迅速将这一机器改造后应用到柚子生产中，1 分钟可以剥皮（柚子）10 个以上，大幅提高生产效率，增加了经济效益。东谷望史还将 1986 年获得的金奖奖金 101 万日元投入到物流管理软件开发中，提升企业效率。如今的马路村又开始与高知大学开展共同研究，利用柚子原料开发化妆品与健康食品。其中化妆品已经进入市场。

马路村的发展历程也体现了日本新时期农业发展的"六次产业化"战略。所谓六次产业化，是指将生产（第一产业：农业）、加工（第二产业：工业）与贩卖（第三产业：商业服务业）结合起来的新经营方式。例如，马路村的柚子产业从柚子的生产扩展出柚子产品的深加工，开发出柚子醋、蜂蜜柚子饮品，从而进一步打造柚子名片，塑造地域品牌，开展旅游业，进行多种经营。"六次产业化"战略不仅可以提高农民收入，增加农村就业，还有利于保护农村环境与传统文化，激活农村地区经济活力，实现农村的可持续发展。

（六）总结

回顾日本农业发展历史，尤其值得借鉴的是日本将农业方面的基本国策、具体目标都通过立法的方式确定下来，一方面在立法的过程中广泛吸收民众和专家的意见，集贤纳智，另一方面将农业政策提升到法律的高度，明确了国家态度，这有利于各部门相互协同将政策落到实处。目前，我国农业立法尚处于滞后局面，仅有《农民专业合作社法》等少数几部法律，对于农业发展顶层设计也应当考虑以立法形式确定下来。这也是社会主义法制社会的必然要求。

我国农村及部分落后地区同样存在人口流失问题。现代社会交通方式、信息化水平的提高扩大了单个政府所能提供的服务范围。因而，对于人口流失严重、地方财政紧张的地区，也可以考虑适当进行村、乡的合并，或者将处于不适宜居住地区的村庄整体搬迁，在扩大行政服务范围的同时减少行政成本、提高农民生活水平。

保障粮食安全是我国农业政策的重要目标之一。日本作为经济大国但粮食自给率却始终未能提高，其中的教训值得我们深思。日本过早地开放了农产品市场，目前已经成为世界上最大的农产品、食品进口国。随着农村年轻人口大量流失，日本弃耕农地也在不断增加，2015 年弃耕农地面积突破农地总面积的 10%，粮食自给问题严峻。以此为鉴，我国未来仍须严守耕地保护红线，从严控制各项建设占用耕地，确保粮食生产用地规模，保障粮食生产基础，夯实粮食自给自足能力。同时，在履行加入世界贸易组织的承诺，削减粮食进口关税过程中，还要注意确保粮食的绝对安全，优化进口渠道，拓展多元化粮食来源市场，防范粮食市场风险。

三、韩国农村现代化转型的经验分析

"乡村衰落是各国现代化进程中必然面对又必须解决的普遍性难题"（王亚华和苏毅

清，2017）。发达国家农村现代化现有模式包括以高度机械化、城乡一体化、有农业无农村为特征的"北美模式"和以生态文化综合发展为特色，由大中型农场与大农村组成的"西欧模式"。不同于发达国家以高度城市化、工业化为基础的农村现代化，后现代化国家往往面临同时实现工业化、城市化和农村现代化的发展任务。因而，其农村现代化实现既要向发达国家看齐，又无法直接套用发达国家的发展模式，同时又必须适应和服从本国现代化整体发展进程，挑战难度相当巨大。

20 世纪 60 年代，韩国在"先工业现代化，后农业现代化"的"不均衡增长"战略下开始国家现代化建设，经过半个多世纪的发展，韩国快速平稳地实现高度工业化、城市化和农村现代化并跻身东亚发达国家行列。此处聚焦韩国农村发展，分别围绕农村地区和内嵌于城市的农村改造策略展开，详细阐述韩国农村现代化转型的主要举措和基本经验。报告共分为四小节，第一部分，以"新村运动"与韩国农村地区现代化转型为主题，介绍了"新村运动"实施背景、具体举措、发展历程和主要成就；第二部分，围绕内嵌在城市中的农村建设阐述了以"城市改造"为契机的农村改造、建设与发展路径；第三部分，聚焦韩国农村发展现状，特别是当前农村发展的支持政策；第四部分，对韩国农村发展基本经验进行总结。

（一）政府主导、村民自助发展的"新村运动"（1970～2000 年）

"新村运动"的背景较为复杂。第一，农民不满情绪日益高涨。"韩国农民在殖民地期间被官吏和地主过度压迫，50 年代又受到朝鲜战争破坏及高速经济膨胀，贫困的生活使得农民的失望和对政府不满情绪高涨"（朴振焕，2005）。第二，韩国经济发展为支撑农村建设发展提供可能。20 世纪 70 年代，在出口导向型经济发展方略指引下，韩国经济跃升，国家财政力量的增强，提供了必要的物质基础。第三，农村地区是重要的政治选举阵地。为提升民主党主要支持者——乡村农民的支持率，改善村民生活，满足人民对美好生活的追求是重要的选举筹码。第四，缓和日益扩大的城乡差距。扭转现代化进程中城市和农村地区发展不均衡的现实，改善农村地区落后凋敝、农民收入低的发展境况；建设更加公平、稳定的社会发展和政府治理环境。综合复杂的国内发展状况，在总统朴正熙主持下，自上而下的"新村运动"得以开展。

1970 年，时任总统朴正熙在 4 月 22 日召开的省级干部会议上提出号召，希望在农村地区开展以"勤劳、节俭、互助"为精神指导的"新村开发运动"。其后，韩国中央政府推出"新村运动"计划试验项目，"新村运动"（称为 saemaul undong、new village movement 或 new community movement）由此得名。整个 20 世纪 70 年代，朴正熙政府主导下的"新村运动"取得显著且丰富的治理成就。从数据指标看，1970 年农村家庭收入占城市家庭收入的比例为 75%，1975 年这一比例上升为 110%；农村基础设施建设方面，1971～1978 年，平均每个村庄改善道路 2600m，电气化比例也大幅提高，饮水、住房、桥梁等均得到显著改善；农民生活伦理发生重大转变，自助勤勉、互助合作精神在村民中广为流行。"新村运动"的成功还体现为较高的政策投入产出比，即政府投入成本低但实际治理成效高。

依据"新村运动"发展历程可将其分为两个阶段：1970～1979 年的全面发展和全盛

时期，1980 年的后衰退期。在朴正熙政府主导下，20 世纪 70 年代的"新村运动"自农村开始逐渐扩散到城市以至全社会，按照韩国"新村运动"中央会的划分方式，70 年代"新村运动"经历了三级递进发展阶段。

1."新村运动"初始阶段（1970～1973 年）

这一时期，朴正熙政府以中央政府部门内部的强势部门——内务部负责推进"新村运动"，以"勤劳、节俭、互助"为口号自上而下建立"新村运动"推进会，政府提供物资援助、培训机会，村民充分发挥合作、自助精神开展村庄建设。其具体措施包括如下几个。

1）政府资助与竞争激励。按照传统农业作业习惯，农民在农闲时节喝酒赌博，村庄生活懒散无力。朴正熙总统认为改造村民生活伦理是"新村运动"的首要任务和保证任务成功的第一要素。因此，按照获助必先自助的思路，确保政府资助物资效能切实发挥作用，同时有效杜绝部分农民和村庄过度依赖政府资助的现象，政府资助仅在第一年对各村庄均等实施，"1970 年，政府向全国 33 267 个各行政里洞统一无偿支援各 335 袋水泥，支持村庄自主建设"（李仁熙和张立，2016）。第二年，向经过评估筛选成效明显的 16 600 个村庄继续无偿追加支援水泥 500 袋和钢筋 1t，而其他村庄则未能获得第二年的支援物资（李仁熙和张立，2016）。第二年落选的村庄如在第三年评比中得到认可，仍可获得资助。这一淘汰激励机制对于确保村民积极将资助物资用于村庄建设，最大化投入产出比发挥了重要的保障性作用。各个村庄围绕道路修缮扩建、房屋改建、耕地质量改进和种子质量提升等内容展开基础建设和村庄环境改造工程。

2）村民选举与培训教育。"新村运动"初期，经由村民选举产生男女各一名村庄领导者，由其组织领导村民展开村庄建设。经由村民选举产生的村庄领导者要接受系统的培训教育，中央政府同时展开对地方政府官员的培训以改变地方官僚保守、自利和维持现状的格局。村庄中女性领导者的出现是对传统男尊女卑思想的极大冲击，对于扭转女性地位低下，推动两性平等具有较大助益。同时，当时韩国乡村社会结构中存在形色各异的自治组织，包括妇女会、青年会、作业班、相助契、信用社等，这些组织的存在有助于扩散"新村运动"精神，宣传"新村运动"事业，减少反对力量（李仁熙和张立，2016）。

3）"新村运动"在其初始阶段即以物质激励和精神改造融合下沉深入乡村建设实践，成为一场重建乡村风貌与村民精神的运动。对此，在 1973 年举行的全国村庄领导人大会上，总统朴正熙强调"我们可以把这场运动作为一场追求更加美好生活的运动"。

2."新村运动"全面扩散阶段（1974～1976 年）

从 1974 年开始，"新村运动"进入全面扩张阶段，以实现农村小康和消除城乡差距为主要目标，"新村运动"的组织和人力大幅增加，政府的支援和支持力度继续加大，"新村运动"的对象范围也扩大至一般市民。修建的新村工厂在短期内大量吸收农村劳动力并促进农民增收，到 1975 年，"新村运动"扩大到工厂、公司和学校等（刘义强，2017）。"新村运动"以其主张的"勤劳、节俭、互助"精神和实现更加美好的生活成为当时流行的国民精神。

3. "新村运动"深化阶段（1977～1979年）

这一时期，"新村运动"超越农村范围，"农村聚焦于增加收入和扩充文化福祉设施，城市聚焦于节约物资和提高生产力及健全劳资关系"（李仁熙和张立，2016），村庄建设开始超越村庄范围的限制，在更广泛地区范围内实现共同开发和共同发展。整个20世纪70年代，"新村运动"呈现政府主导下社区自主发展的宏观特征，其主要发展进程包括：选定村庄领导并聚拢初创基金、召集小型会议、动员村民全员参与建立现代化住宅、文化设施并创办合作企业，这也是整个运动的主体，居民可以自创报纸、建立地区市政厅并与邻近城镇建立友好合作伙伴关系。其建设思路呈现"边发展、边建设""促进村庄发展与改善农民生活"相统一的特征。

20世纪70年代末，朴正熙总统遇刺，新任总统继任后，基于70年代中后期不断发生的反对强制耕作斗争，反对强制推行"新村运动"（曹中屏等，2005），加之学术界对政府强势主导"新村运动"的批评，新政府逐步退出"新村运动"，"新村运动"进入完全由民间主导的发展阶段，此后，逐渐式微。特别值得注意的是，直至遇刺，朴正熙政府也并未确立支持"新村运动"的专门性法规，计划推行的援助物资、培训场地和培训人员或是依托既有行政机构实现下派发放，或是租借实现，其行政成本的耗费相比之下显得微薄，尤其是与"新村运动"在改变韩国农村风貌、农民精神乃至韩国社会中的重要作用相比。纵观"新村运动"起落的全部历程，其在改造农村公共建设和激发农民合作进取精神中乃至改变和影响韩国国民精神中的重要性得到研究者的一致认同。

（二）城市改造中的村庄改建工程

1. 南山、北村韩屋村

南山、北村韩屋村（附件图2-4、附件图2-5）是韩国传统民俗文化聚集地，因较为完整地保存了传统居民居住形态，故有"城中民俗村"之称。南山韩屋村现已无居民居住，是专门供游客观赏休憩、感受韩国传统居住文化的观光景点，北村韩屋村为居民住宅区，因其较为完整地保留了传统居民居住形态，以及随处可见的史迹、文化遗产和民俗资料，又被称为"城市中心的街道博物馆"。特别是北村韩屋村，因为住宅的特殊性和政府的特别保护，村庄形态得以较好地保存，同时，因为临近景福宫等著名景点，其韩服租赁、传统料理和手工艺品作坊等也成为游客的文化体验项目。

附件图2-4　首尔北村韩屋村外景　　　　附件图2-5　首尔北村韩屋村内景

除去南山、北村韩屋村外，首尔的梨花洞壁画村、弘大壁画村、文来洞艺术村、姜草漫画街、山鸟壁画村等此前都是隐匿在城市中却凋敝衰败的贫穷村落，经由政府组织下的艺术家改造，变得极具艺术美感并富有游览观赏性，改造后的村落精致且极富创意，随之成为电视剧取景和游客观光的高人气景点。在尊重和保留原址特色的基础上，融入艺术创作，并使其成为人们日常生活随处可见之美的建设，这一策略是首尔城市建设和内嵌式村庄发展的最大特征。

2. 釜山甘川文化村

甘川文化村（附件图 2-6～附件图 2-9）是 20 世纪 50 年代形成的贫民聚居区，即便是现在，从房屋排布和地理特征中仍然可见未改造前的拥挤不堪和生活不便。高度密集的简易居住房，随地势依次分布，房屋之间间隙狭小，随山势起伏的公共道路，显眼的古井和高处的房屋无不显示日常生活的不便。从凋敝衰败的贫民聚居区到极富美感、游客不断的艺术村，甘川文化村的改建方略对于城市建设和乡村改造同时具有启示意味。

附件图 2-6 甘川文化村全景

附件图 2-7 甘川文化村小王子雕像

附件图 2-8 甘川文化村内水井

附件图 2-9 甘川文化村彩绘台阶

2009 年，为克服经济危机，解决艺术家的工作机会问题，韩国政府开始推行"村落艺术"项目的政策支援活动（唐燕等，2016）。在被正式列入韩国"村落艺术项目"后，甘川文化村在中央、地方政府，艺术家，艺术系大学生和当地居民共同努力下对原贫民聚居区的住宅区进行了彩绘重塑，并进行艺术化改造。改造后的甘川文化村不仅保留了其原有居住风貌和历史风韵，且更具艺术浪漫特质。随处可见的壁绘、图标，包括步行台阶上的色彩与韩文、房檐上的人物雕塑都在增加来访者的惊喜感，依据村庄分布设置的游客打卡路线更增加了游玩观光的趣味性。

甘川文化村是城市改造的典型案例，不同于对既有建筑设施重建的发展路径，其在最大限度保留原有建筑风貌的基础上借助艺术创造与文化创意为地区面貌做加法，同时保留了改造前后的共有特征，实现历史感与现代感交融的目标。同时，得益于文化娱乐产业发达和高度对外开放，甘川文化村在成熟且知名度高的综艺节目中的出现使其成为海外游客向往的胜地，络绎不绝的各国游客流连其中，成为风景之外的另一盛观。这一"政府扶持—艺术加持—文化推广—旅游繁盛"的发展路径对于城市周边村庄建设具有极大启示性。

3. 小结

总结来看，首尔、釜山等发展水平较高的城市周边村落或内嵌在城市中的村庄改造工程，普遍采取保留既有风貌基础上进行艺术改造或采取以文化业主导的建设模式，并成功实现了兼顾村庄历史感和现代性的目标。一方面，大都市往往面临着土地资源稀缺的困境而使得村庄具有较高的附加价值；另一方面，其文化产业高度发达又为村庄的建设发展提供了诸多资源，特别是基础设施、公共服务的高度完善确保了城市观光发展的可行性。其改建项目同时呈现依附于城市发展和弥补城市文化功能的双重特征，是韩国城市建设的突出亮点。

（三）当前韩国农村发展现状

21 世纪以来，韩国城乡居民收入差距再次呈现扩大趋势，尽管"新村运动"改变了传统农村的凋敝风貌，但是却没能持续推进农民增收，加上农村人口持续减少，农村发展状况并不乐观。但是，乡村生活的特有魅力对城市居民仍有较大吸引力。韩国农村经济研究所小规模抽样调查的数据显示，"狭义乡村旅游需求在 2005 年为 1.7%，2014 年则上升至 15.7%"（赵相弼和李东华，2007），这表明，农村建设潜藏着较大发展需求空间和社会效益。

1. 实施农民生活改善计划

为进一步促进农村发展，改善农民生活，2004 年，韩国政府发布《提高农渔林业者生活质量及促进农渔村地区开发特别法》，确定了"提高农渔林业者生活质量及促进农渔村地区发展基本计划"每五年制定一次的基本框架。首个（一期）基本计划（2005～2009 年）由包括农林业部在内的 15 个相关部门联合发布，瞄准 4 个主要方向共计 133 项任务，旨在建设集"生产、生活、娱乐"于一体的聚居地，累计投资共 22.8 兆韩元（附件表 2-2）。

附件表 2-2 提升农民生活质量总体计划表

一期计划（2005～2009 年）	二期计划（2010～2014 年）	三期计划（2015～2019 年）
改善农村福利	改善农村福利与健康	健康与福利
拓展教育系统	完善教育系统	教育
完善工业综合体	完善基础设施建设	安居区域
	经济活动多元化	经济活动与就业岗位
	改善文化与休闲环境	文化与休闲
加速推进区域发展	环境与土地	环境与土地
	增强社区能力	安全
133 项任务 22.8 兆韩元投资	133 项任务 34.5 兆韩元投资	184 项任务 46.5 兆韩元投资

具体来讲，围绕农村社会经济增长和发展目标，创建地区发展工业综合体（industrial complex）主要是指通过发掘或整合区域固有资源产生价值增值的产业发展模式，通过将地域固有资源产业化增加农民的非农收入以促进农村发展。在公共服务领域，为切实减轻农民教育支出，政府针对农村地区学生推出高中生奖学金和大学生奖励资助计划。政府出资建立"绿色观光和农村社区旅游"发展支持基金，村庄可依据自身资源禀赋和发展状况进行申请，由政府进行甄别筛选，对获选村庄进行资助。对于同一区域（通常是 2～3km 范围内）的农村地区来讲，5 年计划的建立和实施通常建立在地区特色的基础上，人居和自然环境改造、提升及完善配套基础设施建设项目是主要目的，项目选址及推进详细计划均由当地居民主持，政府和专家提供必要的支持、帮助和指导。2005 年，选中的 36 区已获投资 56 万美元。

二期计划围绕"家庭、事业与休憩平衡的快乐乡村生活"于 2010～2014 年展开，涉及 7 个领域共计 133 项发展目标，总投资额累计 34.5 兆韩元，其主要使用领域和比例见附件图 2-10。

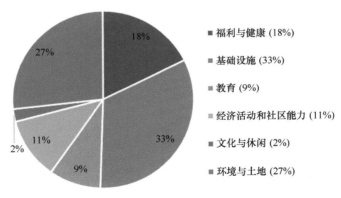

附件图 2-10 二期计划投资分布

三期计划围绕"建设幸福且充满活力的农村社区"主题展开，建设任务增至 184 项，于 2015～2019 年实施，预计总投资 46.5 兆韩元（年均 9.3 兆韩元）。其 7 项目标的具体内容表现如附件表 2-3 所示。

附件表 2-3　三期计划目标

规划		建设幸福且充满活力的农村社区
目标	健康与福利	增强健康与福利服务，增加农村社区获取服务的便捷性
	教育	完善教育基础设施建设，提升农村社区教育质量
	安居区域	建设社区主导的便捷宜居居住区
	经济活动和就业岗位	整合农渔业资源，创造产业增值和就业岗位
	文化与休闲	为多元文化和休憩活动提供基础
	环境与土地	完整保存乡村特性的基础上建造整洁优美的环境和土地
	安全	推进乡村安全建设，增强抵御自然灾害、犯罪和偶然事件的能力
驱动力量		制定系统、完善的政府各部门合作政策
		提高改善区域生活质量政策的实施质量
		增强本地社会组织及其他共同体建设并促进其参与公共建设

2. 农业科技发展与农村建设

韩国政府试图通过持续扩大对农产品 R&D 的投资以应对农业发展领域存在的市场化进程缓慢、能源资源短缺等问题并促进农业增长（Lee，2016）。其主要举措包括确保农业 R&D 资金供给和持续推进农业信息化建设，具体内容如下。

（1）持续追加 R&D 资金

韩国农业、食品与农村事务部，农村发展部和林业局是农产品 R&D 投资的主管负责单位，根据统计资料，三部门在农产品 R&D 领域年度预算以年均 7.7% 累进增加，国家预算年均增幅达 8.2%（Lee，2016）。经费预算的持续增长主要用以支持和促进农业核心技术的发展，包括正在推进的农业和高新生物材料等五个方面，累计 15 项关键技术（附件表 2-4）；可以预见，每当这些技术取得突破都会为农业生产提供新的发展契机。

附件表 2-4　韩国促进农业发展的核心科技

类别	核心技术
农业和高新生物材料	减少抗生素和天然替代材料开发技术
	无有害环境元素的生物塑料技术
	木质环保材料开发技术
	有益氨基酸原材料开发与批量生产技术
	易降解自然材料发展技术
农业和生物食品、医药	利用农业和生物资源开发食品和药品原材料技术
	生物移植开发和商业推广技术
	食用和医药用动物蛋白产制技术
农业和生物基因	农业基因组信息服务研发技术
	显著基因特征的调查与应用技术
金种子工程	良种战略出口或选择性进口
	高效制种和种子商品化加工系统
农业和乡村能源	木材生物能与木材元素应用技术
	生物能源高效生产技术
	生物资源作物批量生产技术

资料来源：Lee，2016。

（2）推进农业信息化建设

韩国农业、食品与农村事务部下设农村振兴厅，是韩国境内各道、市、郡农村振兴院和农业指导所的负责单位，"这一系统吸纳了超过 60%的农业发展科研人员，从而为国家农业科研项目的推进提供了人力资源保证"（朱世桂和王亚鹏，2008）。此外，"韩国农业科技管理体系中推广指导人员约占半数，超过九成的人员分散在各级农政机构中工作"（施标等，2013），从而确保农业技术推广能够获得充足人力支持。

尽管上述因素提供了农业农村发展的制度和技术支持，农业和农产品发展仍然面临诸多现实梗阻，具体体现为：农产品发展政策与农产品 R&D 的事实性割裂，即 R&D 研究内容属于高端科技，对农产品的改进和优化助益较少，农业科技发展在一定程度上脱离生产实践；私人组织和企业在研发领域的投资稀薄，当前，农业 R&D 领域主要依赖政府公共投资支持，从社会和企业中获得的发展支持较少；技术的商业化推广进程难以令人满意，这一困境也可视为上述因素的必然结果。

3. "归村、归乡"运动趋势加快

高速城市化、人口老龄化使韩国农村人口锐减，中青年劳动力向大城市转移、农村适龄青年婚配困难问题造成严重的"农村生存危机"；同时，人口高度密集的城市也逐渐丧失其对部分居民的吸引力，城市中部分居民归乡还农意愿强烈。20 世纪 90 年代开始，返乡归田或是到乡村修养等多种形式或因素的移居到乡村行为逐渐增加，资料显示，1990～1997 年 7 年间共有 7186 户移居乡村，但是自 90 年代外汇危机后，移居户数迅速增长，附件表 2-5 显示了 2001～2014 年移居户数增长情况。

附件表 2-5　归乡趋势（2001～2014 年）

年份	2001	2002	2003	2004	2005	2006	2007	2008	2009	2010	2011	2012	2013	2014
户数	880	769	885	1 302	1 240	1 754	2 384	2 218	4 080	4 067	10 503	27 008	32 424	44 586

数据来源：MAFRA，2015。

在此背景下，韩国政府有序引导实现城市人口转向农村并服务乡村发展，即开展"归村、归乡"运动，完整的"归村、归乡"一般包括以下 7 个步骤：①归农情报收集，可从农业机关、团体、农村领导者和归农前辈处获得所需信息；②和家人充分商量，向家人表明归农的决心并征得其意见和同意；③选择农作物，结合自身条件、性质、技术水平、资本能力选择所要耕作的农作物；④学会务农技术，借助"归村、归乡"教育和农家参观、现场体验等手段充分学习农业技术；⑤选择定居场所，考虑子女教育生活条件或选定的地理位置的农业耕作条件等，确定定居地；⑥购买住房和农地，在 3～4 个选择方案中根据住宅规模形态和农田耕作进行最佳选择；⑦制定农业耕作计划，在农产品获得收益之前，最少需要 4 个月至 5 年的时间，归农人最初应以农业技术和资本投入较少的作物为中心起步。

（四）小结

首尔国立大学郑斌（Jeongbin）教授将韩国农业农村发展的政策经验概括为以下六

点：①扩大农业研发和推广的投资；②建立有效农业基础设施运营体系；③建立农业合作与农民组织；④推进农村家庭收入来源多样化发展；⑤完善农业营销体系；⑥持续推进乡村发展运动。在此基础上，本研究将韩国农村建设与农村发展的基本经验分为农业农村地区和内嵌于城市发展的农村地区两个方面，并将其建设经验总结如下。

1. 农业农村地区建设经验

1）将推进农村发展与改善农民生活水平相统一。从"新村运动"到"改善农村生活基本计划"，韩国农村发展始终将改善农民生活水平放在与促进农村发展同等重要的位置，使得农民在发展进程中享受发展成果。

2）注重农村公共服务建设，着力缩小城乡居民在享受公共服务中的差距。历次农村建设运动，都将推进农村地区健康、教育事业发展列在重要位置，着力通过改善农民生活水平与获取公共服务的便捷度，从而增进农村地区的福利发展水平。

3）农村自助、村民互助和农村社区主导式发展是韩国农村建设成功的主要基础和基本经验。韩国农村建设对村民生活伦理充分重视，以激发农民的内在发展愿望和现实发展要求为农村地区建设的主要发展目标，借助村民组织的自助和互助力量，最大化国家资本和资源投入的产出效益。

4）国家和中央政府持续推进农村建设制度建设，充分结合时代发展的新变化和地区发展特性完善农村发展支持政策体系。21世纪以来，随着地方自治的持续推进和农村发展的新变化，中央政府在增强对农村发展支持力度的同时，也使其政策更具灵活性和时代适应性。

5）高度重视农业科技在农业发展、农村建设和农民增收中的重要作用，优先保证农业科技 R&D 支持资金投入，确保农业科技得到有效推广与广泛普及，真正实现产、学、研三者相结合。

2. 内嵌于城市的农村地区建设经验

1）城市周边或内嵌于城市中的农村往往承载着城市发展的历史，其改造和建设内在地蕴含着城市的历史与现在交汇的特征，其建设项目应充分保留城市发展历史性和现代性并实现两者的妥善对接。

2）艺术是城市中农村改造与建设的关键要素，应当更加重视发掘艺术创造在城市建设中的重要作用，使艺术家、高等院校师生和平民艺术创作等融入农村改造实践，增强城市建设创意的多元性。

3）城市中的农村改造并非单纯的改造项目，应从文化综合体的角度出发，综合考虑其定位和改建策略，并借助城市的优势资源，借助城市宣传、文化产业、旅游产业等融合发展的优势互补作用，最大化其综合价值。

四、中国台湾省桃米村

受 1999 年 "9·21 大地震" 的影响，台湾省南投县埔里镇桃米村受灾严重，经济发展遭受重创，主要经济产业逐渐衰退，人口外流日益严重。在灾后重建工作中，桃米村在台湾当局、学界、社会组织及社区居民的共同努力下，利用当地丰富的生态资源和独特的桃米文化，通过打造"桃米生态村"成功转型，走上了可持续发展的道路。桃米村的成功转型，让大家更加重视与保护当地的生态环境和文化，现在的桃米村已从一个没落的农村转型为一个结合休闲体验、生态保育的教育基地，桃米村的村民们不吝于分享当地经验来协助其他地区发展生态产业。

（一）个案背景

1999 年"9·21 大地震"前，桃米村当地以农业为主要发展产业，然而因地处偏远，加上工业、科技产业的快速发展，农业获利率逐年下降，"9·21 大地震"更是重创当地，使得主要经济产业已没落的桃米村人口外流更加严重。由于当地受灾严重，引起了社会各界的关注，台湾当局、学界、非营利组织等皆投入桃米村的重建工作中。新故乡文教基金会于 1999 年 10 月 9 日成立"埔里家园重建工作站"，负责埔里当地的重建工作。"地震是危机，也是转机"，在重建过程中意外发现桃米村拥有丰富的天然资源，当地有 6 条清澈的大小溪贯穿其中，加上当地仍保有相当大面积的自然及低度开发地区，包含森林、河川、湿地及农业生态系统，使得当地生物资源非常丰富，其中包含了 23 种蛙类、51 种蜻蜓、72 种鸟类，除了动物外，植物种类也很多，包括滨溪植物、水生植物或湿生植物，以及各种蕨类植物等。在桃米村这个不到全台湾面积两千分之一的地区，可以见到全台湾三分之二的蛙类、三分之一的蜻蜓和鸟类。

桃米社区主要由当地居民自愿组成，约有 474 户 1143 人，然而实际居住者七八千人。桃米村利用其丰富的生态资源，在重建后以"桃米生态村"为发展方向。然而当地村民一开始皆持质疑或观望的态度，仅有少数人愿意付出实际行动。起初，新故乡文教基金会开设了一系列生态课程，为的是培养当地居民成为生态讲解员，这一系列的生态培训课程让当地居民了解到当地的生态资产和经济价值，越来越多的人主动加入重建家园的队伍中。在震灾后的第八年，桃米村成功转型，目前，当地有 32 家正规民宿，13 家餐饮机构，以及 36 位生态导览员，这解决了当地将近四分之一的失业人口的就业问题。"桃米生态村"现日均可接待约 500 位游客，假日约 1500 位游客，每年仅门票收入就可高达1000 万台币。"桃米生态村"发展至今，社区成员对这片土地更加热爱与重视，只要是因社区生态旅游产生的收入，坚持皆分配 5%～10%作为公共事务的支出与当地弱势群体的照顾开销，加以落实社区营造和利益共享的精神。

（二）个案简介

1. 基金会服务项目介绍

桃米社区的目标是建立一个在生态环境、社会经济、精神文化三个层面永续发展的社区。同时，社区建构在"绿色"及"知识经济"产业发展上，是透过"生态、生产、生活"三生一体的在地化实践。新故乡文教基金会为桃米社区提供的社会服务项目有三大项，分别为灾后重建、生态复育、生态教育及其他服务等。灾后重建主要为南投县全区，桃米社区则以桃米生态村为重建目标努力。生态复育部分最初以桃米社区为重点，后延伸至埔里镇全区。生态教育与培训最初也以教育桃米社区居民为突破口，让居民对自己的土地有更多的认识，才会愿意一同加入重建与复育的行列，并同时将有意愿的居民培育成为生态讲解员。其他服务如社区营造，试图将桃米社区规划为一个能共同扶持、不断成长的社区。商业服务部分则是在桃米社区内所设立的相关商业服务，如导览解说、民宿业、餐饮业、农场、养蜂场、马场、养鸡场、竹笋加工厂、套装旅游行程等。因为桃米生态村丰富的生态资源吸引游客前往，而相关产业也因此而获利。以下详述基金会服务，以社会服务与商业经营两个类别分述，如附件表2-6和附件表2-7所示。

附件表2-6　社会服务类项目介绍

灾后重建	教育基地或理念	桃米村由一个没落的农村，转型为一个结合休闲体验、生态保育的教育基地
	三生一体	基于丰富的生态资源，建构在"绿色"及"知识经济"产业发展上，是透过"生态、生产、生活"三生一体的在地化实践
	桃米生态村	在桃米村，可以见到全台湾三分之二的蛙类、三分之一的蜻蜓和鸟类，因为当地如此丰富的生态资源让重建目标以"桃米生态村"为发展方向
	农业重建	桃米村的居民原依赖农业维持生计，地震重创当地农业，因此重建的过程中协助当地居民恢复原来的生计方式。同时辅导农将栽种的作物提供给相关从业者以提高收入
生态复育	青蛙共和国	桃米村拥有台湾大部分的青蛙种类，因此在复育当地生态的过程中，也更加注重蛙类的复育、保育工作。并且也让桃米村朝向"青蛙共和国"去发展
	蝴蝶复育	桃米村拥有全台湾三分之一的蝴蝶种类，因此在复育的过程中非常重视蝴蝶的生态区营造，每年4~11月为桃米村最适合赏蝶的季节
	湿地和溪流复育	因湿地是大自然的基因库，溪流也拥有丰富生态，而桃米坑溪发源于鱼池乡，溪流两岸地形多变，形成深潭、急流、浅滩、缓流、曲流等环境，而且有森林覆盖，提供不同生物栖息的环境
	生态建设	为落实生态村发展目标，设立森林浴步道、水上瀑布、生态池与苗圃等设施
生态教育	生态教育课程	初期，新故乡文教基金会开设了一系列的生态课程，目的是为加深当地居民对于土地的热爱，并培养当地有兴趣的居民成为生态讲解员
	蝴蝶解说员培训	由初阶、职前、进阶，通过培训一步步进阶为蝴蝶解说员
其他服务	社区营造	桃米生态村的发展，使社区成员对土地更加热爱与重视；同时，只要是因社区生态旅游产生的收入，都分配5%~10%作为公共事务的支出等，以落实社区营造和利益共享的精神
	新故乡见学园区	位于纸教堂内，结合艺文展演、生态教育、饮食体验、工艺创作等推广活动，让居民在知性与感性中享受社区新魅力

附件表2-7　商业经营类项目介绍

导览解说	灾后重建初期	新故乡文教基金会教育当地居民生态保育相关知识，借此培育当地居民成为生态导览员
	公有部门	居民参与农业部门特有生物中心培训，成为导览解说员，参与考选部门考试成为导游、领队人员，以及经环保部门认证成为环境教育老师
	现况	可依游客不同的需求提供不同的生态导览行程，与下述其他行业经营者共同合作，为个别游客提供不同类型的套装行程的服务
民宿业		桃米社区中民宿从业者众多，游客可依据个人喜好选择住宿风格，风格种类如：冷泉水浴屋、三合院、独栋木屋、欧式建筑、树屋、水上民宿等
餐饮业		桃米社区餐饮从业者数量非常多，共同特色为使用当地、当季食材为顾客带来美食享受，当中又以提供台式餐饮为主
农场、养蜂场、马场、养鸡场等		桃米社区生态资源丰富，除了有桃米社区生态旅游服务中心供顾客游玩外，亦设有养蜂场、马场、养鸡场等可提供顾客不同体验活动的场地
竹笋加工厂等		桃米村早年以种植竹笋闻名，重建后维持原来种植的作物，种植菇类、姜、萝卜、茶、花卉、菠萝、树薯、香蕉及金线莲等，亦将这些作物加工后贩卖，提供的产品有笋干、酱笋、脆笋、笋丝、笋角等
套装旅游行程		套装旅游行程为结合上述从业者或服务，提供给游客不同的生态之旅。套装行程内容可包含生态学习和环境教育、社区参访和见学、农事和文化体验、解说员脸谱、吃在桃米、住在桃米、电动自行车租赁等

2. 合作系统与组织资源应用

根据组织的社会服务与商业经营两大项目，分析项目内部的核心组织、合作组织、支持组织、共生组织四项组织单位，相关组织定义和组织资源应用见附件表2-8～附件表2-10。

附件表2-8　组织单位定义

核心组织	主导组织运作的人或组织
合作组织	参与组织工作的外界组织
供货商	（上游）经营项目或提供资源
销售商	（下游）销售产品
支持组织	提供支持但不参与组织工作的外界组织
共生组织	不参与和不支持组织工作的外界组织（生态互利共生，但无商业往来）

附件表2-9　社会服务系统的组织资源应用

主要职责	核心组织	合作组织	支持组织	共生组织
灾后重建	新故乡文教基金会（统筹重建工作之执行，并向外寻求支持）	社区居民（参与重建工作）	台湾当局相关部门（"劳委会""农委会""重建会""水保局""文建会""经建会""营建署""南投县社会局""埔里镇公所""埔里镇办公室"等，提供资金援助）、桃米村社区重建会（配合基金会提出之重建工作执行）和台湾内外的志愿工作者团体（协助重建工作）	无
生态复育	新故乡文教基金会（统筹生态复育工作之执行，并向外寻求支持）	社区居民（参与复育工作）	台湾暨南大学（学生志愿工作者协助相关工作，教师提供专业知识）、台湾当局相关部门（"劳委会""农委会""水保局""文建会""经建会""营建署""南投县社会局""埔里镇公所""埔里镇办公室"等，提供资金援助）和台湾内外志愿工作者团体（提供相关协助）	桃米村当地生态环境
生态教育	新故乡文教基金会（提供生态系列课程让当地居民学习解说员培训课程）	"农委会"特生中心（提供解说员培训课程）、当地居民（参与相关课程）	台湾暨南大学（学生志愿工作者协助相关工作，教师提供专业知识）、台湾内外志愿工作者团体（提供相关协助）	桃米村当地生态环境
其他服务	桃米社区发展协会（调节社区发展）	新故乡文教基金会（辅导当地居民社区发展相关事宜）、社区居民（共同努力使社区共荣）	台湾暨南大学（学生志愿工作者协助相关工作，教师提供专业知识）	无

附件表2-10　商业经营系统的组织资源应用

行业或分工	核心组织	合作组织	支持组织	共生组织
导览解说	桃米社区发展协会（提供活动安排、景点或美食介绍、导览人员安排等服务）、导览人员（提供导览服务）	合作商家（配合基金会安排提供服务）	新故乡文教基金会（协助活动安排）	当地商号（游客前来观光后至当地商号消费）、新故乡见学园区（供游客前往观光，导览人员导览）
民宿业	当地民宿从业者（提供住宿服务）	桃米社区发展协会（提供活动安排、景点或美食介绍、导览人员安排等服务）、当地农民（提供当地新鲜食材）	新故乡文教基金会（协助活动安排）	当地商号（游客前来观光后至当地商号消费）、新故乡见学园区（供游客前往观光，导览人员导览）
餐饮业	当地餐饮从业者（提供餐饮服务）	桃米社区发展协会（提供活动安排、景点或美食介绍、导览人员安排等服务）、当地农民（提供当地新鲜食材）	新故乡文教基金会（协助活动安排）	当地商号（游客前来观光后至当地商号消费）、新故乡见学园区（供游客前往观光，导览人员导览）

行业或分工	核心组织	合作组织	支持组织	共生组织
农场、养蜂场、马场、养鸡场等	当地农场、养蜂场、马场、养鸡场等从业者（提供体验与观光服务）	桃米社区发展协会（提供活动安排、景点或美食介绍、导览人员安排等服务）	新故乡文教基金会（协助活动安排）	当地商号（游客前来观光后至当地商号消费）、新故乡见学园区（供游客前往观光，导览人员导览）
竹笋加工厂	当地竹笋加工厂从业者（提供体验与观光服务）	桃米社区发展协会（提供活动安排、景点或美食介绍、导览人员安排等服务）、当地农民（提供当地新鲜食材）	新故乡文教基金会（协助活动安排）	当地商号（游客前来观光后至当地商号消费）、新故乡见学园区（供游客前往观光，导览人员导览）
套装旅游行程	桃米社区发展协会（提供活动安排、景点或美食介绍、导览人员安排等服务）	当地合作商家（配合发展协会与基金会安排提供服务）	新故乡文教基金会（协助活动安排）	当地商号（游客前来观光后至当地商号消费）、新故乡见学园区（供游客前往观光，导览人员导览）

（三）运作模式分析与个案经营特点

1. 运营模式分析

社区型经济发展组织透过商业经营行为来维持其组织的持续发展，并透过商业经营行为的获利来为其成立的社会使命去做服务。因此，社区型经济发展组织的商业经营行为与社会服务类项目会有一定的互补关系，彼此相互依存，使组织能持续发展。

社会和联结经济这个术语指的是有明确的经济与社会目标的组织，可能涉及不同形式的合作、联合或联结关系。其中可能是合作社、互惠行业协会或从事价值活动的非行政当局组织、社会企业或公平贸易组织等（Lewis and Swinney，2008）。而链接经济是有组织的，透过草根性、自发性的群众参与形成。其集体行动需要透过网络、运动或结盟，让多个层面互相链接与合作，并且透过主要领导者或组织来领导整体的发展。因此，此部分内容将链接经济领导组织视为核心组织，与其合作或参与组织工作的外界组织视为合作组织、提供支持但不参与组织工作的组织视为支持组织以及不参与组织工作的外界组织视为共生组织。

核心组织、合作组织、非当局组织、社会企业或公平贸易组织等，相互间有紧密联系、互相扶持，共同支持桃米社区的发展。

2. 个案经营特点

（1）优势

首先，桃米村几乎各产业都会成立一个发展会，并由发展会协助分配资源，不仅减少当地因为抢生意而发生争执的问题，也让当地居民了解共同为了社区发展而努力的重要性。透过串联的方式，结合当地各行业从业者，由桃米村社区生态发展协会与新故乡文教基金会安排，使各行业从业者不再是竞争关系，而是透过串联的合作方式来让大家都能获得最佳收益。其次，社区型经济发展组织对农村社区重建提供了很大程度上的协助，以及在协助后带动其社区创业，桃米村社区有着当局部门的大量支持，台湾暨南大学也因校址位于桃米村，而提供多项资源给桃米村。再次，从事生态观光相关产业以发展农村社区经济，桃米村社区以当地原有生态丰富之优势为发展基础，以农村观光产业为当地主要收入来源,建设上需要居民们共同努力,并且依靠志工前往协助。最后,社区共荣发展,只要是因社区生态旅游产生的收入,皆划拨 5%~10%支持公共事务的支出与当地社区弱势群体的照顾。

（2）存在问题

首先,桃米村目前看似非常成功,然而当地青年人口外流状况仍极为严重,留于当地者仍以老年、幼年者居多。当地该如何运作使青年人口愿意回到故乡是其应努力发展的目标之一。其次,桃米村目前已成功转型,每年仅门票收入就高达 1000 万台币,然而,其重建资金来源几乎完全依靠公部门,此做法是否能使资源达到最有效应用?再次,新故乡文教基金会目前将服务范围扩展至埔里镇全区,发展方向为"再现蝴蝶共和国",是否能与桃米村的"青蛙共和国"和平共存与发展?以及,新故乡文教基金会是桃米村重建的最重要角色,但也曾因此与当地居民发生冲突。对居民来说其为外来者,为何该听外来者的话来改变自身生活环境与学习?此为各社区发展时可思考的问题,若与外部组织合作,该如何协调社区与该组织的分配?最后,以社区重建为初衷,桃米社区居民共识较强,但也极度依赖当局相关部门的经费支持与资源投入。

（四）桃米社区社会问题激发的双目标社会企业

社会或社区所遭受的重大问题,每一个个案都会有不同的应对措施。许多社会企业在这种情形下成立,并透过组织的模式来提供遭遇重大问题时的社会或社区服务,同时追求自身获利目标。一个拥有双目标的社会企业组织便在此情形下成立。此种社会企业在初期便有明确的社会性服务目标,同时对商业经营项目也努力争取。此种社会企业组织与社会型组织最大的不同点之一便在于此,社会组织大多到后期才开始思考或感受到商业的重要性。

社会企业组织的社会目标不一定是一成不变的,社区中的环境、内部结构以及社区经济发展结果都会促使问题消退,但也会有新问题产生,促使此社会企业组织再次面对新问题或旧问题的质变,来调整社会服务目标。社区经济型发展组织建立在两个经营目标上,一方面是为解决社会问题与达成其社会使命所提供的社会服务活动,另一方面是为支撑组织运作与社会服务所需的商业活动,而此两项活动需要不同性质与来源的资源。社会企业或社区型经济发展组织运营与提供社会服务所需资源,绝大部分都需要来自外部的支持投入。随着社会企业成长与经营投入的增加,其所获得的社会认同会越高,也会越容易获得外部资源。社区中不同经营目标资源提供者皆会受其原属组织的影响,尤以当局部门为甚,其资源的运用,皆须透过申请、核销、预算执行、绩效考察等的限制。若一社区中的经营者或社会服务参与者越多,对其决策的复杂性与行动效率的影响会越大,外部干预性也就会越大。

社区的经济发展会透过四类不同组织:核心组织、合作组织、支持组织与共生组织组成社区经济生态系统,在面对提供社会服务与商业经营的各类资源中,核心组织须能有效整合这些资源并维持组织以创造社区附加价值。在桃米村社区的个案中,核心组织则是社会组织,在此情况下的核心组织,则较需重视社区服务的提升与效果累积,才能吸引外部社会的认同与消费意识,以强化社区经济活动的发展。

（五）桃米村社区转型的经验总结

桃米村社区在受灾后出现的经济衰退、劳动力外流等问题是许多村庄在进行乡村建设中不可避免的阻碍，桃米村从一个重灾村到如今发展成为一个复合型的生态旅游休闲村，回顾其重建之路，有以下几点经验可供借鉴。

1. 注重生态环境保护

桃米村社区生态资源丰富，"桃米生态村"基于当地的生态资源而建，保护和涵养生态资源是桃米村发展生态旅游产业的支撑。一方面，新故乡基金会积极引导当地村民参与"保育行动"，通过开展大量的培训，帮助社区村民了解和熟悉青蛙、蜻蜓等的知识，并进一步认识当地生态资源的经济效益，使村民自觉加入重建家园的工作中。另一方面，桃米溪是桃米村最重要的水资源，桃米村开展了为期两年的"清溪活动"，社区村民团结一致开展了这场保护母亲河的行动，为接下来的生态旅游建设打下了基础。

2. 优化产业结构

桃米村在重建过程中始终坚持"生态为体，产业为用"的发展思想，着力打造"生态、生产、生活"协调发展的生态社区，独特的地理位置所造就的地域环境和丰富的自然物种资源是桃米村发展生态产业的优势。生态旅游产业是桃米村的主要产业，为进一步满足游客多样化的需求，桃米村进一步优化产业链，改变原来单一的产业结构，在生态观光产业的基础上，桃米村通过建设生态教育园区，将餐饮、住宿、文创、休闲农业连接起来，形成一条和谐高效的生态产业链。

3. 重视村民主体作用

桃米村社区的重建工作调动了学界、社会组织和当地村民等的力量，其中，桃米村社区村民的共建力量不可小觑，在重建活动初期，村民每天都要参加各种各样的培训，一开始村民不习惯，出现抵触心理，后来在基金会和当局的不断努力下，村民逐渐改变观念，开始接受新思想，自觉主动地加入重建活动，积极参与村中大小事务的讨论与实施。同时，在村民与当局和基金会等组织的关系方面，村民始终是桃米村的主体，尊重村民的主体地位可促使村民对自身的"重视"，从而激发村民的主动性和创造性，"桃米生态村"的成功转型也证实了村民协同合作的重要性。

五、中国浙江省安吉县高家堂村

浙江安吉县是"绿水青山就是金山银山"理念的诞生地、中国美丽乡村建设的发源地、绿色发展的先行试验区，是习近平生态文明思想的实践者与成功范例。安吉县高家堂村于2015年入选"中国十大最美乡村"，是浙江省第一批全面小康建设示范村，曾先后被评为"省级全面小康建设示范村""省级绿化示范村""省级文明村"。以生态农业、生态旅游为特色的生态经济在高家堂村呈现良好的发展势头，在全国范围内起到良好的示范作用。本小节基于2019年10月在高家堂村的实地访谈，考察当地科技在生态旅游中的应用情况，了解当地的生态旅游发展模式，探求乡村振兴支撑科技发展的新思路，总结当地美丽乡村建设的经验，为最美乡村建设总结工作提供素材，为新时代的乡村振兴贡献力量。

（一）概述

自 20 世纪 80 年代生态旅游概念提出以来，生态旅游便受到广泛关注，如今已成为带动社会经济发展的一大热点，尤其是在乡村振兴大背景下，部分乡村通过利用当地良好的生态资源发展生态旅游，取得了一定的经济效益和社会效益。随着生态旅游市场的不断扩大，为提高本地旅游业的竞争力，各地不断将科技注入旅游产业，带动旅游产业升级，科技在生态旅游中的应用日益增长。2012 年 10 月，高家堂村开门迎客，吸引了上海、杭州、苏州等多地游客。2014 年，全村域被认定为国家 AAA 级景区。于 2016 年被命名为"浙江省森林人家"。2017 年，高家堂村接待游客 38 万人次，单是全国各地的考察团就来了 246 批 8000 余人。作为"中国十大最美乡村"之一的高家堂村，通过运用现代信息化及智能化的相关科技手段，促进旅游在生产、管理、消费等诸多方面发生变化，不断推进旅游产业创新升级，以科技创新促动实施生态旅游发展战略，从而实现高家堂村生态旅游的可持续发展。

本小节主要根据调研所获资料，概述高家堂村生态旅游发展现状，详细说明其生态旅游发展过程中科技的应用概况，分析高家堂村发展生态旅游的优势和劣势，探寻其发展过程中各级政府的政策支持，最后以高家堂村为例，总结科技在现代生态旅游中的支撑作用，为乡村振兴研究提供第一手素材。

（二）高家堂村概况

高家堂村隶属浙江省湖州市安吉县，安吉县素有"中国第一竹乡、中国白茶之乡、中国椅业之乡"之称，县域面积 1886km^2，户籍人口 47 万人，下辖 8 镇 3 乡 4 街道 209 个行政村（社区）。2019 年，全县地区生产总值 469.59 亿元，比上一年增长 7.8%，完成财政总收入 90.09 亿元，比上一年增长 12.5%，其中地方财政收入 53.56 亿元，同比增长 14.2%（安吉县人民政府，2019b）。由附件图 2-11 和附件图 2-12 可以看出，安吉

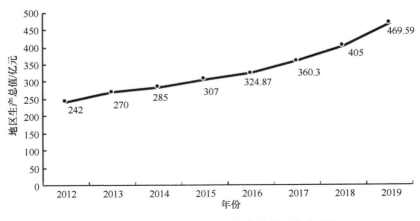

附件图 2-11　2012～2019 年安吉县地区生产总值

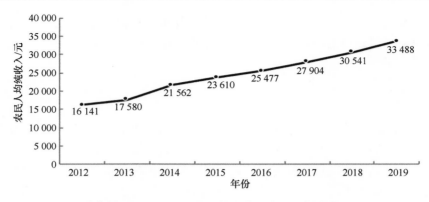

附件图 2-12　2012～2019 年安吉县农民人均纯收入

县全年地区生产总值和农民人均纯收入持续稳定增长，呈现良好态势（安吉县人民政府，2019a）。

高家堂村位于安吉县山川乡南侧，东邻余杭，南界临安，西北与天荒坪接壤。全村山林面积 9729 亩，水田面积 386 亩，是一个竹林资源丰富、生态环境良好的浙北山区村。高家堂村党总支下设两个党支部，现有村干部 5 人，党员 71 人。全村辖 9 个村民小组，共 210 户，总人口 863 人。该村是浙江省第一批全面小康建设示范村，先后被评为"省级全面小康建设示范村""省级绿化示范村""省级文明村""全国绿色建筑创新（二等奖）""全国环境优美乡""全国绿色小康村""全国文明村镇""全国民主法治村""国家级生态村""中国美丽乡村十大建设模式""全国美丽宜居示范村""全国生态文化村""全国百佳乡村旅游目的地"等。

从 1998 年开始，高家堂村对 3000 余亩的山林实施封山育林，禁止砍伐。2000 年以来，作为省级村庄环境建设试点村，全面开展了环境建设工作，投入 300 余万元对村庄环境进行了彻底整治，新建进村大桥，拓宽进村道路，新增绿地面积 2500m²，道路两旁进行全面绿化，人均绿地达 12m²。进村道路沿线安装路灯并配置了垃圾箱，开始实施垃圾分类收集管理，聘任专职保洁员每天将村庄内垃圾运往乡垃圾中转站，确保生活垃圾在村内滞留期不超过 2 天。2003 年投资 130 万元修建了环境水库——仙龙湖，对生态公益林水源涵养起到了很大的作用，还配套建设了休闲健身公园、观景亭、生态文化长廊等；2004 年完成了浙江省第一个农村应用美国阿科蔓技术的生活污水处理系统，建成了湖州市第一个生态公厕，同时建成了以环境教育、污水处理示范为主题的湖州市第一个生态公园，提升了整个村的环境品位；2005 年人均 GDP 3.03 万元，人均收入 8729 元；到 2018 年，村集体经济经营性收入 139 万元，农民人均纯收入 38 138 元（附件表 2-11）。如今，村生态经济快速发展，生态经济对财政的贡献率达到 50% 以上，成为当地经济增长的支柱，以生态农业、生态旅游为特色的生态经济呈现良好的发展势头。

附件表 2-11　高家堂村人均收入情况

年份	2003	2005	2013	2015	2016	2017	2018
人均纯收/元	7 152	8 729	21 164	30 778	34 000	35 000	38 138

数据来源：安吉县高家堂村党支部提供的资料。

现在，高家堂村把发展重点放在做好改造和提升笋竹产业上，形成特色鲜明、功能突出的高效生态农业产业布局，同时积极鼓励农户进行竹林培育、生态养殖、开办"农家乐"，并将这三块内容有机地结合起来，特别是"农家乐"乡村旅店接待来自沪、杭、苏等大中城市的观光旅游者，并让游客自己上山挖笋、捉鸡，使得旅客亲身感受"看生态、住农家、品山珍、干农活"的一系列乐趣，亲近自然环境，体验农家生活，又不失休闲、度假的本色，此项活动深受旅客的喜爱，农户本身也得到了实惠，增加了收入。

（三）高家堂村生态旅游现状

1. 总体现状

高家堂村地处浙江省西北部，作为长江三角洲经济区内一颗璀璨的绿色明珠，环境优美、风景宜人，具有得天独厚的旅游开发条件。正所谓"留住了绿水青山，换来了金山银山"，顺应改革开放的浪潮，随着美丽乡村、新农村建设的不断推进，高家堂村近几年来结合自身实际情况，围绕乡村旅游进行了十分有益、适用于当地具体特点与大的时代环境的探索。在这一过程中，建设者们提出很多先进方法和理念，展开了许多有力、有序的工作，使当地的乡村旅游业获得了长足的发展。高家堂村的乡村旅游，不但在全国范围内取得领先，且当之无愧成为带动当地经济发展、生态环境维护改善、人民生活水平提高、人们知识文化水平提升的"神兵利器"。

2. 优势

（1）总体效益保持较快增长

全域旅游是安吉县践行"两山"理念的最有力抓手，安吉县休闲旅游经济的产业全域化、空间全域化、行业全域化，促使旅游业成为全县最具优势、最富潜力、最有特色的富民产业。附件表 2-12 是 2014～2018 年安吉县全年接待国内外旅游的人数，附件表 2-13 是 2014～2018 年安吉县全年旅游总收入，附件表 2-14 是 2015～2018 年安吉县全年旅游景区门票收入，附件图 2-13 是安吉县接待国内外旅游人数和全年旅游总收入增长比例，从这些图表中可以看出，安吉县的旅游业持续向好（安吉县人民政府，2019a）。

附件表 2-12　安吉县全年接待国内外旅游人数

年份	2014	2015	2016	2017	2018
人数/万人次	1204.8	1495.2	1928.8	2237.52	2504

附件表 2-13　安吉县全年旅游总收入

年份	2014	2015	2016	2017	2018
收入/亿元	127.5	175.6	233.2	282.69	324.74

附件表 2-14　安吉县全年旅游景区门票收入

年份	2015	2016	2017	2018
收入/亿元	3.71	6.68	5.62	6.36

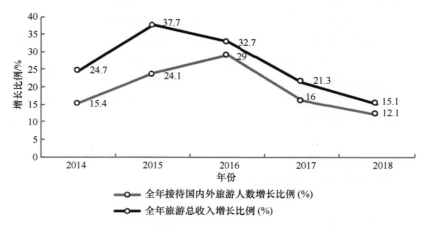

附件图 2-13　安吉县接待国内外旅游人数和全年旅游总收入增长比例

自 1998 年起步以来，高家堂村乡村旅游业实现了从无到有、从单调到丰富、从质量较低到高质量的历史性跨越，并保持持续较快发展的良好势头。从 2008 年开始，高家堂村以"浪漫乡村——高家堂"为主题，充分利用自然资源，全力打造休闲型乡村旅游示范村。2011 年，高家堂村集体收入达 17 万元。2014 年，进入高家堂村需要先在村口买门票，"卖风景"让高家堂村一年获利上百万元。2015 年，景区门票收入 150 万元左右。2017 年，高家堂村接待游客 38 万人次，旅游收入达 900 余万元，村集体收入 144 万元。目前，生态旅游等生态经济对财政贡献率已达 50% 以上（黄平等，2018）。

与之对应，通过美丽乡村建设和乡村旅游发展，高家堂村实现了村民的增收。在旅游公司中，村里占股 30%。高家堂村把这 30% 的股份全部送给村民，每年每个村民都能从乡村旅游股份、水资源股份和竹林合作社股份中拿到分红。除此之外，我们在调研过程中发现，2019 年部分民宿价格已逾 300 元。把民宿、餐饮等的职业作为主业和副业，村民收益持续增长。

（2）经济结构不断优化

"我们对于旅业业的探索没有止境"，在接受采访的过程中，高家堂村的村主任潘小众这样强调。当下，高家堂村的旅游模式已由传统观光游向观光、休闲复合游转型，按照"深化生态理念、提升村庄品味、释放美丽效益"的思路，围绕"生态立村-生态经济村"这一核心，将自然生态与美丽乡村完美结合，在保护生态环境的基础上，充分利用环境优势，把生态环境优势转变为经济优势，以景点为引擎，力求拉动第一、第二、第三产业融合发展，使以生态农业、生态旅游为特色的生态经济呈现良好的发展势头。

高家堂村的产业发展模式是以第三产业拉动第一、第二产业。"农家乐"的普及、旅游景点的遍地开花，一定程度为蔬菜种植、竹子采伐、茶叶种植提供了动力，同时也带动了相应加工业的发展，如开展竹产业相关的合作社，专人采伐制作，并主动与市场对接，需要多少生产多少，不积压产品，做到供需平衡，为农户提供信息、技术、流通方面的服务，开发深受人民喜爱的竹制成品、半成品，取得了一定的效益。成立竹笋专业合作社，流转全村 3800 多亩毛竹林，从零散销售到规模经营，为广大农户拓展了创收渠道。又如，村里积极鼓励农户开展竹林培育、生态种植养殖、开办"农家乐"，并将这三块经营有机地结合起来，让游客体验农家生活、感受农家趣味；再如，村中鼓励农户进行白茶生产种植、加工、销售，并运用科技增加农产品的附加值，在扩大安吉白茶影响力的同时让村民从中取得了较大的收益……通过种种手段，高家堂村实现了三种产业的共同进步。

（3）生态环境保护意识强烈

发展乡村生态旅游必须以生态环境保护为第一原则，经济利益、社会效益必须让位于生态保护，确定开发的目的是为了保护，重视生态恢复，将旅游收益转化为生态补偿费用，建立有益于子孙后代的可持续发展模式（吴海燕，2019）。安吉县以美丽乡村建设为载体，坚定不移守护"绿水青山"，做大"金山银山"，共享"两山"转化成果，农村人居环境明显改善（浙江省安吉县委县政府，2017）。自然保护方面，高家堂村采用"铁腕治污+科学管理+休闲旅游+生态产业"的生态保护模式，到目前，污染企业在高家堂已难见踪影，可以落地的都是涉及乡村旅游、能够带动村落发展的项目；种植白茶不用化肥农药，而是采用杀虫灯、防虫材料等新兴科技产品来应对病虫害，采用喷灌、滴灌技术节约用水；根据当地实际，突出发展林业产业和生态休闲产业，建设高效毛竹林现代园区和世界银行毛竹林阔叶林树套种项目；发展公共交通，推行旅游观光车，减少了尾气污染；推行垃圾不落地，运至中转站统一处理；应用美国阿科蔓技术的农家生活污水处理系统，处理全村70%以上的生活污水。经过生态净化以后的生活污水，用来浇灌蔬菜和冲刷公厕。目前，高家堂村生活饮用水卫生合格率达100%，空气质量已达一级标准，环境质量达Ⅰ类。

做到了气净、水净、土净，让低能耗的绿色产业成为村民的聚宝盆，高家堂村成功贯彻了绿色发展理念，留住了"绿水青山"，拿到了"金山银山"，赢得了可持续发展的空间，走上了一条集休闲、度假、观光、娱乐为一体的村庄经营可持续发展之路。关于可持续发展，除了当前的绿色发展之外，高家堂村在其他方面也有充分的规划。潘小众说："接下来，我们想让村民在更大层面享受到建设成果，拓展村庄空间，让每个村民都能参与自主经营""我们现在还预留了一半的土地没有开发，留给我们的子孙后代，以免下一次机遇到来时他们无地可用"。正是如此，高家堂村仍然保有继续发展的空间与潜力，不至落后于时代的大潮。

（4）规划先行的发展思路

张钰瑜（2018）认为，发展乡村生态旅游需要科学的设计以形成休闲旅游发展的支撑，增加村镇的旅游吸引力，带动整个地区的生产发展。在景区建设上，高家堂村注重经济发展规划先行，将整个村庄作为一个景区进行打造。潘小众介绍，2012年，高家堂村投入200万元，委托浙江省相关专家规划、设计、指导全村美丽乡村经营格局，形成"一园一谷一湖一街一中心"的村休闲产业观光带（即东篱农业观光园、七星谷、仙龙湖、环湖观光街、竹烟雨溪接待中心）。景区开建后，规定所有落户项目，必须与休闲旅游业相关，百姓、政府、项目方都得益也成为落地的重要标准，充分挖掘出山水文化、山民文化、浪漫文化等风情旅游资源，为游客提供观光、运动、休闲、娱乐、餐饮、住宿、购物等综合服务。2017年着手建设"云上草原"项目，利用海拔800m以上雪线的地形优势以及已有的品牌优势，建造了以高山星空滑雪场为亮点，集竹海观光索道、山地极限运动小镇等为一体的高山生态旅游区。2019年7月，"云上草原"正式投入运营，国庆假期期间，"云上草原"景区的门票在假期前5天全部售罄。

具体项目上，高家堂村运用系统优化的方法，利用海博山庄、七星谷、别院山川等现有的资源来满足"吃住行娱购乐"等旅游要素需求；结合美丽宜居项目，建设环湖商业街；结合美丽乡村精品示范村项目，整体改善村庄环境；利用林道改造，建设通景观光休闲道；利用休闲观光道，使分散的业态能连点成线；利用"云上草原"景区，在冬季吸引游客前来，打破季节性过强的问题；通过旅游集散中心，将旅游服务与业态有机结合起来，实现项目投资、工程建设对村庄经营的贡献最大化。基础设施方面，村班子领导立足村域大景区建设、旅游一盘棋思想，投入资金用于配套设施建设，夯实村域旅游大景区建设的基础框架和支撑系统。在 2018 年和 2019 年，大力招标拓宽公路，增修停车场，重新规划了电力、饮水、卫生、污水垃圾处理等体系，并对楼房道路规格等进行了统一规定，带动了村落的现代化，使之适应了发展乡村旅游的需要。配套服务设施方面，2018 年，高家堂村已有约 40 家"农家乐"，餐饮从业者数量也有了很大的增加。同时，科技得到越发广泛的应用，农业生产科技，污水处理技术以及网络宣传、售票、销售，景区、停车场无人化运行等现代化运营方式得到推行，给当地的发展带来了众多利好。

（5）各级政府的大力扶持

乡村生态旅游具有一定公共物品属性，完全依靠市场调节是远远不够的，在乡村生态旅游发展中，政府应该有所为有所不为，扮演好主导、扶持与服务的角色（杨光辉，2016）。在湖州市、安吉县的政策方针引领下，安吉县就扶持旅游业发展达成共识。安吉农商行与县政府对接，推出"美丽乡村贷"，投放模式从"先发展再支持"转变为"先支持促发展"。2008 年以来，"美丽乡村贷"投入超过 7.8 亿元，支持行政村 118 个，惠及 31 万余人。同时，安吉县就不同地区进行了不同的规划，高家堂村所在的区域划归旅游业发展区，减少甚至放弃在工业等方面的考核，为高家堂乡村旅游业的发展提供了良好的政策氛围，产业扶持达成长期共识，"合众兴旅"局面基本形成。

针对旅游资源管理权分属不同部门，造成条块分割、政出多门、职能交叉的管理体制，难以构建资源统一保护、整体开发的"大旅游"格局，安吉对行政体系进行了梳理，促使不同部门、地区有序配合。例如，临近乡村在高家堂的产业，其效益仍归于自身；不同村落进行符合各自特色的开发，避免重复和恶性竞争……这些方面为包括高家堂村在内的许多地方打破门槛、减少纠纷，与周边乡村合理分配利益、有序竞争、共同致富提供了良好的环境。

（6）合作体系健全

在合作体系方面，近年来，安吉县以美丽乡村建设为主载体，以休闲旅游为主导向，营造了村庄经营的浓厚氛围，从中涌现了一批经营村庄的典型。其中，高家堂村的村企合作在发展乡村旅游中便是一种全新的经营模式，实现了村庄、企业、村民三方共赢的村企合作模式，为村企合作经营乡村旅游提供了新的思路。在招商与品牌打造方面，2012 年，高家堂引入社会资本共同组建安吉蝶兰风情旅游开发有限公司，以 30%的比例入股，其余交给旅游公司经营。引资方面，在社会资本的帮助下，该村已投资 6000 万元的海博度假项目、投资 4000 万元的水墨桃林项目、莱开森水上游乐项目……几年间，六大项目近 3 亿元旅游资本落户高家堂村。2017 年建设的"云上草原"一期计划投资 11.2 亿元，规划面积 5000 亩，更加体现了高家堂村强大的招商引资能力。

（7）村民素质不断提高

"环境美了，生活富了，社会事业跟着大发展"。在高家堂村获得改变的同时，村民充分享受到了乡村旅游带来的成果。村里建有村民活动室、读书人之家、生态文化长廊、休闲健身公园、医务室、观景亭等公共设施。在发展旅游业的过程中，农民的土地虽被流转，但这些被流转的社会资源并没有单纯使企业受益而侵害百姓的权益。高家堂村按照程序与投资企业签署了合同，村企合作使这些土地资源被转化并反馈为村民的就业渠道和收入来源。例如，村委把占有的共30%股份全部下放于村民，还有规划并改善村庄的基础设施的措施等，成功地在带动当地经济发展的同时完善当地的基础设施建设与保障体系，实现了村子与企业的共赢。生态立人，高家堂的农民也有了可持续发展理念，养成了垃圾不落地的习惯。村民素质与经济同步发展，文明和谐成为又一风景线。此外，不论是否有经济效益，村民对待游客热情而富有耐心，邻里间、行业间相互帮扶比较普遍。例如，在调研过程中，我们看到卖茶叶的村民会推荐游客去"云上草原"景区游玩。通过自身的不断努力以及良好的民风，高家堂村取得了令人瞩目的成绩。

3. 劣势

（1）旅游承载力有限

2019年7月刚刚正式对外试运营的"云上草原"景区，景区接待游客日容量最高为3000人，有时需要通过门票控制游客数目。高家堂村山地森林占比大，可用土地有限。一方面，为响应上级政策进行环境保护，打造生态休闲旅游与适宜的人居环境的需要，当地在保留预备用地的前提下难以再开发更多的高质量景区，环境承受能力十分受限。另一方面，通过走访我们了解到，当地常住居民只有400人左右，而从事旅游行业的仅大约300人，劳动力需要从外引进，直接导致高家堂的"农家乐"、旅馆、民宿数量不足，入住往往需要预定，有的餐馆不论是饭菜可口程度、服务质量还是上菜速度都需要提高，在一定程度上无法满足全部游客的需求，较难取得更多的收益。

（2）治理污染成本高

为了治理污染，高家堂关闭了污染企业，并力求去除农业污染，为此成立了竹林专业合作社，规定禁止任何化学除草剂上山，全部雇佣人力，恢复以前刀砍锄头挖的原始除草方法，虽然从源头上杜绝了水、土壤污染，但成本提高了十几倍。与此同时，高家堂应用美国阿科蔓技术的农家生活污水处理系统以及成立物业管理小组，在每家门口摆大垃圾桶，每天早上有专人挨家挨户收集垃圾，统一运往乡里的垃圾中转站，推行垃圾不落地的成本也比较高昂。

（3）未打破"假日经济"的瓶颈

据接受采访的当地村民反映，截至目前高家堂村的淡旺季分化仍然明显，甚至是"冰火两重天"——景区产品以山水观光为主，受季节变化影响较大，同时游客以中线、短线出行为主，出游时间较为集中，以致平时前去的人少，一到假期便蜂拥而至；夏季人最多，日旅游人次超过4000人，当地的交通时常陷入瘫痪，但冬季却几乎看不到游客（可能因为"云上草原"2019年才修成）。这种"假日经济"导致景区设施、配套服务淡季闲置、旺季紧缺，制约旅游资源的高效利用，严重影响景区和地方住宿餐饮业的经济效益。目前，高家堂村已开始着手解决该问题，如"云上草原"的雾凇观赏和滑雪场项目，已经经过建设并可以在冬季投入运营，这将有望在相当程度上缓解淡旺季分化的问题。

（4）配套服务基础设施不完善

基础设施上，通过实地走访调研，我们发现高家堂村的道路多为双车道，没有大路，旅游旺季时经常"瘫痪"（调研时正值国庆期间，堵车从上午 8 时持续到 10 时仍未畅通），停车场不论数量还是面积都过小，不能满足自驾游游客的停车需求，易影响游客的参观情绪。景区内的公厕和各种指示牌的数量较少，村中的"农家乐"等服务业设施较多，但是服务质量参差不齐，便利店较少（调研小队在调研途中只看到一家），给旅客带来不便。

（四）以科技为推手，促进高家堂村生态旅游的可持续发展

为了解决高家堂村生态旅游的发展劣势，真正做到生态旅游的可持续发展，政府采取了诸多措施，其中，科技在其中发挥了主要作用。时空压缩理论表明，通信技术和交通运输的进步引起了人际交往所需的距离和时间的缩短，间接证明了科技对旅游业的助推作用。随着社会经济和科技水平的飞速发展，现代旅游在基础设施、景区配置、环境保护等方面越来越注重科技的运用。

1. 中外污水处理技术，助力生态旅游发展

生态旅游具有两个要点：一是生态旅游的对象是自然景物；二是生态旅游的对象不应受到损害。高家堂村处于丘陵地带，依山而建，山体北面地势较缓，村内有仙龙湖，拥有丰富的生物资源。为了保护优秀的自然风光，该村在响应浙江"五水共治"政策的基础上，建立了农村生活污水处理系统，保证优质的水资源供应，营造了良好的生态环境。经调查，该村有污水处理系统 6 个，且拥有湿地、微动力等多种模式，具有模式多、针对性强的特点，其中还特意引进了美国的阿科蔓污水处理系统，成为浙江第一个拥有农村污水处理系统的村落。下面是高家堂村生活污水处理项目的简介。

（1）地埋式污水处理一体化设备在生态旅游中的应用

污水收集管网收集的污水流入格栅池（进水井），去除部分悬浮物后进入污水收集池（调节池）调节水量，再由水泵进入一体化污水处理设备（玻璃钢管），一体化污水处理设备包括初沉区、厌氧区、兼氧区、好氧区、污泥回流单元、混合液回流单元、沉淀区及淤泥排除单元，通过厌氧、兼氧及好氧区处理将污水中有机物逐步进行降解净化，然后再进入沉淀区、过滤区进行泥水分离，净化污水经消毒后达标排放。沉淀池剩余污泥部分回流至厌氧区，部分抽至污泥池，定期排除（附件图 2-14 和附件图 2-15）。

（2）人工湿地污水处理系统在生态旅游中的应用

这种污水工艺，由围护结构、人工介质、水生植物等部分构成。人工湿地继承了传统湿地的生态净化功能，通过生长于其中的植物，吸附金属及一些有害物质，很多植物还能参与解毒过程，对污染物质进行吸收、代谢、分解，实现水体净化（附件图 2-16）（中国污水处理工程网，2012）。

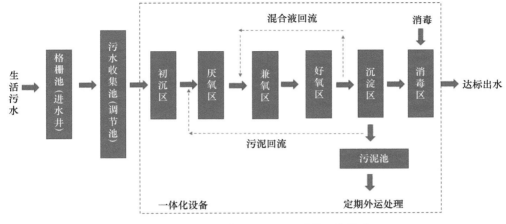

附件图 2-14 一体化污水处理系统工作模式

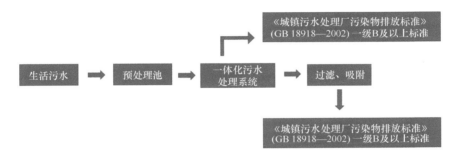

附件图 2-15 一体化污水处理系统工作原理

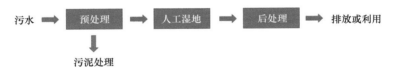

附件图 2-16 人工湿地污水处理系统工作模式

（3）阿科蔓污水处理系统在生态旅游中的应用

针对好氧和厌氧处理，阿科蔓提供了一体化的紧凑型反应器（AKMAN®UBOX）；针对污水出厂后的脱氮处理效率和成本问题，阿科蔓的技术以一种高性价比和可持续的方式去除氨氮，该技术比传统的处理工艺节省 60% 的能耗；针对厌氧出水的后处理，厌氧反应器的出水仍含有一定浓度的生物需氧量（BOD），可能还有氨氮和磷，阿科蔓提供多种技术用于厌氧出水的后处理。CIRCOX®反应器是一种用来处理厌氧出水非常有效的好氧工艺。它利用气提式反应器中附着于载体上的生物膜处理污水。这种紧凑的、全封闭的好氧处理装置具有优异的净化效果，出水可达到直接排入地表水体的要求。在去除 BOD 的同时，在同一座反应器内通过硝化（反硝化）方式实现对总氮的去除。

PhospaqTM 技术和阿科蔓技术的联用，能够以高性价比和节能的方式去除并回收磷酸盐和氨。相对于传统的硝化（反硝化）工艺，阿科蔓技术不需要将碳源用于反硝化，所以废水中全部的 BOD 负荷都可以用来产生沼气。为了提升（市政）污水处理厂最终出水的品质，ASTRASAND®连续流砂滤技术在最终去除氨氮和硝基氮上非常有效，它能有效地去除磷酸根和 BOD，而且可以在单个砂滤器内实现对上述组分的同时去除。ASTRASAND®连续流砂滤技术可将出水中的总氮和正磷酸盐浓度分别降至 2mg/L 和 0.15mg/L 或以下（数据来源于阿科蔓公司网站）。

2. 高度重视信息化科技，提升乡村旅游曝光度和舒适度

（1）线上营销

高家堂村面对的主要为江浙沪地区的客源，江浙沪地区人均收入水平高、消费水平高、经济条件好，重视线上的宣传和营销，一方面响应了浙江省"智慧旅游"的政策，另一方面也增加了销售渠道，扩大了产品知名度，带来了巨大的经济效益。

1）旅游景点的线上销售。"互联网+旅游"的方式是当今"智慧旅游"在具体方面实施的表现。满足了当代旅游者的需求，为旅游者提供一体化智能服务。不仅实现了分散于旅游产业链中各种信息的结合，还让旅游者能够得到与之相关的信息（傅士芹，2017）。并且旅游者能根据自己的个性需求，搜索出多个方案和路线进行选择。高家堂村的主打旅游品牌"云上草原"目前采用线上售票的方式进行宣传和销售。首先是线上预售，建立网上预订系统，提供景点信息和参观路线，在到达之前就让旅游者尽快地了解景区情况。这一技术的应用进一步增加了市场占有率，由于对未来游客数量有预期，减少了季节性损失，同时简化和加快旅游业销售程序，增加可处理交易量，提高旅游经济效益。其次是"定点放票"，面对"五一"长假、"十一"黄金周等节假日门票供不应求的状况，高家堂村的售票采用"定点放票"的方式尽量满足游客的需求。给每个游客"放绿灯"，让游客"少堵车"。

2）旅游产品的线上销售。高家堂村的茶商建立自己的销售渠道，发挥互联网和物联网优势，采用线上线下相结合的销售方式，让买家在当地的实体店或者寄去样品确认质量，再进行电商平台的线上购买，既保证品质，也保证价格和服务质量。这样的线上购买方式，减少了实体店的面积和数量，减少了经营成本，提高了销售效率和市场占比，成为高家堂村茶叶经济增长的新渠道。可以说，科技使旅游市场的外延和空间不断扩大。

（2）停车场电子化

面对人工成本逐渐升高的趋势和人工效率低的弊端，以及高家堂村老年人口多的现实劣势，高家堂村在停车场建立了智能车场管理系统和停车场收费系统，实现停车场管理无人化。通过电子化的控制，系统对进入停车场的每一辆车都会自动储存一个停车记录，智能车场管理系统还具备图像对比、车主车辆抓拍等功能，车辆进出停车场时可以进行信息对比，系统自动计算停车时间和缴费金额，同时，车主可以通过自助缴费功能缴纳停车费用，可通过微信、支付宝、银联卡等进行电子支付。停车场管理技术的应用也间接地扩大了停车场的容量，为游客提供高质量的服务。科学技术的发展，使未来的旅游服务设施具有高度的智能性，符合游客的便利性和舒适性要求。

3. 村庄发展创新思维，引领乡村产业转向高质量发展

（1）生态旅游产业规划

对旅游产业科技创新制定一个长短期相互结合的详尽规划，提高旅游产业科技成果的适用性，可促进实现技术先进、生产可行与经济合理达到有机的统一（王兆峰，2019）。

依据安吉县生态旅游开发需求，如何形成多元化、优质化的生态旅游体系是一个重要课题，形成"一县四区"的生态旅游产业格局，树立全域旅游观念，推进安吉的旅游资源空间整合。

（2）三产协调和转变

近年来，安吉县坚持"农业+旅游"的发展理念，发展休闲观光农业和乡村旅游，提升农业效益，实现第一产业与第三产业良性互动、协同发展。附件表 2-15 是 2013～2018 年安吉县三次产业增加值情况，可以看出，三次产业的增加值持续增长，第三产业增速最快。附件图 2-17 是 2013～2018 年安吉县三次产业占全县生产总值的比例（安吉县人民政府，2019c），由该图可以看出，第一产业和第二产业占比持续下降，第三产业持续上升。通过对高家堂村的走访，我们了解到，以往大部分年轻村民外出工作赚钱，村内一般以第一产业种植毛竹、白茶为主，但随着旅游业在高家堂村的经济比例扩大，出现了一种新的经营模式。年轻村民上班期间在城市工作，放假期间回家经营民宿等副业，近几年来，这种"复合型"的工作模式也越来越多，从侧面反映了高家堂村经济模式的转变。在工业方面，"五水共治"与"三改一拆"实行以来，高家堂村整改拆迁造纸污染行业，将原有企业集中到安吉工业园，建设污水处理厂，统一处理污水，降低污水处理成本，避免了河水污染，也扩大了安吉工业规模，产生规模效应。

附件表 2-15 2013～2018 年安吉县三次产业增加值情况

产业增加值类别	2013 年	2014 年	2015 年	2016 年	2017 年	2018 年
第一产业增加值/万元	256 222	254 730	260 556	266 412	259 659	263 788
较上年增长/%	0.7	1	1.5	1.9	2.3	2.9
第二产业增加值/万元	1 296 792	1 382 787	1 400 957	1 442 422	1 594 301	1 782 977
较上年增长/%	11.1	8.5	5.8	5.5	8.3	7
第三产业增加值/万元	1 101 261	1 213 062	1 371 952	1 539 910	1 749 091	1 996 482
较上年增长/%	7.1	6.8	13	9.7	10.4	10.4

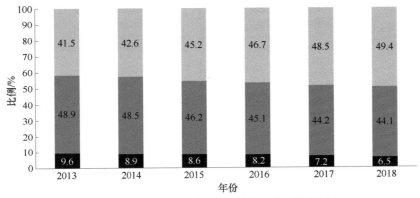

附件图 2-17 2013～2018 年安吉县三次产业占全县生产总值比例

科技应用贯穿于高家堂村的整体发展，从宣传购票到进入高家堂村，再到离开高家堂村，每一步都有现代科技的参与，也正是因为这些科技因素，使得高家堂村紧跟时代潮流，在为游客和村民带来便利，提升游玩满意度的同时，也渐渐走向生态旅游发展的前列。综上所述，高家堂村的科技要素应用和实施案例可以用附件表 2-16 和附件图 2-18 来展现。

附件表 2-16　高家堂村科技要素应用及对应案例呈现

案例呈现		科技要素
景区规划		"3S" 技术
景区经营	宣传	微信公众号、抖音、携程等
	售票	微信公众号、驴妈妈等
	停车场	智能车场管理系统和停车场收费系统
	农村污水处理	阿科蔓污水处理系统、一体化污水处理系统工作模式、人工湿地污水处理系统等
旅游产品经营	白茶销售	电子商务模式
	毛竹生产	电子商务模式

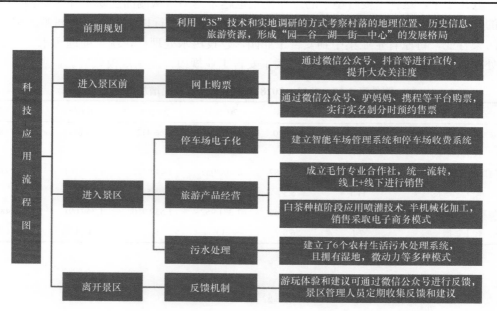

附件图 2-18　高家堂村科技应用流程图

（五）科技支持生态旅游中的政策支持

从昔日的浙北普通小山村到今日的绿水青山绵延不断、生态旅游蓬勃发展、科学技术应用广泛的现代村落，高家堂村仅仅用了几十年的时间就完成了华丽转身，这其中少不了村民持之以恒、久久为功的努力，也少不了上至国家下至乡镇的前瞻性、制度性的优秀政策支持，也必然有村领导干部积极响应上级，有能打敢拼的先锋精神的引领。时隔 15 年，2020 年 3 月 30 日，习近平同志在湖州市安吉县天荒坪镇余村村考察调研时强调，"绿水青山就是金山银山"理念已经成为全党全社会的共识和行动，成为新发展理念的重要组成部分。实践证明，经济发展不能以破坏生态为代价，生态本身就是经济，保护生态就是发展生产力。

　　1. 湖州市级政策支持

　　（1）湖州市与浙江大学合作

　　湖州市与浙江大学双方在湖州实施"1381行动计划"，即建设一个省级社会主义新农村实验示范区；构筑科技创新服务平台、人才支撑平台、体制机制创新平台；实施产业发展工程、村镇规划建设工程、基础设施工程、生态环境工程、公共服务工程、素质提升工程、社会保障工程、城乡综合改革工程在内的"八大工程"；围绕新农村建设，搞好一百项重点建设项目。同时，在"1381行动计划"框架内，浙江大学还将制定一批规划，建立一批基地，总结一批经验，树立一批典型，合理探索"以科技为支撑，由政党主导、以农民为主体、各方主动参与"的社会主义新农村建设的推进机制，加快湖州的社会主义新农村建设。"1381行动计划"惠及安吉县高家堂村，为其提供了强有力的智力支持与人才支撑。

　　（2）"百村示范，千村整治"工程

　　该工程主要经历了村庄环境整治、美丽乡村建设、打造美丽乡村升级版三个阶段。切实加强政策扶持，切实加大财政投入，主要用于村庄规划编制补助、小城镇及村庄整治以奖代补、示范村建设奖励、生活污水处理、垃圾处理等区域性重点建设项目补助；鼓励农村宅基地依法流转，提倡在中心村按规划建设农村新居；积极探索"宅基地有偿选位"；对已在城镇居住的农户自愿退出原宅基地的，给予一定的经济补助；全面开展了以"畜禽粪便污染整治、生活污水整治、垃圾固废整治、化肥农药污染整治、河沟疏浚整治和提高农村绿化水平"为主要内容的"农村环境整治工程"，使得农村人居环境全面改善。更加整洁的村容村貌、更加和谐的人居环境在造福当地百姓的同时，也大大提升了高家堂村旅游业的竞争力与服务水平。

　　（3）科技特派员进村帮扶

　　广大科技特派员积极引进和推广新品种、新技术、新设备，通过"做给农民看，带着农民干，帮着农民赚"，使一大批科技成果和模式直接应用到农业生产领域，促进了当地农业产业发展。在带领农民创业致富的同时，科技特派员还充分利用现场培训、课堂教学、发放材料等形式，开展了贴近生产实际的专业技术推广和综合知识培训，带领和指导广大农民学科学、用科学，普遍提高了农民的科学素质，培养和造就了一批"有文化、懂技术、会经营"的新型农民。随着科技特派员制度的实施，湖州市已累计培训农民超21万人。为了使科技特派员在服务"三农"方面发挥更重要的作用，下一步湖州市将进一步创新科技特派员工作模式，着力发挥科技特派员在乡村振兴中的人才引领作用，促进科技特派员在乡村振兴舞台上有更大的作为，全面助推乡村振兴战略实施。

　　2. 安吉县级政策支持

　　（1）立足"旅游经济"

　　安吉县制定《安吉县旅游综合改革试点工作三年行动计划》和《安吉县加快发展休闲经济若干政策》，目标是打造"全省首批旅游综合改革试点示范县"，建设"长三角首选乡村休闲旅游目的地"，建成"全国首个县域乡村旅游大景区"。在政策支持上，为提升旅游业发展的战略地位，逐年增加旅游业专项资金，着重用于主导品牌宣传、旅游集散中心建设、基础设施完善等工作，出台针对乡村旅游的专项扶持政策，加大旅游项目建设的土地指标供应；在规划完善上，高度重视《安吉休闲旅游业发展总体规划》的编制质量和规划会审工作，在此基础上，加快修编旅游资源开发专项规划及重点景区的详细规划，提高规划执行的监管力度，解决各自为政、无序发展的积弊；在项目建设上，提供优厚政策、优质服务，加快推进高端项目建设，同时超前谋划项目的对外宣传，吸引游客注意力和期待感，为项目未来投放市场宣传集聚人气。发展旅游业是一本万利、环保高效的正确选择，同时高家堂村的村民也深知这是一个摆脱贫困、走向富裕生活的法宝。

（2）着眼"竹林经济"

竹文化提升了安吉生态旅游的竞争力，同时生态旅游为竹文化注入新的发展动力，"竹文化+"的生态旅游模式大力推动了安吉县乡村振兴（魏瑜等，2019）。早在20世纪90年代末，安吉县就确定了"立足竹资源优势发展大产业，将小品种、小题目做成大文章"的发展思路。近些年来，安吉县不断推动加工业科技创新、转型升级，使得竹产业的链条不断延伸，实现了从原来卖原竹到吸纳外地竹资源、从用竹竿加工到全竹利用、从物理利用到生化利用、从单纯加工到链式经营的四次跨越，实现了全竹高效利用，产业升值空间越来越高。安吉县在大力发展第一产业培育竹资源的同时，推动第二产业转型升级，提高资源利用的科技含量和附加值，同时依托百万亩"大竹海"，吸引农民和社会投资打造"美丽竹乡"发展生态旅游，推动了绿色经济、循环经济的发展，促进经济的可持续发展。高家堂村依托于当地丰富的竹林资源优势，积极响应和落实安吉县发展"竹林经济"的战略政策。

（3）打响"森林旅游"

为确保"创森"工作有的放矢，安吉县印发了《安吉县创建国家森林城市工作总体方案》，每一项"创森"指标逐一分解，纳入单位年度综合考核内容，并建立了"创森"工作部门联动机制和联络员联席会议、定期检查督办等制度，确保"创森"工作责任落实，组织有序。2017年，安吉县委县政府印发了《安吉县"林长制"实施方案》，正式出台全省首个三级"林长制"的森林资源保护机制。为加强生物多样性建设与保护，努力构建以自然保护区为主体，湿地公园、种质资源保护地为补充的野生动植物和自然湿地生态系统保护网络。安吉县把发展森林旅游作为打响生态文明品牌、优化林业产业结构、转变经济发展方式、增加农民收入的重要工作内容来抓。县林业局以生态为背景，以科技为支撑，创新发展理念，争取政策扶持，森林生态旅游呈现林业体验型、景区依托型、文化创意型等多种形式，全县森林旅游工作取得了显著成效。高家堂村森林面积占总面积的91%，目前正在试运营的景区"云上草原"正是打响森林旅游的成功范例。

（4）力争"垃圾不落地"

"垃圾不落地"模式实施农村生活垃圾互联网信息系统管理标准，因此，安吉县引进第三方管理平台，为每个村购置了一个智慧垃圾分类回收平台。该平台将每个村民都有的社保卡接入到平台积分，村民们可以将可回收垃圾投入到回收平台内换取积分，有效地提高了村民的垃圾分类回收积极性。一个乡镇一所资源循环利用中心，以乡镇为单位，保证可回收垃圾资源化，不可回收垃圾减量化。高家堂村在垃圾分类处理方面走在全国乡村的前列，"垃圾不落地"，村容更美丽，人民更有幸福感、获得感。

（5）加快"厕所革命"

在确定了功能欠缺的农村公厕后，对照标准找问题，实施新建扩建改造方案。对符合标准但标准较低的农村公厕，对照高标准进行提升；对没有公厕或原公厕拆除重建的，对照标准新建和扩建。继续加大对农村公厕的暗访督查，扎实推进农村公厕改造。同时，落实省里提出的"三有四无"（有水、有电、有人管，无味、无垢、无尘、无积水）管理服务原则，加强日常保洁，继续落实好厕所所长制，加快建立农村公厕长效管理制度。在调研的过程中，我们发现在高家堂村家家用上了抽水马桶，这是衡量人民生活质量的重要指标。

3. 乡级政府的政策响应与落实

（1）公开工程招标

山川乡政府秉持"公平、公开、公正、诚信、守法"原则，利用"采招网"平台向全国工程建设公司招标"省级森林人家"建设项目新区和张家堂自然村环境提升工程、山川乡九亩村农村饮用水达标提标工程、山川乡"雪亮工程"监控建设工程等施工项目，对提高工程质量、降低工程造价和提高投资效益具有重要意义，助力了安吉县生态旅游的发展。

（2）建立"河长制"

"河长制"作为当前我国水环境治理的主要治理制度，凭借"运动式治理"优势，在水环境治理方面发挥了较大作用（王园妮和曹海林，2019）。在"河长制"完善过程中需要确保将非常规的常态治理转变为"新型常态治理模式"的河道管理责任体系，明确河道管理责任内容，形成全社会管理河道的工作合力，明确河长职责分工，建立行之有效的考核制度。高家堂村积极建立并落实"河长制"，如今仙龙湖清澈的湖水、荡漾的清波让往来的游客赞不绝口。

4. 村落发展政策实践

（1）引入资本，组建公司经营

2012年10月，村里引入社会资本，共同组建安吉"蝶兰"风情旅游开发有限公司来经营村庄，村集体占股30%。村域景区由"采菊东篱农业观光园"、"仙龙湖度假区"和"七星谷山水观光景区"三大块组成，以"青清山水，净静村庄"为卖点，2019年的"云上草原"景区项目，村里只负责基建，派驻财务进公司，景区由公司负责开发包装与营销。自景区开建后，高家堂村还多了一条村规：所有落户项目必须与休闲旅游业相关。

（2）旅游扶贫，支持民宿发展

积极鼓励农户进行竹林培育、生态养殖、开办"农家乐"，并将这三块内容有机地结合起来，特别是"农家乐"乡村旅店，接待来自上海、杭州、苏州等大中城市的旅游观光者，并让游客自己上山挖笋、捉鸡，使得游客亲身感受看生态、住农家、品山珍、干农活的一系列乐趣，亲近自然环境，体验农家生活。

（3）污水处理，科技净化水质

应用美国阿科蔓技术的农家生活污水处理系统建设湖州市第一个以环境教育和污水处理示范为主题的农民生态公园，并于2003年投资130万元修建了环境水库——仙龙湖,对生态公益林水源涵养起到了很大的作用,还配套建设了休闲健身公园、观景亭、生态文化长廊等。

(六) 现代生态旅游中科技支撑作用总结——以高家堂村为案例

近年来,生态旅游发展迅速,不仅带动农村经济发展,推动农民脱贫致富,更是为建设社会主义新农村做出巨大贡献。林锦屏等(2019)通过分析国内外 1997~2018 年 394 篇文献,认为乡村生态旅游可持续发展、发展模式和策略及其与乡村生态研究热点问题的结合是国内外共同的关注点。在乡村振兴大背景下,发展生态旅游也是促进乡村振兴的有效手段之一,而生态旅游的各个环节,都离不开科技的支撑作用。通过本次调研,以高家堂村为例,科技在现代生态旅游中主要起到了以下几个方面的作用。

1. 拓宽宣传渠道,扩大游客来源

生态旅游要想发展壮大,旅游产品的营销和宣传至关重要。传统的宣传方式,如印发传单,投入大、效果差,也不一定能吸引到目标人群。高家堂村采取信息化的宣传渠道,利用互联网开拓市场,投入少、见效快。例如,通过微信公众号、抖音、携程、驴妈妈等平台进行宣传,利用"网红效应",提升景点的关注度和知名度,吸引目标人群,扩大游客的来源。目前高家堂村的主打景点"云上草原"景区已经具备非常高的知名度,吸引了浙江、上海、江苏等地的大量游客前来观光度假。节假日期间,景点的门票更是供不应求,给高家堂村创造了非常可观的旅游收入。

2. 创新管理方式,提高游客满意度

在节假日,旅游高峰期时,传统的线下售票或网络售票方式,无法控制客流量,容易造成拥堵,影响游客的游玩体验。高家堂村的云上草原景区对网络售票方式进行了创新,采取分段售票方式,游客购买的是哪个时间段的票,就只能在哪个时间段进入景区,这样有助于控制客流量,避免在某个时间段,游客过于集中,有效缓解了拥堵的情况,改善了游客的游玩体验,提高了游客满意度,也有助于增强游客黏性,吸引他们再次游玩。除此之外,在停车场以及景区的管理上,高家堂村采用了停车场管理无人化以及景区管理计算机化等模式,这样一方面大大提高了办事效率,减少游客的等待时间,提高游客的满意度;另一方面可以减少人工的使用,减少劳动力投入,节约成本,提高景区的经济效益。

3. 打造个性化旅游产品,提高景区竞争力

如今开展生态旅游项目的地区越来越多,景区同质化现象愈发严重,景区相互之间的竞争越来越激烈。针对此问题,高家堂景区不断进行科技创新,根据灵活机制,结合时代特征和流行趋势推陈出新,走在生态旅游行业的前沿。例如,"云上草原"的玻璃栈桥,是当下最为热门的项目,吸引了大量游客前来参观,也引得其他景区争相效仿,可能再过两三年,就会变成各景区必备项目,这时项目的吸引力便会大大降低。于是"云上草原"又进行科技创新,开发了悬崖秋千、彩虹道滑草、卡丁车等项目,不断打造个性化的旅游产品,使景区发展壮大,走出了一条个性化的生态旅游之路,提高了景区的核心竞争力。

4. 科学规划生态旅游，推动生态旅游可持续发展

不少地区在开展生态旅游时，容易对资源过度开发，造成对资源的过度消耗，不利于可持续发展。高家堂村贯彻科学发展观，秉承可持续发展的理念，适度开发。以仙龙湖为界，只对湖的一侧进行开发利用，湖的另一侧可能未来的几十年都不会进行开发，这样是为了给子孙后代留出开发的空间。如果一次性将村庄开发完全，未来将缺少可持续开发空间，容易错失机遇。通过对村庄进行科学合理规划，可有效避免过度开发情况发生，有利于推动生态旅游的可持续发展。

5. 完善基础设施，为生态旅游的发展提供基础支撑

优美宜居的农村生态环境是发展生态旅游的前提条件，是提升生态旅游自身市场吸引力的独特优势，是引领生态旅游与地区经济发展之间有效融合的关键措施，所以必须利用科技做好农村人居环境整治和基础设施建设工作。在人居环境整治方面，高家堂村引进地埋式、人工湿地、美国阿科蔓等农村生活污水处理系统，解决了污水问题；推广卫生厕所，解决了厕所问题；创新性提出"村收集，乡镇中转，县处理"的垃圾处理模式，使垃圾不落地，有效解决了垃圾问题，使村庄的人居环境有了质的飞跃和改善。在基础设施建设方面，对村庄统一进行科学合理的规划，帮助村民修建进户道路，免费供水，并且保证电的充足供应。这样使村庄的基础设施不断完善，逐渐完成从村容整洁到生态宜居的改变，为生态旅游的发展提供基础支撑。吸引了更多的游客在此住宿，也提高了景区农家乐的创收能力。

6. 延伸特色农产品产业链，促进第一、第二、第三产业融合发展

高家堂村的特色产业是白茶产业，目前种植的生态有机茶，不用化肥农药，而是采用杀虫灯、防虫材料等新兴科技产品来应对病虫害，既有效减少了污染，也提高了产量。科技的使用贯穿茶叶生产的各个环节：在茶叶的生长阶段，有些规模大的茶园采用喷灌技术，旱时浇水，对白茶的生长做到高效的把控；在茶叶的加工阶段，采取半机械化加工，除了人工挑拣外，都由机械完成，这样既保证了茶叶的品质，也提高了生产效率。通过科技在白茶生产各个环节的运用，可以促进白茶产业的高效发展，提高产业附加值，增加当地特色农产品收入。除此之外，还将特色农产品生产销售和生态旅游有机结合，促进了第一、第二、第三产业融合高效发展。

（七）结论

高家堂村从前黄土路、污水、旱厕、垃圾遍地的破败景象和今天生产发展、生活宽裕、乡风文明、村容整洁、管理民主的美好现状形成鲜明对比，从一个被"黄牌警告"的污染村落发展为绿色村庄，仙龙湖水库的建成，"一县四区""三改一拆"迁移污染企业，"云上草原"、滑冰场等项目的开展与完善，农村生活污水处理系统的安装完善，垃圾分类政策等措施的落实……这一切愿景的实现，离不开良好的政策环境与地理优势，离不开领导班子长远的战略目光，也离不开村民们勤劳拼搏的精神。作为"两山"理论的诞生地和中国美丽乡村建设的发源地，浙江安吉生态文明发展模式值得我们潜心

学习。

高家堂村的生态旅游资源十分丰富，生态旅游业的良好发展为美丽乡村建设奠定了强大的基础。在科技支撑的作用下，经过不断发挥生态旅游的优势，高家堂村的基础设施得到进一步的建设与完善，生态环境也得到进一步的保护，更加符合美丽乡村建设的要求，并且更加受到游客的欢迎。目前高家堂村的生态旅游已经形成了庞大的技术支撑体系，未来更要不断发挥科技的支撑作用，让生态旅游业进一步发展，美丽乡村建设进一步完善，推动乡村振兴迈上新台阶。

高家堂村通过拓宽宣传渠道扩大游客来源，通过创新管理方式来提高游客满意度，通过打造个性化旅游产品来提高景区竞争力，通过科学规划生态旅游来推动生态旅游可持续化发展，通过完善基础设施为生态旅游的发展提供基础支撑，通过延伸特色农产品产业链促进第一、第二、第三产业融合发展。如今，高家堂村成为生态一流、经济发达、人与自然高度和谐发展的秀美山川，生态旅游做到了全国前列。"生态旅游永远是初级阶段，对生态旅游的探索是永无止境的过程。"潘小众这样总结道。正如潘小众所言，生态旅游还有很长的路要走。但"绿水青山就是金山银山"，只有保护了生态环境，发展环境友好型的农业，才能把生态旅游的"长征路"继续走下去。

六、中国上海市松江区泖港镇

党的十九大提出实施乡村振兴战略，为我国农业发展指明了方向。现代农业科技的推广极大地促进了农业农村发展，本小节选取上海市松江区泖港镇的腰泾村、黄桥村两个典型村庄，特别是其成熟的家庭农场模式取得的丰硕的成就，通过实地调研走访，总结农业科技在乡村中的应用现状、经验优势及不足，为探索农业农村可持续发展提出建议。

（一）泖港镇的吸引力

2016年泖港全镇农业总产值6.1亿元，城乡居民人均可支配收入2.78万元。泖港镇在不依靠工业的前提下，以其独特的生态资源与农业科技相结合走出了一条现代农业发展之路。下文将从人口环境、生态资源、水域交通、经济背景等方面对泖港镇进行简要介绍，同时选取该镇特色生态村腰泾村以及作为乡村振兴和宅基地改革双试点的黄桥村两个典型进行深入探索。

1. 人口环境

泖港镇位于上海市松江区西南，地处浦南地区三镇中心，全镇区域面积57.28km²，耕田面积2076hm²，林地面积1068hm²。泖港镇有16个村民委员会，271个村民小组；2个居委会，15个居民小组。户籍总户数11 465户，总人口38 294人。

2. 生态资源

泖港镇建有15 000亩涵养林，林地面积占镇域面积的比例达到30%，是首批列入上海市新农村建设试点镇，也是上海市林地面积最大的乡镇，片林总投资14.26亿元，绿化覆盖率达 35.59%，人均公共绿地达 29m²。全镇 16 个村均为上海市卫生村、整洁村。泖港镇获评全国文明镇、国家级生态镇、国家卫生镇。

3. 水域交通

泖港镇是黄浦江上第一镇，北靠黄浦江，水系发达，水域宽广，位于上海市"一小时休闲旅游圈"之内。同三高速公路的开通和已提上议事日程的沪淞公路延伸、叶新公路拓展等将进一步缩短泖港镇旅游的时间和距离，为开展农村休闲旅游度假提供了良好的区位条件。

4. 经济背景

20 世纪末开始，泖港镇积极响应改革开放政策，大量招商引资发展经济，至 2004 年时该镇共有食品加工、服装生产、新型材料等各类工业企业 428 家，农村劳动力大量转向第二、第三产业，农村耕地处于大量闲置或半闲置状态。2007 年，上海市松江区开始探索由家庭农场经营农业，泖港镇腰泾村和黄桥村成为第一批家庭农场试点。农业科技在上海市松江区泖港镇的生产生活两个方面发挥了重大作用。2018 年全镇农业总产值约 5.4 亿元，居全区第一（附件表 2-17）。

附件表 2-17　2015～2018 年泖港镇农业总产值及其在全区农业总产值的占比例和排名情况

年份	全镇农业总产值/万元	农业总产值占全区比例/%	农业总产值在全区的排名
2015	64 720	29.9	1
2016	60 958	30.8	1
2017	56 215	32.8	1
2018	54 231	31.9	1

资料来源：上海市统计局，2016～2018。

5. 生态乡村——腰泾村

腰泾村位于泖港镇中部地区，北靠叶新公路，南枕秀州河，高速公路贯穿南北，地处国家级水稻万亩"绿色、高产、高效"示范区内。区域面积 4620 亩，可耕地 3250 亩。总户数 643 户，户籍人口 2266 人。设 3 个网格，18 个村民小组，其中 5 个已整建制镇保，已拆迁 132 户；党员共 93 人，下设 3 个网格支部。

全村自然环境得天独厚，村域内河横纵、水系发达，滋润着旖旎迷人的自然景观，乡野农田、四季斑斓，浓郁的农耕文化和良好的生态环境营造出灵动的诗意景象，处处展示着原生态江南乡村风貌和现代化新农村建设的时代气息。从 2007 年开始，腰泾村致力于家庭农场的建设发展，目前有家庭农场 11 户，经营面积共 2157 亩，每户承包面积为 100～400 亩。以种植水稻为主，亩产 600kg 左右，连续多年在松江区家庭农场评比中名列前茅。同时积极探索种养结合、机农结合等集环保、生态于一身的新型模式，走出了一条家庭农场的新路子。

6. 双改试点——黄桥村

黄桥村位于松江区泖港镇中西部，因位于黄浦江的源头，地理位置优越，交通便捷，属上海市水资源保护区，故素来享有"黄浦江第一村"的美誉。全村共有 15 个村民小组，10 个自然村落，划分成 3 个网格片区，总户数 584 户，总人口 2130 人，外来人口 335 人。区域面积 3.2km²，总耕地面积 3224 亩，其中 1600 亩种植水稻，共 5 户家庭农场在进行种植。全村设有 6 个健身点，1 个标准化篮球场，1 个村级综合性文化服务中心，1 个便民超市。

黄桥村村主任谈到，黄桥村地处黄浦江源头，是水资源保护区和基本农田保护区，生态环境既是优势也有局限性，在很大程度上限制了经济的发展，像村里有名的温泉度假产业，因为水源保护的原因也要拆了，村庄目前的发展陷入了瓶颈。

黄桥村被纳入上海市"三农"示范区，始终致力于农业增效、农民增收和新农村建设，2007 年黄桥村开始实施家庭农场制度，农民手中的土地流转到村集体组织，村民可通过竞聘的方式申请，经村委会讨论审查通过后上岗，正式成为家庭农场主。2012 年村里建立"机农结合互助中心示范点"，为农户提供农机知识培训等服务。目前，黄桥村作为乡村振兴和宅基地的改革试点正积极探索农村发展新道路。

（二）新型家庭农场的成功示范

泖港镇拥有丰富的自然资源基础，长远而言这是发展绿色农业的绝佳条件，但也面临着因为基本农田指标带来的农地用途单一化的困难。对此，松江区政府制定了符合本区实际情况的发展要求，并认识到乡村振兴的主体归根结底是广大农民，只有充分发挥好农民的能动性，才能够使得乡村拥有源源不断的内生动力。泖港镇优越的天然条件为发展现代农业奠定了基础，农业科技在政府的大力推广下迅速普及开来，农业机械化及其自动化程度不断提高，特别是种养结合与机农结合两种家庭农场模式树立了现代农业的典范（附件图 2-19）。

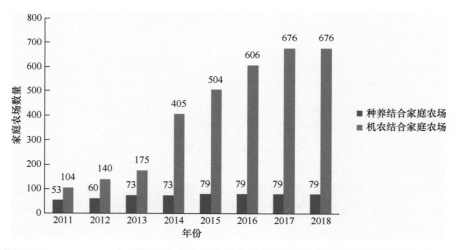

附件图 2-19　2011～2018 年松江区家庭农场数量变化情况（资料来源：上海市统计局，2018）

近年来松江区家庭农场总体数目逐年攀升，特别是机农结合家庭农场数量增长较快，种养结合家庭农场数量基本保持稳定。集约型技术的广泛应用为松江家庭农场的蓬勃发展奠定了基础。种养结合家庭农场是以养猪和种植为核心构成循环利用链，对人工的需求较大,因此在人力成本较高的上海松江,种养结合家庭农场数量基本没有增加。另外一种机农结合家庭农场以大规模的农用机械使用为前提。农用机械的大规模利用为该型家庭农场的发展提供了两点条件,第一是人工成本的降低,50 亩地只需要一个人工,这在以前是不可想象的,或许在初期农机的投入会大于人工,但是长远发展下农机的优势就越来越显著;第二是提升了单位效率,在收获季节收割、搬运、装袋等工作都不需要人工,可以实现机器自主作业,大大提升了劳动效率。

1. 农业科技成果显著

生态保护限制推动了生态农业的发展。泖港镇作为上海市现代农业科技发展的领头羊,水稻种植业高度集约化经营,家庭农场制度日益成熟,农业机械化程度不断提高(附件表 2-18),水稻种植实现全程机械化操作,连续十年获得上海市粮食高产创建第一名,被评为国家水稻万亩"绿色、高产、高效"创建示范镇、上海市水稻标准化示范区。

附件表 2-18　2016～2018 年泖港镇拖拉机拥有量变化情况

年份	东方 12 型拖拉机/台	其他型号拖拉机/台	拖拉机总量/台
2016	9	86	95
2017	8	89	97
2018	7	97	104

资料来源:上海市统计局,2016～2018。

泖港镇政府高度重视农业农村发展,积极响应党的十九大号召,成立现代农业办公室,负责全镇的农业农村规划、协调和推进工作。组建农业服务中心,负责农业机械化技术指导与服务工作,引进农业新科技,积极推广农业技术与农业机械的使用,培育新型高素质农民和"三农"人才。多项措施齐头并进,有力促进了现代农业发展,农业科技推广有序进行。泖港镇在现代农业发展过程中涌现了一大批先进典型,自 2007 年列入上海市"三农"工作综合试验区以来,积极发挥试点效应,农业科技助力乡村振兴效果显著。

2. 种养结合家庭农场模式

种养结合家庭农场模式是一种将种植业与养猪结合在一起的循环农业模式,即以一家一户为单位开展适度种、养一体化生产,种植粮食的同时兼顾养猪,养殖所产生的粪尿又可以为水稻种植提供优质的有机肥,减少化肥的使用,形成了农业生态良性循环链。

腰泾村家庭农场主李春风近日作为农民代表参加了中华人民共和国成立 70 周年国庆群众游行,他从 2008 年开始家庭农场生产经营,2011 年成立种养结合家庭农场,2016 年被评为"上海市市级示范家庭农场"。李春风曾获得首届"全国十佳农民""上海市劳动模范"等荣誉称号,2018 年被选为第十五届市人大代表。李春风目前种植 200 亩水稻,养殖大约 500 头猪,养猪场占地面积约 3 亩,并在其承包的农田中建起现代化猪舍。养猪场地由松江区政府出资建设,并配有现代化的通风设备、温度控制设备、粪尿收集发酵设施,免费提供给种养大户使用,一年可出栏生猪 1500 头。仔猪的优选和饲料的配给以及技术指导都由上海松林食品（集团）有限公司（松林公司）提供，李春风只负责代养，后期的防疫、销售等环节完全不用操心，仔猪长大后也是由松林公司统一回收并进行加工销售。上海市政府、松江区政府负责养殖场的基础设施建设及维护工作，松江区和泖港镇兽医部门提供全方位技术服务，防疫和无害化处理等由合作社同松江区动物疫病预防控制中心、松江区农业行政综合执法大队等联合完成，各部门分工明确、服务到位，种养大户没有任何后顾之忧。

此外，粪尿发酵还田技术已相当成熟，养殖场内配备现代化处理设施，猪粪经过充分发酵后可以作为有机肥全量还田使用，增加了土壤肥力，土壤结构得到有效改善，经过处理后的粪尿不会像传统养猪场那样臭气熏天，既避免造成环境污染，又减少了化肥使用，促进了生态农业良性循环（附件图 2-20）。粪尿发酵还田技术的使用使得水稻种植与养猪完美结合成为可能，以家庭为单位生产经营，实现了生态农业的良性循环，资源得到有效利用，增加了农户的收入，环境保护与发展经济两者兼顾。

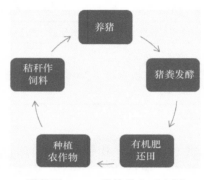

附件图 2-20　种养结合示意图

3. 机农结合家庭农场模式

黄桥村家庭农场主张小弟是机农结合家庭农场模式的典型代表，曾获"上海市劳动模范"荣誉称号。张小弟不仅是村里的种粮能手，还尤为擅长农机操作，各种农业机械的操作和维修基本都能胜任。2012 年，在黄桥村村委会的积极推进下，成立黄桥村机农结合互助中心，本着互帮互助原则，重点提供村内部的农机服务。张小弟作为机农结合家庭农场的带头人被选为负责人，村里提供场地用来停放大型农机，张小弟的农机维修技术也派上了用场。

张小弟机农结合家庭农场在区政府的指导下实现了稻米生产全程机械化，从种植到销售"一条龙"服务，水稻品种'松早香 1 号''松 1018'也是由松江区育种中心培育，统一配送给农户，更加适合松江区的种植环境，从源头上保证了大米的品质。病虫害防治监测系统也已经运用到黄桥村的稻田里，田间地头统一配有病虫害防治监测系统，区农委通过计算机系统可以随时观测作物的生长情况，做出最科学的判断，及时通知农场主防虫、喷洒农药，为农场主提供最有效的防控措施，将损失降到最低，保证水稻的最大化收益。

张小弟家庭农场现有久保田联合收割机 588 型、888 型共 3 台，拖拉机 7 台，水稻直播机、平整机等若干，每台收割机都带有旋转自卸粮装置和自动水平平衡装置，该装置直接减少了劳动量，收割完的稻谷不需要人工装卸和搬运，既降低了人工成本，又极大地提升了劳动效率。张小弟不仅水稻种植经验丰富，农机操作技术十分熟练，还善于钻研和学习。

为了减少人工劳动力的使用，他凭借丰富的生产生活经验，在不断地尝试和摸索中，先后发明或改进了稻田平整机、做岸机和水稻直播机及浅耕机等附属农业机械，自主研发农业机械共 8 台，大大提高了生产效率，降低了日益高昂的人工成本，农业机械化程度不断提高。为了解决粮食储藏的问题，松江区建立了配套的烘干设施，小型烘干机的使用实现了水稻收割、烘干"一条龙"服务，改变了过去农户晒粮的困难，即使是阴雨天气，稻米储藏也不成问题。

机农结合模式帮助农户共用农业机械，不需要家家户户都购买农机，但家家户户都能用得上农机。张小弟是机农结合互助中心的负责人，服务对象主要是黄桥村的农场主和种植大户，在农忙的时候，大家集体参与农机操作，还可以为其他农户提供收割等服务，农场主又增加了一个获得收入的渠道。据张小弟介绍，现在种地省力多了，50 亩地仅需一个劳动力，原来的时候需要 30 个劳动力，节约大量劳动力成本，农业机械化程度已达到 95%（附件图 2-21）。

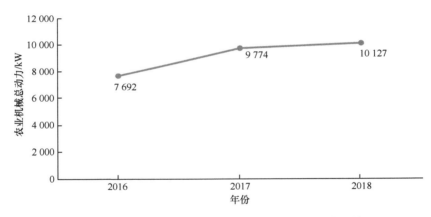

附件图 2-21 2016～2018 年泖港镇农业机械总动力变化情况
资料来源：上海市统计局，2016～2018

张小弟家庭农场对稻米的标准化生产、加工、包装都能完成，还注册了"张小弟香米"商标，统一使用印有"绿色食品"专用标志的松江大米包装袋。经过一系列精加工，农户也实现了从"卖稻谷"到"卖大米"的转变，价格翻了几番，收入自然提高了。松江大米是上海地区唯一的稻米类国家地理标识保护产品的优质大米（附件表 2-19），市场认可度非常高，这使得它的销路也有了保障。

附件表 2-19 优质大米生产过程中的科技要素运用

优质大米生产过程	科技要素支撑
产前	优种培育、绿色种植技术
产中	精加工技术
产后	互联网、物流体系

（三）乡村振兴战略的泖港实践

乡村振兴战略为泖港镇带来历史发展新机遇，新型家庭农场作为农业发展的新主体符合国家政策。为满足松江区粮食和水源保护要求，泖港镇政府根据本区域农业发展要求，结合自身绿色农业发展定位，制定一系列有效措施，并利用各级政府带动能力、区农委专业能力，培养了众多农业产业排头兵。此处将从政策背景、发展方向、政府定位、农委作用、具体补贴、生态建设等方面进一步阐述。

1. 农业政策新指标

2019 年中央一号文件提出，落实农业农村优先发展总方针，牢固树立农业农村优先发展政策导向。稳定粮食产量，确保粮食播种面积稳定在 16.5 亿亩。完成高标准农田建设任务（新华社，2018）。发展多种形式适度规模经营，培育新型农业经营主体，是增加农民收入、提高农业竞争力的有效途径。按照区委区政府关于实施乡村振兴战略方案的总体目标和浦南绿色发展实践区的定位要求，树立农业科技新发展理念，推动现代农业高质量发展。

2. 松江发展新要求

松江区位于上海市西南、黄浦江上游，是上海农业生产主产区，如何保护好上海市粮仓和黄浦江水资源是松江区发展面临的难题。2007 年下半年起，松江区开始探索发展经营规模为 100～150 亩的家庭农场。2018 年由区农委牵头实施乡村振兴战略，家庭农场模式日渐成熟，农业服务体系建设更加全面化。

国家层面的政策在一定程度上影响着松江区乡村发展的整体方向。以泖港镇黄桥村为例，由于永久性基本农田的规划以及黄浦江源头保护政策，黄桥村早在 2015 年就依托有关部门制定了科学的村级发展规划，并于 2016 年得到批准。黄桥村目前正在大力清除浦江源保护区内的非农用建筑设施，并且在全村推进宅基地整体平移工作，以期将农田规模化、标准化，为农业现代化打下基础。此外，考虑到绿色发展的要求，该村两委领导班子未来将考虑利用该村家庭农场大型农机的优势，大力实行秸秆还田措施，从而降低垃圾转运及处理成本，同时提高耕地的地力。

3. 泖港实践新探索

（1）政府全程化指导服务

松江区农委在推动农业现代化过程中扮演着极为重要的角色。在种植、养殖环节，区农委提供近乎"一条龙"式服务（附件图 2-22）。区农委对接浦江公司，负责辖区内农户水稻的优质种子、农药化肥提供、病虫害防治、定期生长检测等。区农委对接松林公司，负责大型示范点猪舍建设、种猪提供、疾病防控指导、产品销售等，大户在这个过程中只需要把仔猪育肥即可，松林公司与松江农户签约，采用订单方式种植水稻，松林公司提供技术标准以及有机肥，农户负责种植和田间投入，到了丰收季，松林公司以高于国家收购价的价格全部收购，农户不出田头就可卖出稻谷和育肥猪，节约了销售成本。区、镇兽医部门也把家庭农场作为重点服务对象，提供免疫、检疫、无害化处理等服务，解决其后顾之忧。以前种田、养猪的自然风险和市场风险使得卖粮、卖猪困难，现在有政府、保险、公司给解决顾虑，种田、养猪均有所保障，要想田种得好、猪养得好，重要的是看自己是不是勤劳，肯不肯动脑筋，用不用心（佚名，2013）。

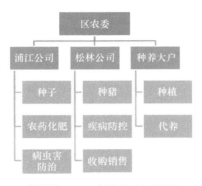

附件图 2-22　保障机制示意图

（2）区农委定期培训审查

此外，区农委还对家庭农场进行定期培训审核，审核不过关者将失去家庭农场经营资格，通过者才能拿到各种补贴。为进一步规范地理标志产品"松江大米"的种植和管理，确保松江大米品质和特色，区农委还组织开展"松江大米"专题培训，松江区百户家庭农场参与培训，区农委向种植户们授课，对松江大米的品种、种植和防控等关键控制点作讲解，要求广大种植户严格地按照地方标准和管理办法要求，进行"松江大米"生产和管理。松江区农委还举办诸如黄浦江大闸蟹品牌建设现场交流培训会等培训，对全区相关养殖黄浦江大闸蟹的水产专业合作社生产负责人进行培训，就大闸蟹的品牌建设、起捕及销售等情况进行交流，区站科技人员对起捕、暂养、运输等技术要领进行了培训。区农委不定期举办的农业植物检疫培训，邀请了市农业技术推广服务中心植物检疫科老师进行授课，松江区各镇植物疫情监测点检疫员、繁种企业负责人以及部分家庭农场主参加了培训，为提高全区水稻种植户和统防统治植保员的生产与经营水平，松江区举办了粮食统防统治植保员培训与特有工种职业技能鉴定，培训对象包括镇、村两级植保技术员和家庭农场主。

（3）农业补贴广泛且优厚

实际上，松林家庭农场主之所以能够维持"体面的"收入，巨额资金补贴功不可没（附件图 2-23）。以政府强势主导为特色的松江家庭农场模式可能并不普适于全国"三农"问题，但他们创造性的探索值得期待（徐智慧等，2014）。松江区家庭农场在种植、养殖过程中享受着各种优惠，如农机补贴，但补贴对象必须同时具备两个条件：一是具有本区户籍的个人或是在本区登记注册的农业生产经营组织；二是要在本区内以从事农业生产、农产品初加工为目的。具体的补贴机械包括如下几种。①粮食机械。一是拖拉机、联合收割机等大中型机械；二是播种机械，含直播机、育插秧机等；三是四轮自走式植保机械。②蔬菜机械。含蔬菜地耕作用拖拉机、起垄覆膜机、微耕机、播种机、植保机等。③粮食烘干机。区级粮食种子基地、区农业合作社烘干机及烘干辅助设备补贴比例约为80%；其他单位享受中央及市两级补贴定额，区级不予配套。④拖拉机配套农机具。

农机补贴依据用途和型号，补贴比例有所不同，但普遍高于60%。随着农用无人机的技术越来越成熟，农用无人机也有望在不久的将来进入农机补贴的范围。此外，还有种子补贴、化肥补贴，家庭农场的每亩水稻各项补贴加起来大概有600元左右。水稻种植的散户也享有0.3元/斤①的补贴。此外，该区种养结合模式成熟，大型养猪场都采用粪尿还田技术，只要运用这项技术的农田都享受还田补贴。

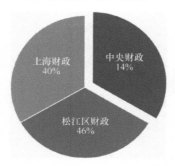

附件图2-23　2011年松林家庭农场财政补贴来源

（4）重视农业及生态建设

当地政府还十分重视农业的可持续发展，2018年泖港镇农林水事务预算支出1724.65万元，占总支出的3.89%，主要用于农业综合开发生态治理和高标准农田建设、农业技术推广、动物防疫、生态林建设、村庄改造、村级补贴、水利建设和养护、农业设施维修等事务。2018年，区拨专项转移支付用于农林水事务支出3653.38万元，主要用于农业技术服务中心补贴250万元；村级补贴2139万元；公益林、生态林补贴452.93万元；浦南倾斜资金618万元；村庄管护资金118.81万元；美丽乡村示范村62.64万元；农业档案追溯体系12万元。

为了加强保护耕地资源，有效提升耕地质量，减少化肥农药使用，推进农业生产环境建设和保护工作，结合松江区实际，该区还制定了耕地质量保护和提升补贴。耕地质量保护和提升补贴资金主要用于：绿肥和冬季休耕深翻补贴、商品有机肥补贴、缓释肥补贴、水溶肥补贴。在农业节水补贴方面，补贴包含精准补贴和节水奖励两部分。精准补贴实行按亩补贴，补贴标准约为45元/亩。节水奖励基本标准约为5元/亩，具体奖励标准根据区级考核结果确定。

目前松江区全区家庭农场基本实现种植过程全程机械化，在此次非洲猪瘟期间，猪场高质量防疫工作得到充分证明。松江区政府在种植、养殖产业方面体现了较高的专业化服务能力、牵头协调能力。在区农委统筹下，松江区充分发挥该区环境优美、资源富饶的优势，稳步地进行现代化农业建设，为上海及周边城市的农产品供给做出了巨大贡献，农民的收入也在这个过程中有很大提高。

（四）现代农业科技的有力支撑

现代农业科技正在成为打造美丽乡村的重要力量。泖港镇在乡村振兴的实践中做出了积极贡献，积极推动农业科技在发展经济、改善民生、生态保护等方面发挥重要作用，

---

① 1斤=500g。下同。

同时，基于农业与第二产业、第三产业的融合，未来的乡村生活图景也在向着三产融合、引入高新技术产业、打造智能社区的方向迈进。腰泾村和黄桥村也对未来农业农村的发展提出了新的展望。

1. 科技助力乡村振兴

实现农业农村现代化，首要是产业现代化，关键是农业科技创新促进农业发展方式转变，引导农业向绿色、优质、特色和品牌化发展，形成优质高效、充满活力的现代农业产业体系（张改平，2019）。具体而言，科技成果一般是指科技行政部门认可的在一定范围内经实践证明的先进的、成熟的，能取得良好经济、社会或生态环境效益的科学技术成果（廖宝红等，2006）。农业科技成果则是指经过实践检验和行政认可的促进和优化农业生产的科技产出，主要包括种植、养殖、化肥农药的用法，各种生产资料的鉴别和高效农业生产等几个方面。在上海市松江区，当地结合农业实践研发了具有当地特色的农药、机械设备等，在当地的农业生产中总结经验并投入使用，获得良好效益，实现现代科技的良好应用。

农业科技应用在农业现代化过程中具有明显优势，农业科技的提升对农业生产生活和人与自然和谐共处等均可产生正面效应。在黄桥村和腰泾村的调研中，可以看到农业科技起到了重要的发展支撑作用（附件图 2-24），通过提升生产效率、解放劳动力、减少污染等优化路径，在村庄的经济、民生和生态等方面产生了重要影响。

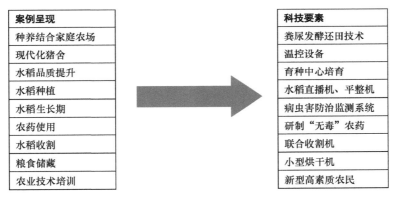

附件图 2-24　泖港镇农业科技要素运用情况

（1）农业科技发展经济

如何探索适合本村的经济发展模式，提升村庄经济发展水平，实现经济可持续发展是村庄长期发展的核心要义。对此，黄桥村探索出了家庭农场的经济发展模式。家庭农场以家庭成员为主要动力，以家庭为基本经营单元，从事农业规模化、标准化、集约化生产经营，是现代农业的主要经营方式（农业农村部政策改革司，2019）。在黄桥村，主要存在两种家庭农场的模式，其一是水稻规模种植农场模式，其二是机农结合家庭农场模式。前者，是由村中水稻种植大户集中种植水稻的生产模式，可以做到标准化和集约化生产，提升生产效率和质量，降低劳动力成本。后者，以机农结合互助点为运转中心，更多地体现了机械化的应用效率和集体优势。通过单独种植户投资购买机械，主要是种植机、收割机、拖拉机、烘干机等，集体成员租借使用，互帮互助的组织形式，机农互助能够极大地改善过去机械散购、应用效率低下的"高投入-低产出"的模式。同时，统一的机械运用也能在一定程度上控制对生态的污染和破坏，更有助于生态农业的发展。

另外，在 2019 年 9 月 9 日，农业农村部政策与改革司也发布了相关的鼓励文件，支持家庭农场的发展。文件强调，在培育家庭农场过程中，要加强示范建设引领作用：加强示范家庭农场建设，开展家庭农场示范县创建，强化典型引领带动，鼓励各类人才创办家庭农场，积极引导家庭农场发展合作经营。就上海市泖港镇而言，黄桥村和腰泾村在这方面就是典范。

（2）农业科技改善民生

农业技术的提升势必会在一定程度上解放劳动力，使得老百姓有更多的时间和精力投入日常生活中。完善基础设施，开展精神文明建设，丰富农村人民业余生活将成为村庄未来的一项重要内容。腰泾村的书记坦言，目前农业生产技术仍有待提高，技术提高了，老百姓的注意力才能集中到自己身上，集中到发展自己的方向上来。而一旦农业技术实现机械化、自动化，村民们的需求层次就会有一个较大幅度的跃升。届时，如何生产和提供老百姓喜闻乐见，同时也兼具本村特色的精神文化产品会很大程度上影响村庄的建设和长远发展。

（3）农业科技优化生态

生态环保是近些年农业生产领域的重要议题。农业技术的提高不仅能够增加产量、提高生产效率，还可以改善农业生态环境。以农药为例，黄桥村村主任介绍，镇区内的农药都是农业研究站根据松江区的特征自行研制出来的"无毒"农药。这种农药并不是利用强烈毒性把虫子毒死，而是在虫子的孵化期精准打药，同时给农田灌上水，在药效发挥作用的时候，虫子"醉倒了"掉到水里，然后淹死的。"高效低毒，政府补贴"的特点，使得这种农药得以推广使用，而且统一化的农药使用，有助于当地的农业协助人员及时检测当地的病虫害情况，提供标准化的解决办法。"高效低毒"也能在解决病虫害的同时最大限度地保护当地的生态环境。

2. 优化途径

（1）新规划、新蓝图

村庄的发展规划是村庄可持续发展的前提。虽然当前黄桥村和腰泾村的村容村貌和人民生活水平已属全国前列，但两村对未来的展望和规划也都早早提上了日程。黄桥村早在 2015 年就依托有关部门制定了村级发展规划，2016 年得到批准。腰泾村目前也正着手借助有关部门的力量形成村庄未来发展规划。同时，为了满足村民日益增长的生活需要，村庄规划建设多功能的文化、休闲、活动的公共场所、公益项目等，如黄桥村拟集资兴建一个具备康复和疗养功能的疗养院，招募具备专业知识素养的护理人员，丰富老人们的日常生活，让老人们享受多彩的晚年。

（2）新技术、新动力

在农业科技方面，黄桥村正在探索秸秆还田技术，利用还田技术处理秸秆，让秸秆二次利用，实现生态循环农业。而针对家庭农场这样较大规模的种植模式，黄桥村也在结合宅基地平移项目促进家庭农场的科技发展。通过宅基地平移，将土地集中进行高效利用。例如，原有的土地存在电线杆交错的问题，难以实现无人机撒药等技术实施。在实现宅基地平移后，进行统一的土地生产规划，将更有助于现代农业技术的实验和应用。此外，农场的快速发展也对当下的农业技术提出了新的要求。农场主张小弟认为，国内现有的农用打药无人机技术仍然不够成熟，同时国产的大型农业机械质量也急需提高。

值得关注的是，在两个村子的发展规划中，村庄的垃圾处理均是规划中的重要议题。村庄在建设过程中产生的垃圾，以及村庄生产生活制造的垃圾，都会影响村容村貌和可持续发展。同时，垃圾处理的成本非常高，每车约 1600 元，而且就松江区而言，垃圾处理的压力也非常大。腰泾村村主任介绍，村子现在产生的建设垃圾都需要通过堆砌和与邻村交换或者少部分自行处理来解决。及早发现问题，寻找解决问题的办法，"未雨绸缪"是村庄建设的应有之举。腰泾村在环境生态方面的规划就希望能够通过利用相关科学技术来降低垃圾处理成本，提高垃圾处理效率。只有处理好垃圾这一个大难题，建设美丽乡村才会从蓝图走向现实。而具体的垃圾处理办法依然要依靠科学技术。

（3）新未来、新希望

黄桥村村主任介绍，黄桥村未来的发展宏图主要体现在三个方面（附件图 2-25）。

附件图 2-25　乡村发展示意图

其一，建设临港新区，通过打造第二、第三产业结合的工业园区来提振经济发展，吸引年轻人返乡。在新区中，引入精密制造业和创业公司，兴建休闲场所和疗养设施，如休闲吧、咖啡馆、养生馆、购物中心等，完善当地的就业和休闲娱乐功能。

其二，加快建设智慧型社区，提高居民居住条件和生活水平。通过宅基地平移，建设统一多元的居民生活环境。另外，加快村庄基础设施建设也有助于村庄的建设。例如，黄桥村村主任就指出，建设智慧型社区后进行垃圾分类，可以运用人脸识别技术。谁没有按要求做到垃圾分类，就会被记录下来，进入村庄信用检测和统计系统。这样，不仅能够建设生态友好型、智慧型村庄，也能够加快建设信用型农村，实现物质和精神双丰收的现代文明村庄。而且，黄桥村已经率先安装了 5G 设施，也就是说，人脸识别进行垃圾分类的场景很快就可以在黄桥村出现。

其三，吸引人才，提升政府为民服务的能力。黄桥村村主任感叹，当前农村基层依然缺少青年人才，村庄的建设和宣传需要大量有能力、有情怀的年轻人来接力。对此，村主任跟我们介绍，未来村干部的招聘最低学历要求都是全日制本科生，而且坚持能力优先。对于想要进政府的"关系户"，要坚持廉洁政治、民主政治治理，对于这种腐化基层政府内部机构的行为坚决防微杜渐。

（五）总结

长三角地区得天独厚的自然优势和雄厚的经济技术基础及适宜的政策支持是现代农业在当地推进的必要条件。松江地区作为全国乡村相对发展水平较高的地区之一，其成功发展模式可归纳为以"推进土地流转"为前提，以"家庭农场"为组织形式和以"现代农业科技的推广"为途径，最后再以"网格化管理"的后期规范来实现"农业的集约化经营和提升单位产出收益"的目的。但是不可忽视的是发展与保护的矛盾不断凸显，乡村老龄化、留守人口激增等新问题涌现，乡村人民的生活水平仍需提高。

1. 经验优势

（1）合理的土地流转推进

土地合理流转是发展集约规模化农业的前提，因为中国传统的小农经济是以一家一户为生产单位。改革开放后推广实行的"家庭联产承包责任制"也是分田到户，自主经营。虽然这在当时起到了激发农民生产积极性的作用，但是同样也固化了土地的承包经营者。随着城乡差距拉大和市场经济的深化，大批农民离开曾经赖以生存的土地，或是前往城市打工，或是停止耕种而在乡村企业上班。但是，"家庭联产承包责任制"相关法规规定不能向本集体经济组织外的人员转让土地承包经营权，这就造成了大量的耕地荒废，而同时又有农民想扩大生产却无地可种的局面。因此，合理促进土地流转是促进农业土地资源更合理分配的必然选择。泖港镇则采取了在集体经济组织内部组织流转的方式，农户在自愿的前提下，将承包地委托给村集体，村委会负责将土地承包给有能力、有担当的农户，并且规定只能进行粮食种植和以家庭农场的形式集中经营，以此实现土地在集体经济组织内部的合理流转。同时，政府会对出租土地的农户和承包土地的农户给予一定的补贴，使得农户能够获得一定的收益，鼓励合理的土地流转。

（2）成熟的家庭农场模式

2008年党的十七届三中全会报告第一次将家庭农场作为农业规模经营主体之一提出。随后，2013年中央一号文件再次提到家庭农场，鼓励和支持承包土地向专业大户、家庭农场、农民合作社流转，发展多种形式的适度规模经营（王光全，2013）。

上海市松江区自2007年推出家庭农场到2012年6月，已发展到1173户，经营面积占全区粮田面积的77.3%，户均经营面积114.1亩，户均年收入10.1万元（徐祐华，2017）。以腰泾村为例，该村目前共有家庭农场12户，经营面积共2157亩，家庭农场通常是由原来的种粮大户发展而来，但是又不同于以往。家庭农场由政府推动，从种子、化肥的配送到后期农产品的销售全部由专门的农业公司负责，这样避免了独立农户生产的劳动效率低和不规范性等问题。并且为保证农产品质量，区农委对家庭农场进行定期培训审核，审核不过关者将失去家庭农场经营资格。因此在严格的准入和考核机制下松江区家庭农场的效益也逐年上升，更是培养出了以全国十佳农民李春风为代表的一大批优秀农业工作者。

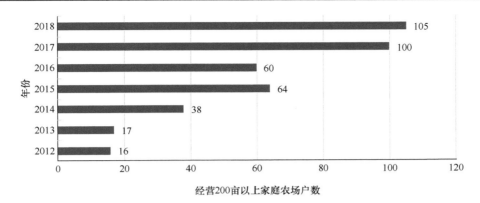

附件图 2-26 2012～2018 年松江区 200 亩以上家庭农场户数变化情况
资料来源：上海市统计局，2018

（3）全面的农业科技推广

中国目前面临着人均耕地面积小，耕地平均质量较低的困境。而只有现代农业科技的创新与推广才能合理解决这一难题。具体到松江区，松江区采用的是政府给予农户补贴以此鼓励农户更新现代农机，农机的引入使得农业的效益、效率及稳定性都得到了很大的提高。松江区农业农村委下设执法大队、疫控中心、水产技术推广站、农业技术推广中心、林业站等机构，牵头负责全区的农业科技推广、现代农业经营主体的培育以及农产品电子商务培训。以区农委执法大队和农业技术推广中心的工作为例，他们或利用部门工作人员的专业知识，或邀请上海市相关科技单位的专家，先后为本区农民举办了农业植物检疫培训会、水产品质量和安全培训会、渔业安全生产讲座、渔业船员安全管理培训会、家庭农场实用技术培训会、黄浦江大闸蟹品牌建设现场交流培训会等农业科技培训活动，强化了农民的安全生产意识，培育了农民的科学生产技能，推动了农业农村的现代化建设。

（4）有效的垃圾分类推进

垃圾分类是一个大趋势，上海作为全国第一个试点，遇到的问题同样值得关注。垃圾分类在农村难以推进，一是因为农民文化素质较低，在自觉做到垃圾分类的意识和能力上都有欠缺，即使农民想垃圾分类也可能因为能力不足而放弃。二是因为垃圾管理困难，南方农村农户普遍都是分散分布，因此对于垃圾分类的管理难以推进。农村的垃圾分类如何有效开展呢？对此，腰泾和黄桥两村采取了如下措施。①通过各种渠道引导农民形成垃圾分类的意识，并且提高其分类能力。②分设网格长，对保洁员划区域进行管理，明确责任主体。③垃圾集散点分级回收，做到农户周围附近地区都有小型垃圾集散点，再由专门人员运输至更高一级垃圾集散点，依此类推，级别越高规模越大数量越少。

2. 存在问题

（1）发展与保护的矛盾

在耕地红线和环境保护的双重压力下，建设用地指标在全国大多数乡村已经很难再增加，并且还有收缩的可能性。以黄桥村为例，黄桥村位于黄浦江源头，是上海市水源地重点保护区，2017 年开始为响应"两山"理论为首的环保政策规划，就拆除了一系列乡村旅游设施。随着"浦江源温泉度假村"的彻底拆除，黄桥村几乎已经没有了乡村旅游产业，拆迁腾出的土地也将陆续反建为林地和草地。并且在环保要求日益严格的情况下，黄桥村日后可以引入的产业准入要求也逐步提高，这也给黄桥村的经济发展带来了一定困难。

黄桥村地理环境优越，历来是上海地区的重要稻米供应区，因此在村落中稻田占据了很大一部分的土地，目前水稻种植面积共 3224 亩，剩下的多是公益性的建设用地和宅基地等不能进行开发的土地。在耕地红线的硬指标下，黄桥村只能勉强维持经营性用地指标，但是如果遇到国家重要基础设施，如"高铁铁路修建""西气东输管道建设"等占用耕地，村委只能划分出经营性建设用地补齐耕地指标。黄桥村村干部坦言，未来黄桥村经济发展只能依靠目前规划引入的产业园带动，而如果这个产业园入驻，黄桥村的建设用地指标也将所剩无几。

（2）老龄化与传承的冲突

松江区农村如今还在务农的农民平均年龄已超 40 岁，他们大多是土生土长的农村人，没有强烈的入城意愿，并且或多或少都有着务农的经验。老一代农民对乡村有着归附和依恋的感情，对农业生产活动也有着适应性。但是他们的文化水平普遍偏低，适应不了松江地区农业科技迅速发展、生产集约化数字化的需要。

然而更大的问题潜藏于农村的下一代。调研中发现，就算进城会遭受城里人带偏见的目光，只得在底层的岗位日夜奔波，新生代中的大多数依旧选择进入城市而拒绝留在农村，调研小组问及原因的时候，大多数回答者都提及成为城市人是他们从小被教育的目标。市场化冲击下，城市对于他们而言意味着更多发展和就业机会。在大众传媒无休止的宣传下，新生代也很容易踏入城市"发展陷阱"。当逃离农村、进入城市成为农村新生代目标的时候，其对乡村的情感就会淡薄，对土地的依恋便会减少。

总体来说，如今的现状是，老一辈农民即将"退役"，然而本该承担起现代农业发展的新生代却大多前往城市，愿意留在乡村继续从事农业的人少，具备专业知识的新农民更少。当这一代农民"落下帷幕"而无人接过农业的担子时，农业将可能会面临一个农民断代的局面。

（3）留守与安置的问题

现代化生产方式对于劳动力的需求大大减少，这必然会造成一大批"剩余人口"。在松江地区，农民们的土地大多已经流转到当地的家庭农场进行承包经营。而有劳动能力的人大多选择前往松江城区或外省打工，这就意味着如今村中的人口大多已经不具备劳动能力，成为"相对剩余人口"。这些老一辈村民文化素质普遍较低，少有开展外出旅游或者进城消费及娱乐的意愿，对互联网也知之甚少。在黄桥和腰泾两村，村民们的日常生活现状大多是熟人聚集在村委的老年活动室内打牌，娱乐室也渐趋"赌场"化。而随着松江地区乡村旅游行业受挫，外来人口前往农村的机会也将更少，当地农村可能会呈现比以往更封闭的倾向。

3. 可行建议

针对上述在调研中发现的"发展与保护的矛盾""留守与安置的问题""老龄化与传承的冲突"，及了解到两个村落的发展需求，调研小组给出如下针对性建议，希望能够有助于两个村庄开拓治理思路，优化治理结构，实现科学高效的生态村落治理。

（1）以环保的理念指导发展

农村在发展过程中难以回避发展与环保这对首要矛盾，应对这一矛盾既不能枉顾生态保护，也不能缩手缩脚阻碍发展，通过技术引进、指标交易和优化政策决定来突破目前保护性发展难题，积极探索生态保护基础上的发展思路才是解决良策。

重视科学技术的生产实践。黄桥村在农田领域的保护性生产效果良好，技术人员因地制宜研制的"高效低毒"农药堪称典范。未来，黄桥村可以进一步扩大类似技术的探索，并从生产领域延伸至生活领域，如村庄后续规划建设采用环保设计，使用可循环的环保材料，引入环保技术。

在环境监察、植物保护、农田航测与规划、播撒作业等方面，农用无人机的投用是实现农业现代化的关键一环，在青壮年流失严重的农村，以往需要投入大量劳动力和劳动时间的农田管理，会因各种农用无人机的投用而更加轻松。黄桥村在推行现代化农业中引进无人机技术，但受制于田地的破碎化，以及电线杆在田地的分布、无人机的操作技能匮乏等问题，始终得不到长足发展。良好的政策环境是推进地方技术发展的重要动力。针对这一问题，在法律的基础上进一步推进土地流转的同时，地方政府应当加大对技术引进、研发的财政投入和政策支持，进一步探索无人机技术及其他先进生产技术的应用助力。

探索垃圾指标的合理交易。在调研过程中，无论是黄桥村还是腰泾村，村子的垃圾处理都是萦绕在村干部心头挥之不去的难题。针对这一问题，调查组认为，除了进行合理的垃圾分类处理，村庄还可以模仿碳交易进行"垃圾交易"探索——村子内部各家各户可以彼此进行垃圾排放指标交易，同时，村与村之间也可以进行垃圾指标交易，提高村民环保意识的同时也能减少垃圾排放，降低垃圾处理成本，缓解一村的垃圾处理压力（熊孟清，2009）。

确保因地制宜制定政策。黄桥村温泉度假村的拆除可谓令人痛心，占地 838 亩，号称"上海首家拥有天然地下矿物质温泉"的综合性森林度假村在环境保护的政策下被"一刀切除"，虽然环保初心无可置疑，但这种直接拆除方式不仅浪费了大量社会资源，还可能在拆除过程中造成二次污染，而且使得村庄丧失了一次发展机遇。大拆大建并不能从根本上解决环境保护问题，针对有问题的项目可以进行多次评审，包容决策，通过规划改造进行环境保护升级变废为宝而不是强制拆除方是长久之道。

（2）以创新的精神挖掘农村潜能

扎实推进新型高素质农民培育，"铺路搭桥"赋能发展主体。农业农村发展遇到新挑战，意味着农民这一乡村振兴主体也要与时俱进，吸收新思路、培养新本领、捕捉新信息是当代新型高素质农民必须打磨的基本功。目前两村所在的松江区农委也一直致力于为广大村民带来更多的农用知识技能培训项目，腰泾村、黄桥村应该主动对接上级政府有关政策，争取资源投入本村农民的职业技能培训。

在农业农村发展遇到新瓶颈的大背景下，服务型政府要求村干部不仅是农村的领路人，也应该是服务农民事务的勤务员。本次调研所遇到的腰泾村、黄桥村的村干部，都是具有能力的"当家人"，有目标、有蓝图、有担当。在村庄管理方面，村领导班子依然需要领导力建设来提升管理层的治理能力和水平，从而推动村庄的进一步发展。加强对村级干部的教育培训，建设学习型党组织和基层干部队伍，是解决基层"本领恐慌"的根本之策；建立和完善保障激励机制，激励年轻人才进入基层队伍，激发基层干部投身农村建设的热情和动力；积极推进党支部工作专职述职制度，建立问题整改、监督指导机制（刘伟锋，2017）。希望上级政府调动更多的资源让广大农村地区的干部们接触新思想、增加新本领、捕捉新信息，从而在自己的岗位上发光发热。

认真做好高新产业园区建设，"搭窝筑巢"吸引人才返乡。黄桥村未来打算建设一个高新技术产业园区，承接一些高新技术产业，并围绕这一产业建设一个基础设施更完善、服务水平更高的园区，以吸引劳动力回流，留住年轻人。但与此同时，提供便利的购房政策，合理的户籍安置措施，更为便捷的交通网络，完善的社区医疗等才是真正让劳动力和人才留下来、扎住根的举措。同时，也要提升对引进人才的要求。黄桥村村主任曾经感慨道，"村子非常缺少有学历有知识的人，特别是村委"，村委的老龄化也非常严重，而且总有"关系户"想混进来，但都被他拒绝了，村主任明白知识的力量，引进高学历、高水平、高素质的真正扎根一方水土的人才，才是真正解决村庄问题，引导村庄和村民们未来向好向上发展的重要动力。

重视弘扬生态农业文化价值，"农田教育"滋养祖国花朵。针对黄桥村村干部提及的农业文化和技能难以为继的问题，调研小组认为可以通过建设"生态农业教育试验田"的方式，让农村的知识和城里的孩子们"相遇"在美丽的稻田。2020年4月6日，央广网刊登了一篇名为《立足新时代 如何上好劳动教育这门"必修课"》的文章，文章提倡在新时代大中小学应当开设劳动教育必修课程，呼吁广大学子不忘劳动初心。黄桥村毗邻上海市中心，是现代农业发展的实验基地，大可抓住这次机遇，继续打通城乡脉络，增进城乡互动，通过网络直播和学校合作建设教育基地等方式培育"生态农业教育试验田"，将乡土经验知识化，将现代农业场景化，将学习与劳动结合，既增加生态农田的文化价值，盘活城乡人员流动，也在实践中教育莘莘学子，滋养下一代勤劳亲民的精神。

（3）以多元的方式提供养老服务

无论是黄桥村还是腰泾村，老龄化问题都非常严峻。想方设法吸引年轻人的同时，做好老年人养老保障的工作也十分重要。对此，结合两个村落老人年龄阶段的分布，可以探索分年龄段的养老管理机制，实现自愿养老、多元养老、阶段养老和互助养老。根据家庭自愿的原则，提供多元且差异化的养老服务。例如，60～70岁提供再就业培训机制和机会，70岁以上注重养老和医疗保障服务，自愿选择在家养老（村委有定期的慰问机制）或者到村子建设的疗养院养老（利用村子现有资源筹建疗养院），运用乡村老年协会互助养老模式，丰富老年人养老选择（卢玥，2019）。同时，也应当在保障老人基本的养老生活需求之后，加深老年人精神文化工作的摸索，防止中老年人甚至村民集体娱乐"棋牌化"，综合提升村民的生活水平和生活质量。

七、中国河北省石家庄市塔元庄村

推进乡村振兴，关键在于激活当地社区的主体能动性，即发挥村民、村干部、企业在乡村建设中的积极作用。在对河北省石家庄市塔元庄村的实地调研中，发现该村依靠社区资源，统筹全村力量发展能辐射周边的多元产业，推动社区建设，进而实现乡村振兴。其中，生态农业利用科技力量与互联网平台提高了本地农产品的附加值；以社区为单位的养老产业促进了老人与青壮年劳动力的社区融合；以红色文化为基础的旅游业成为塔元庄村对外推广、拉动外资的品牌。在乡村振兴的进程中，塔元庄村在产业规划与项目实施过程中结合当地半城郊经济优势，合理利用科技力量，调动了本地社区的主体活力，提供了乡村特色产业发展的良好范本。

（一）塔元庄村简介

1. 基本情况

塔元庄村坐落于滹沱河畔，属河北省正定县管辖，村址位于藁城区以西 10km 处，南邻马一村，西邻石家庄市经济技术开发区，紧邻石家庄市区，是典型的半城郊村落。塔元庄村共有 500 余户人家，2000 余人口，700 余亩耕地，3000 余亩河滩地。村内平房已于 2008 年改建为楼房，卫生环境明显改善，滹沱河治理取得明显效果，被评为河北省文明生态先进村、民主与法治示范村、集体财富积累示范村、农村新民居建设优秀示范村。

塔元庄村产业发展多元统一，以生态农业、养老服务业、红色旅游业为主，服务本地、辐射周边。有学者提出，乡村衰落趋势与农业产业多功能性丧失有关，因此，通过产业重组重构农业的多功能性是乡村产业振兴的关键（周立等，2018）。塔元庄村以科技为支撑的生态农业改变了原有的粮食生产单一模式；其旅游产业主打吃、住、游、娱、购，为村民创业、增收提供了平台；其养老服务产业不仅为村集体带来了可观的收益，更增强了村民们的获得感。20 世纪 70 年代，村民收入主要依靠耕作，村集体几乎没有积累，人均年收入不足 400 元。经过几十年的发展与积累，到 2018 年，村集体收入已达 2000 万元，在河北省率先全面建成高质量的小康村。

2. 产业发展历程

回顾塔元庄村发展历史，在改革开放以前，并没有呈现自己的鲜明特色，农业发展较为迟缓，但在 21 世纪，塔元庄村的发展势如破竹，农业产业园与旅游业成就突出。今天，经历了几十年风雨，塔元庄村提前完成全面建成小康社会的任务，这一系列显著成就，与塔元庄村独特的产业发展道路密切相关。在社会主义市场经济体制下，对于如何利用市场引领村庄发展、服务村庄建设这一问题，塔元庄村提供了良好的范例。以下分别梳理塔元庄村的生态农业、养老产业和旅游产业发展历史。

（1）生态农业

塔元庄村近代农业发展历程大致经历了以农民土地所有制为基础的小农农业到以国家土地所有制为基础的合作社农业，再到家庭联产承包责任制的个体农业，最后又回归以村集体为基础的合作社农业的四个发展阶段。生态农业的发展主要从第三发展阶段开始并不断发展完善。

1982 年，塔元庄村实行土地承包责任制，将土地承包给个人经营，承包期为 15 年。在这 15 年间，农民生产积极性大幅度提高，农业得到快速发展。粮食增产，既满足了村民个人需求，也加速了农产品商品化进程。由于塔元庄村距离正定县城较近，余粮基本销售到正定县城，然后再销往石家庄市区。随着市场不断放开，竞争加剧，为了增强自身竞争力，塔元庄村村民开始奉行"城市需要什么，我们就种什么"的生产准则。这种以城市为主体的半城郊农业是这一时期的发展主流。当时，塔元庄村引进了一系列新农具，种植的作物也由传统的粮食作物变为多种经营。但是，此期间所进行的改变并没有完整的规划，并非有意识、有组织地进行系统革新，所以农业发展并未出现本质改变。但先进技术和市场化思维的应用为日后生态农业的发展奠定了良好基础。

2000 年，村两委换届选举。新一届领导班子成立，塔元庄村农业发展迎来转折。在新的领导班子的带领下，村集体的实力与威信不断提高，为之后农业合作社建立打下了基础。2008 年，时任国家副主席习近平同志来到塔元庄村视察，提出了环保农业的概念。至此，塔元庄村生态农业的雏形孵化成功。农业的发展不仅考虑经济收益，还强调对生态环境的保护。同年，塔元庄村的平房改楼房工程的完成使村内耕地面积扩大，为生态农业的发展提供了物质基础。2011 年，塔元和林果蔬种植专业合作社成立，流转土地500 亩，建成现代化农业科技园，并于 2012 年建立钢架结构日光式大棚。截至 2012 年，塔元庄村实现现代科学技术成果及管理手段与传统农业经验的结合，本地的生态农业获得巨大成就，创造了极大的经济效益、生态效益和社会效益。

2013 年，塔元庄村又迎来新的发展机遇。这一年，习近平总书记再一次来到塔元庄村视察和调研，并提出了农业产业化的发展路线，即要求把发展粮食与多种经济作物生产，发展大田种植与林业、牧业、副业、渔业，发展大农业与第二、第三产业结合起来，利用传统农业精华和现代科技成果，通过人工设计生态工程，努力协调发展与环境之间、资源利用与保护之间的矛盾，形成生态上与经济上两个良性循环，实现经济、生态、社会三大效益的统一。农业产业化的提出标志着塔元庄村生态农业发展迈出历史性的一大步，这是塔元庄村立足村情，实现生态农业目标的具体发展路线。塔元庄村把全村的大部分耕地都流转到了村集体，以村集体为核心来统一规划、统一发展，土地的规模经营更是为推进农业产业化进程提供了保障。

为了实现农业产业化的目标，塔元庄村引进国外先进生产技术和设备，建成河北天一蔬菜加工有限公司；注册"塔元庄"牌商标，对面粉、花生油、小米、大米、牛蒡酒等进行产品设计、包装和销售；建设"无花果种植基地"这一集种植、观光为一体的特色项目。调研过程中，我们看到村里电子商务产业园的货架上摆上了琳琅满目的商品，多是来自全县各地的特产，包括"塔元庄"牌的大米、无花果、牛蒡酒等。如今，这些特色农产品借"互联网+"之势，销往全国各地。2017 年正定县的农林牧渔商品产值位列石家庄各区县第四，塔元庄村贡献了具有城郊经济特色的生态农业发展路线——农业产业化路线。

（2）养老产业

根据 2018 年国家统计局的数据，我国 60 岁及以上人口达到 2.49 亿，其中农村老年人口占 74.9%。农村老年人的社会保障、医疗保障、服务体系亟须社会经济领域开展全方位升级工作（全国老龄工作委员会办公室总报告起草组，2015）。塔元庄村养老产业依靠本地劳动力促进老年人的社区融合，也创新性地回应了当地老年人的医疗与服务需求。养老产业化的理念在 2013 年被正式提出。在此前，塔元庄村已经出现了基本的养老模式，为之后的发展提供借鉴。

2005 年，塔元庄村建立了村内第一个养老院——幸福敬老院，为村里孤寡老人提供养老服务。2012 年，第一个老年活动室建成，基础养老设施进一步完善。2013 年，习近平总书记来到塔元庄村视察，提出了养老市场化的理念。塔元庄村从此开始探索养老产业的新型发展方向。整个华北地区较为缺水，但是塔元庄村毗邻滹沱河，自然环境优美，适合居住调养。2013 年，由村集体组织建设了劲松老年公寓（养老院），这个养老院最大的亮点就是它和就近的正定县西柏棠医院相互合作，是一所集养老、医疗、康复等为一体的医养结合体。"医养结合"把专业的医疗检查和先进设备与康复训练、日常学习、日常饮食、生活养老等相融合，以医疗为保障，以康复为支撑，边医边养、综合治疗。养老院奉行"小病不住院，大病不离床"的养护理念，让老人享受更加优质的医疗服务。养老院利用"医养学一体化"的发展模式，把大病早期识别干预、康复训练、日常生活、养护疗养、日常学习、日常护理等综合为一体。另外，养老院对塔元庄村孤寡老人实行免费制，对非本村孤寡老人进行合理收费。

塔元庄村还大力发展居家养老与金融养老相结合模式，让农民在家享受幸福晚年生活的同时还能获得经济收益。塔元庄村 60 岁以上老人每人享有一个名额，可以将闲置资金集中给村集体，由村集体进行投资，老人获得收益。社区养老服务让老人生活在熟悉环境里，既能满足情感归属需求，又能享受社区提供的专业化服务。

2017 年财政部等发布《关于运用政府和社会资本合作模式支持养老服务业发展的实施意见》，推进惠及全民的养老服务体系建设。我国学者也提出要形成责任共担、分工合理的养老服务格局（武玲娟，2018）。综合来说，目前塔元庄村养老产业以劲松老年公寓为支撑，以金融养老和居家养老为辅助，激活了社区–政府–企业的多元主体之间的互动。塔元庄村养老产业得到了一定发展，但是还有较大的发展空间，彻底实现养老市场化还需要一个过程。

（3）旅游产业

随着基础设施不断完善，塔元庄村的旅游业逐步发展起来。2000 年，塔元庄村进行了农网改造，完善了农村供电系统。2002 年，开通了向阳路，村内道路达到一横三纵；2003 年，修建了通城公路；2005 年，村南 103 国道硬化最终完成。这些基础设施的完善为旅游业发展提供了基本前提。塔元庄村建立了红色教育基地，主要面向党政机关群体发展极具特色的红色旅游业。习近平总书记在任正定县委书记时便曾多次到村里调研，时时关注村庄发展，之后又于 2008 年、2013 年到塔元庄村视察，并发表重要讲话，为村子指明发展道路。塔元庄村吸引了全国各地的广泛群体前来学习调研。塔元庄村大力推广红色旅游，建立专门的研学基地，并建立不忘初心主题教育馆，接待外来学习群体，如今已形成了较完整的服务体系。

塔元庄村在充分利用红色文化的同时，还将旅游业与本村的特色生态农业结合。2000 年后，在新的领导集体的带领下，村子建立了现代化农业产业园，产业园也承担了部分旅游观光任务，主要面向青少年群体，提供科学教育与实践平台。例如，无土栽培的实践活动以及多肉植物生长过程的探索等特色项目，都对青少年群体具有独特的吸引力。另外，村内的无花果种植基地也参与到了旅游业的发展当中，吸引城郊居民感受新型农业的培育、种植、采摘活动。

2018～2019 年，为提高在旅游市场中的竞争力，塔元庄村开启旅游新纪元——开辟纯娱乐旅游路线。塔元庄村毗邻滹沱河，有着发展旅游业的天然优势。2018 年，村集体将滹沱河河边的沙滩地全部流转，建成了欧式建筑风格的木屋民宿小镇。在木屋民宿小镇隔壁是塔元庄村旅游业龙头项目——锦绣水上嘉年华，这是全国几千家水上乐园中规模较大的全室内水上游乐园。锦绣水上嘉年华项目正处于建设阶段，还将增加温泉、酒店、旋转餐厅等功能板块，打造休闲旅游综合体，这将极大地丰富塔元庄村的旅游业态，成为塔元庄村旅游的一张新名片。正定古城、红色景点与教育基地、美食街、梦乡小镇、水上嘉年华、500亩花果采摘基地……这些项目的综合，构成了塔元庄村吃、住、行、游、购、娱为一体的旅游全产业链。

（二）科技支撑实现多元化产业结构

塔元庄村行政归属为石家庄市正定县，产业发展契合县域经济结构。2012年以前，塔元庄村以本地的木材厂、建筑零配件制造厂、印刷厂、家具厂为主推动当地第二产业发展。伴随建设美丽乡村的开展，一些高耗能产业由于环保压力主动转型，为本地生态农业提供技术与平台支持；塔元庄村生态农业的发展得益于正定县对互联网、物联网相关服务业的投资，其发展也反向促进当地消费市场的转型，满足城乡居民对新兴农产品消费的需求；而塔元庄村的文化旅游路线也是正定县旅游业核心业务，在2019年上半年与正定县其他观光项目一起推动旅游总收入增长149.2%（附件表2-20、附件表2-21、附件图2-27）。

附件表2-20　2019年上半年正定县产业增长状况

项目	比上半年增长	全市排名
地区生产总值	8.50%	9
第一产业	2.85%	—
第二产业	9.80%	12
第三产业	11.00%	3

数据来源：正定县统计局；—表示无数据。

附件表2-21　2017年正定县产业生产总值与发展速度

项目	生产总值/万元	比去年增长/%	全市排名
地区生产总值	2 970 319	106.80	9
第一产业	337 855	101.40	9
第二产业	998 217	104.00	8
第三产业	1 634 247	109.50	9

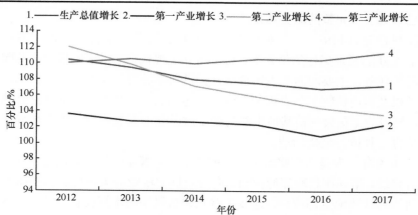

附件图2-27　2012～2017年石家庄市产业生产总值增长
数据来源：石家庄市统计局，2018

1. 科技助力农业全产业链升级

改革开放以前，塔元庄村的农业生产以种植小麦、玉米、果树为主，生产技术水平较低，农作物产量低，农民获利少。由于传统农业并不能满足农民对可支配收入的需求，导致越来越多村民退出传统农业生产领域。2012～2017 年，正定县农林牧渔业总产值增速一直在 4%以下（附件表 2-22、附件图 2-28），第一产业从业者 68 814 人，仅占乡村劳动力人数的 27%。新时代"三农"工作围绕农民的需求开展，而农业农村现代化可以显著提高农民收入，满足农民需求。为此，塔元庄村充分发挥科技的作用，将科技要素运用于农业全产业链，推动农业农村现代化，助力乡村振兴。

附件表 2-22　2012～2017 年正定县农林牧渔业总产值及增速

年份	总产值/万元	增长速度/%
2012	480 599	3.80
2013	496 728	2.70
2014	504 508	0.80
2015	474 629	0.40
2016	545 189	2.90
2017	538 201	2.00

数据来源：石家庄市统计局，2019。

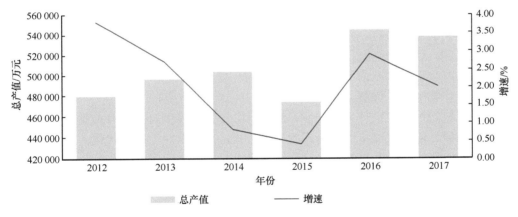

附件图 2-28　2012～2017 年正定县农林牧渔业总产值及增速
数据来源：石家庄市统计局，2019

早期塔元庄村的农业采用单一传统的小农种植方式，村民的思想观念较为保守。20世纪 80 年代习近平总书记任正定县委书记期间，为当地提出"半城郊型"的经济发展模式，即利用塔元庄村南接石家庄市、北接广大农村地区的区位优势，发展以市场需求为导向的农业相关产业。2013 年，习近平总书记再次来到塔元庄村，提出农业产业化的发展路线。之后在村干部的带领下，在重视绿色环保的前提下，塔元庄村开始了农业产业结构调整，机械化程度提高，科技贡献率大幅上升，并且引进了现代农业企业，农业产业化发展日渐成熟的同时，村民生活也越来越富裕。以下具体介绍塔元庄村农业产业化的发展过程中科技元素的具体运用。

（1）农业生产：塔元庄村农业产业园

塔元庄村农业产业园呈现"六区一带"的整体布局，"六区"是指无土栽培区、农产品加工区、观光采摘区、农耕文化区、生活办公区和餐饮服务区；"一带"是指体验式休闲观光与科普教育长廊。在科技要素引领下（附件表2-23），第一、第二、第三产业融合，生产、生活、生态一体，延长农业产业链，提高农产品附加值。

附件表2-23　塔元庄村特色农业产业科技要素运用

特色农业产业链	科技要素支撑
沃圃生智慧农业园区	云计算指数控制，大数据处理平台
河北天一蔬菜加工厂	精加工技术，物联网联通平台
塔元庄村慧聪网	互联网电商平台，智能购物终端

沃圃生智慧农业园区就完整体现了科技要素在塔元庄村农业生产环节的运用。根据园区负责人的介绍，农业观光园一期建设的示范园区占地面积约为60亩，包括9栋薄膜温室，里面种的都是西瓜，第一期定植了6万多株，预计这一茬的产量为12万～13万个，一年可以连种三茬。整个智慧园区在农业生产中除了必需的人工作业（如授粉、整枝打岔）外，其他工作（如水肥控制、营养液系统）都是由计算机控制。园区硬件搭建主要分为三个大系统：第一个是感知系统，大棚内安装有传感器，能够探测整个棚室内温度、湿度、二氧化碳浓度、光照等参数以及基质里面的温度、湿度、pH等与植物生长相关的数据；第二个是决策系统，即云平台，内置了植物生长的模型，能够实时判定植物在不同的生长阶段、光照、二氧化碳等条件下，保持优质生长所需要水肥的量以及肥料的比例；第三个是执行系统，包括环境控制器、施肥机等，云平台将指令发送给环境控制系统来调控棚室内各项与作物相关的环境数据，把信息给水肥控制系统来调控施肥机，给作物配比、灌溉营养液。

塔元庄村通过配套成体系的智慧系统，利用云处理器和大数据为农业生产提供科学的测量与指导，逐步改变传统经验式的生产方式，推动农业生产现代化。提高农业生产效率的同时，促进农产品质量与数量两个方面共同发展。

（2）农产品加工：河北天一蔬菜加工厂

农产品加工是新时代绿色农业"产加销一体化"发展全链条建设中的重要一环，也是科技要素在农业全产业链流通的中间环节。先进农业加工技术的运用有助于提高加工效率，农业加工"当地化"有利于节约运输成本，增加多方面的效益。在农业加工环节，塔元庄村引进国外先进生产技术设备，新建 $10\,000m^2$ 绿色豆芽厂并进口全自动生产线一条，建成河北天一蔬菜加工厂，发展农产品深加工，日产豆芽约150t，每年为集体增收100万元。塔元庄村利用现代科技的力量发展农产品加工业，推进农业"产加销一体化"建设与村内第一、第二、第三产业融合。

（3）产品销售：塔元庄村慧聪网

新时代，"互联网+"成为新经济发展的引擎和创新驱动发展的代表力量。农业产业与"互联网+"的深度融合就成为农业产业现代化转型的必备法宝。农业信息化引导的农业互联网、农资电商和农村互联网金融新业态能显著提高农业产业链整体效率，促进农业与现代技术的融合，成为拓展农业下游消费，更新销售渠道，打通资金链、物流链的重要手段（李国英，2015）。

互联网信息技术带来塔元庄村农业产业销售环节升级。塔元庄村成功引进了慧聪网，成立了集服务、展示、交易、孵化、创业、培训于一体的河北首家慧聪塔元农业科技示范园区，建成了 16 个专业电商平台。由此塔元庄村搭上了电商快车，运用"互联网+农业"模式，打通"农产品进城，工业品下乡"双向流通渠道。2017 年，依靠便捷的网络销售渠道，慧聪网将单一的农产品展销扩大到农村产品展销，除了将塔元庄村的小米、香油、牛蒡酒等农产品销售到京、津、冀、鲁、晋、豫等多个省（市），更是将正定的板材、小家具卖到了俄罗斯，将当地种植的蘑菇卖到了日本、韩国。2018 年慧聪网主推"冀康"牌河北名优农产品的展销和农副产品智能购销终端机。客户可通过扫描终端机上的二维码进行产品购买，还能查询产品的生产地、生产日期、价格等详细信息，这一技术在提高全年销售额的同时让顾客更多地了解产品信息，同时增加当地品牌知名度。

塔元庄村农产品销售由传统的单一农贸市场销售向农贸市场与线上电商平台销售相结合转变，逐步从农贸市场向电子商务转型。塔元庄村重视发挥信息技术的作用，未来，塔元庄村还将继续发挥互联网的作用，促进农业线上线下一体化发展。

关于塔元庄村科技推动农业农村发展中所遇到的困难，村主任告诉我们："从最初实地调研学习其他村的发展经验，到亲自登门拜访农业科技企业；从种植到销售，靠的是一种不怕吃苦的精神，要把每个环节中的科技含量都吃透。为了让现代农业科技企业落地村内，必须创造一个优惠稳定的发展环境。农业农村要发展，仅靠塔元庄村自身的力量是不够的。在技术与经济支持方面，要想做大做强必须要吸引外资和科学技术来推动发展。"

当问及塔元庄村发展农业产业化的经验时，村主任再次强调科技对于农业的重要性。他说："目前国内农作物的药物残留、催生剂施用还很严重，改变这一现象尤其需要高科技。我们塔元庄农业生产的两个特色，一是利用营养液的无土栽培，二是利用有机肥种植。这两个项目今年年底开始试种，大概一个多月就能生产出来，明年进行推广。还有比如我们种植的黄瓜的产量，原先一亩地产一万到两万斤，现在提高到四万到八万斤，产量提高了，成本还降低了。"

截至 2018 年，全国主要农作物耕种收综合机械化水平已超过 65%，标志着中国农业生产方式已由千百年来以人畜力为主转到以机械作业为主的新阶段；农业科技进步贡献率超过 57%，标志着中国农业发展已从过去主要依靠增加资源要素投入转为主要依靠科技进步的新时期。塔元庄农业产业化的成效日渐显著，科技、资本、人才等要素的流入为塔元庄村的发展注入新的动能。加强农业科技创新和推广，提高农业物质技术装备水平，有利于延伸农业产业链，有利于发展高附加值、高品质农产品，有利于提高农业综合素质、效益、竞争力，推动农业从传统劳动密集型产业向高效运营、规模适度的现代农业转变。

2. 以村民为主导的养老市场推广

根据国际上公认的人口老龄化社会的标准，我国现已步入人口老龄化社会。面对不断加深的人口老龄化和逐渐增加的老年养老服务需求，以"居家为基础、社区为依托、机构为补充、医养相结合"的养老服务体系在我国逐步建立起来。党的十九大报告指出，要构建关爱老人政策体系，实施健康中国战略，积极应对人口老龄化，构建养老、孝老、敬老的政策体系和社会环境。由于我国人口老龄化的城乡倒置，养老问题的关键、重点在农村，突破口也在农村。塔元庄村作为河北省先进村落，其养老产业的发展也在石家庄市内领先（附件图 2-29），率先推出农村社区养老、金融养老等项目。

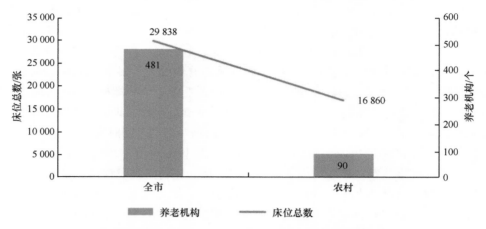

附件图 2-29　2017 年石家庄市养老机构数量与床位统计

数据来源：石家庄市统计局，2019

（1）多种养老模式服务村民

我国目前主要的养老方式有三种：家庭养老、机构养老和居家养老。随着我国社会经济发展和计划生育政策实行，传统家庭养老模式日趋弱化，机构养老和居家养老逐渐成为当前主流的养老模式。塔元庄村自 2000 年新村委领导班子上任以来，一直关注村民养老服务。2005 年，塔元庄村成立第一个老年活动中心，村民闲暇时间可以到活动中心下棋，喝茶聊天，在传统的节假日老年活动中心会举办各种社区活动，丰富村民文化生活。从 2013 年开始，塔元庄村集体投资 2300 万元筹建村级养老院，如今已建成的养老院实现全村 200 余名 70 岁以上老年人全部免费入住。在农业实现产业化、规模化后，2018 年村集体经济收入达到 1100 万元，集体收入增长让塔元庄村决定构建"居家养老+金融养老+休闲养老"为一体的新型养老服务模式。每月 25 日村集体会给村民发 5 斤面、2 斤米、1 斤油，春节前还发放猪肉、面粉等福利及分红；60 岁以上的老人除按上级规定发放养老金外，村集体每月还会再发放 200～600 元的养老金，在村民生日当天额外发放 50 元慰问金。全体村民供暖费与物业费由村集体支付，老人家中的有线电视费用以及医疗费用由集体支付一半。随着村民人均收入提高，村集体每年会组织村里老人外出旅游，村里许多老人到西柏坡了解党的农村发展历史，到南街村、小岗村参观。此外，每年都有部分老人春节前往海南度假，行程全部由村里统一负责，为村民提供了很好的休闲体验。

（2）推进养老产业市场化

塔元庄村委结合养老市场导向携手河北达隆神创工程项目管理集团有限公司将村内闲置的 300 多套房子进行重新规划，修建"塔元庄劲松老年公寓"，为非本村老年人提供租住服务。在有效解决资源闲置问题的同时，养老产业的发展扩宽了村民收入渠道。

如今塔元庄村已建成健康体检室、卫生服务站、老年日间照料中心、书法室、桥牌室和广场舞文艺演出中心等老年服务设施。在将养老产业市场化过程中，塔元庄村积极将养老融入市场并与村外企业开展合作，探索与建立新的养老模式。2014年3月，光彩众生休闲养生有限公司将农村内置金融模式引入塔元庄村，利用养老资金互助社为塔元庄村的农业发展提供资金，让村里老人拥有更多闲余资金，同时结合居家养老服务信息科技为农村老人提供更科学、更便捷的养老服务，以此打造了一个全新的"光彩金居养老服务"模式（附件表2-24）。塔元庄村利用已建立的养老体系与市场导向结合，尝试开拓新的养老模式，将农村居民养老推向市场化。

附件表2-24　塔元庄村养老产业科技要素运用

养老市场推广	科技要素支撑
塔元庄村劲松老年公寓	"互联网+养老"模式下在线医疗
光彩金居养老服务	"内置金融+养老"模式

（3）村集体保障的金融养老产品

金融养老是指围绕养老需求开展的服务于老年人社会保障、社会支持的金融活动，包括政府养老金的安排、商业组织对老年人资产的管理或为养老产业提供的融资支持（赵廷彦和潘亚男，2020）。我国金融养老产品发展迅速，在发展过程中也暴露出诸多问题，如养老金融市场发展速度与政府宏观调控政策不匹配，导致市场倾斜、供需失调或变为融资工具损害正常的养老市场秩序（赵廷彦和潘亚男，2020）。塔元庄村金融养老产品则是当地政府"背书"，管理老人的闲置资产，在提供老年服务的基础上增加养老利息。

"咱们的金融养老是把老人的资金吸引到咱们的项目中，给老人发放别管是叫利息吧还是什么的，给老百姓增收，这个成本很低，效益很好。老人可以存三万，多了也别入，保障老人的收入，每个月返给400块，去世了把这个钱还回去。别人想搞这个事也不让搞，就是给咱们村里60岁以上老人的。"（受访人：塔元庄村党支部书记）

塔元庄村的养老公寓护工主力以当地村民为主，他们熟悉老年人生活习惯，且养老公寓归属于村集体的管辖，因此老人对其开展的金融养老产品也有更多信任感。劲松老年公寓的金融养老产品一方面缓解老年公寓的资金压力，另一方面提高了当地老人对养老服务的购买能力，保障了养老金融市场的良性运行，也促进老人、青壮年劳动力的社区融合，形成政府-社区对金融产品的双重监管机制。

3. 旅游业为中心的第三产业整体建设

2015年中央一号文件提出，要积极开发农业多种功能，挖掘乡村生态休闲、旅游观光、文化教育价值。农业的多元价值不仅在于提供食品、保障就业，还具有第三产业的开发潜力。发展乡村旅游可以突破传统的农业生产模式，增强农村文化发展的活力，拓宽农村生态文明建设的途径，塔元庄村从实际出发，将农业、旅游、养老三大产业深度融合，开发出面向各党政机关单位的红色教育路线、面向小学、初中、高中的农业科技教育路线及面向市民大众的生态农业体验项目，逐渐规范化，总结其产业发展优势，有如下几个。

（1）自然资源优势和红色历史保障不断的客流

塔元庄村毗邻滹沱河一号水面，经过石家庄市的多年建设，目前滹沱河一号水面已形成水域面积 300 万 m^2，美丽的核心岛镶嵌其中，河北岸草坪面积达 12 万 m^2，放眼远眺，满目苍翠。根据习近平总书记三次前往塔元庄调研考察的事迹，塔元庄村筹集资金建成村史馆，建立基层红色教育基地，向来塔元庄村学习的人们讲述塔元庄村独特的红色发展故事，鼓励基层干部、工作者努力奋斗，也吸引着天南海北的游客来塔元庄村学习、参观、旅游。

（2）与本村生态农业相辅相成，开发农业的教育功能

2000 年左右，村内建立了现代化的农业生态园和智慧农业园区，将生态农业与研学结合，建立了农业生产研学基地，与石家庄各中小学联合开展研学教育，吸引了大量青少年前来参观学习，让青少年切身体验无土栽培、滴灌种植等农业技术与农事活动。

（3）利用城郊经济优势，开发特色的乡村游

塔元庄村结合农业园的生产特色，与河北天一蔬菜加工厂等企业合作，将农业园种植的无花果等绿色食品推向市场，建立了采摘基地。如今塔元庄村已有自己的农村淘宝店铺，来此参观过的游客除现场购买特色产品外，还可以直接在网上购买塔元庄村生产的农副产品。同时塔元庄村依托正定古城和滹沱河的旅游资源，推出"塔元庄+美丽乡村+滹沱河景区"乡村旅游路线，在村旁打造美食街，建成了河北第一个冰雕馆。2018年塔元庄村在滹沱河旁利用村集体的自留地建成了极具特色的木屋民宿小镇，木屋民宿小镇由村集体出资，将建设工程外包给村外企业。木屋民宿小镇建成后，交由专门的公司负责运营，村集体按照协议从酒店盈利中获得应有分红。在木屋民宿小镇的旁边，是已建成的塔元庄村旅游的龙头项目——锦绣水上嘉年华。水上乐园的建成极大丰富塔元庄村的旅游业态，促成了塔元庄村吃、住、行、游、购、娱为一体的旅游全产业链。

2018 年，塔元庄村累计接待游客超 20 万人次，实现经济效益 800 万元。卓越的成果展示了其作为城郊新农村发展的潜能，塔元庄村的旅游业是村内产业链重要的一环，它保障了塔元庄村源源不断吸引人流，同时也促进了村内其他业态的发展。塔元庄村的旅游业流淌着"红色基因"，也正因此，它能快速地规范乡村旅游产业的管理，正确制定发展规划。如今的塔元庄村已成为正定古城荣国府之后正定旅游的一张新名片。

4. 科技在产业中的运用

塔元庄村旅游资源中的科学技术要素体现在利用文化与农业资源，进行科技和旅游的综合规划与设计，形成游玩教育一体的旅游产品，具体有两个方面的应用。

（1）在农业生态园的"研学游"项目传播新型农业科技知识

生态园有多个区域：无土栽培种植示范区、种植花卉示范区、农产品展销区、休闲餐饮娱乐区。通过"研学游"的实地参观、参与种植活动，游客可以了解和学习农业所蕴含的科技内容，使科技元素在旅游项目中确立主导地位，而不是功能性的辅助地位。

（2）提高旅游项目与产品推广、运营、服务等方面的科学性

塔元庄村旅游项目与产品开发、运营由第三方与塔元庄村集体合作开展，旗下产品是科技与红色文化、生态农业的结合（附件表 2-25），产品包装设计体现当地特色，专营的网络销售店面可以提供更完善的咨询、售后服务，也承担推广功能，这种集体经济与民间资本的对接是乡村产业多元化、专业化发展的良好示范。

附件表 2-25 塔元庄村旅游产业科技要素运用

旅游业发展	科技要素支撑
红色文化旅游	互联网宣传平台，在线教育
生态农业旅游	无土栽培，设施农业等现代农业技术
城郊乡村旅游	互联网媒体宣传，实现互联网购物

（三）塔元庄村乡村振兴的主体

学界对乡村振兴的具体内涵达成了三点共识，其一是乡村产业要融合发展，要充分发挥乡镇政府、村集体、产业合作社、民间第三方组织的主体性；其二，要将分散的小农组织起来，承接现代化元素，促进它们在乡村的有序流动；其三，城乡融合是实现乡村现代化发展的必然路径（贺雪峰，2017；刘祖云和张诚，2018；党国英，2019）。塔元庄村的现代化农业、养老服务业、旅游业在吸纳乡村劳动力回流的同时，也吸引城市居民消费，呈现依托现代化产业实现城乡资源互通的发展趋势。通过对塔元庄村产业发展的梳理及实地调研，我们发现，村两委、村集体企业扮演着极其重要的领导与组织者角色，村民则积极配合产业建设，从而促进劳动力与城乡资本的流动。

1. 村集体的领导

据学者介绍，20 世纪 90 年代初期，全国行政村只有 20%具备较强的集体经济实力，40%基本无集体经济实力，也不具有真正意义上的集体经济组织（刘振伟，1993）。村集体向本村提供公共服务，也依托其拥有的土地资源，并以此为集体经营的物质基础承担了经济功能。塔元庄村现任的村两委从 2000 年换届上任以来，行走在民生建设的前线，从村内的环境整治开始，对道路、平房、厕所、河滩地进行统一整治，在 2005 年实现村内基础设施的全面改造，也着手村集体经济组织的生产、经营、管理，确保产业的有序发展，并积极将社会资源引入社区，满足村民需求的同时，为当地经济发展与社会生活注入新的活力。

在乡村振兴的进程中，村庄是行动主体，但农村的老龄化与"空心化"造成劳动力过于分散。因此，若缺乏组织领导，分散的村民与农村资源很难进行整合，也无法顺利承接城市资本进入。塔元庄村的可耕种面积不足 1000 亩，且河滩地的土壤环境对传统种植业并不友好，因此在 20 世纪 80 年代以前村民普遍处于贫困状态，人均年收入不足400 元，大部分村民选择外出务工，由此带来劳动力的流失和本村"空心化"。然而改革开放以后，塔元庄村集体善于利用地理上独特的半城郊优势和毗邻西柏坡所具备的红色文化底蕴，加上石家庄市长期以来批发零售业的渠道，最大限度发挥了当地资源优势，将农村劳动力重新吸引回村落。

如塔元庄村的村志记录，在 20 世纪 90 年代，当地农产品价格低迷，农业收入勉强维持村民日常所需，青壮年大都外出务工，村集体涣散，且没有完善的基础设施建设，村内土路崎岖，河滩地没有开掘，污染严重。到了 21 世纪，村落多元化产业形成雏形，吸引了本地及周边村落的劳动力，为正定县的就业安置做出了贡献。

2. 村集体经济组织的企业化

根据《中华人民共和国村委会组织法》，村委会和村集体经济组织是两个独立的组织，但两者在职责权限上允许交叉重叠，确保集体资产的合理利用。由村委会管理的村集体（附件图 2-30）经济组织多为股份合作制公司，包括正定县塔元庄集体资产管理有限公司、正定县塔元和林果蔬种植专业合作社、河北金塔元房地产开发有限公司、河北塔元旅游开发有限公司、石家庄塔元实业有限公司等。它们管理村庄的土地资源，为村民提供种植服务，也为当地企业提供对外宣传、招商引资等服务。在属性上，这些企业沿袭了传统村落合作社的本质，兼具营利性与公益性。

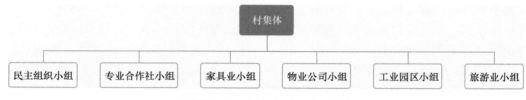

附件图 2-30　村集体企业管理架构

在集体产业的管理上，我们可以看到塔元庄村推行基层党组织的全面覆盖，村集体成员根据工作领域划分职责范围，在各自工作小组中协同作业、互不干扰，统筹工作则交由村两委负责。由于旅游业、养老服务行业、生态种植业的原生态交融，塔元庄村的村集体企业趋向集团化发展。村两委、村民大会、集体企业构成塔元庄村组织网络的交叉节点，保证基层自治的运转，也能确保当地村民真正了解对接城市资源的方式。

3. 村民的自治与回流

塔元庄村事关民生的每一个项目建设都会召开村民大会，如现代农业示范园、土地流转、养老福利等的问题，都会召开主题会议向村民通报大小事项。塔元庄村的村民呈现高度自治化的特征，村民一方面会积极参加代表大会表达自己的诉求，另一方面也积极参与村内的民生建设，如社区的垃圾整治、喜丧事务都有村民自发组织、服务的身影。

"红白理事知道的，基本上都轮流参与，也有村规不让放炮，为了环境，大家都表示配合……""垃圾回收是社区负责的，也有义工讲解，就是麻烦一些得把垃圾提到回收站，但是确实环境好了……"。（村民访谈，2019 年 10 月）

在本研究调研期间，塔元庄村的垃圾回收处一直有专人站岗，负责人来自当地，因闲暇时间较多，主动应聘岗位，积极地投入社区建设中，并向调研团队表示当地社区有很多类似的热心人或在物业领域工作，或在老年社区服务站做义工。

此外，塔元庄村产业发展促进乡村劳动力回流。木屋民宿小镇、水上嘉年华、美食街、生态农业园等特色项目因丰厚的薪资待遇与职业前景吸引了大量乡村劳动力，他们或来自本村，或来自周边村域。例如，木屋民宿小镇负责人向调研者表示："塔元庄村就是好啊，周围很多人都到这儿来打工，原先是到县城的多，但是塔元庄村的项目多，而且国家又支持，待遇肯定比别的地方强。"（木屋民宿小镇经理，2019 年 10 月）

特色项目的开展不仅吸引外来务工人员，也吸引外来投资，培育中小微企业创业的土壤。根据调查数据，至 2020 年，在塔元庄村注册的公司合计 822 家，2019 年有 151 家新注册公司，其中 104 家是个体工商户。概括来说，塔元庄村的产业结构吸引农村劳动力回流的同时促进城乡之间资本的流动。

附件表 2-26　塔元庄村乡村建设的主体和资源

主体	资源
村委会	村内基础设施建设完备，红色文化底蕴深厚，占据半城郊地理位置优势
村集体产业	旅游业、生态农业满足城乡一体化需求；第二产业有历史基础；产业雇佣大量本地村民
村民	较高的自治能力；劳动力与资本

（四）经验与建议

我国乡村格局错综复杂，各地在其组织建设、经济结构、发展阶段以及历史、传统、文化等方面情况不尽相同，新时期的乡村振兴需要各地制定符合自身历史发展机制、现实状况的实施方案（王亚华和苏毅清，2017）。如何保障乡村振兴阔步向前？梳理与总结先进村集体的发展经验，显得尤为重要。自改革开放以来，塔元庄村开展了两轮土地承包，是塔元庄村集体产业发展的起点；其对农业的高标准改造，满足了当地市场发展的同时也拉来了投资；村内及沿滹沱河环境的整治带动了第三产业的发展，至 2018 年，村民人均收入达 2.1 万元，已经提前实现了奔小康的目标，塔元庄村从 20 世纪 80 年代的河边传统村落成功转型为三大产业为支柱的现代乡村，呈现产业多元发展、劳动力回流等特点。当然，塔元庄村的发展得益于其区位优势与有力的政治支持，将其作为乡村振兴的范例推广有所局限，但不可否认，塔元庄村的产业发展及乡村治理成功地调动了当地百姓的内生性力量，为乡村振兴提供了现实可行的方案。因此，本小节主要站在塔元庄村的发展规划、科技引进、村内治理上解读其经验。

1. 塔元庄村发展经验总结

（1）发展规划的制定贴合时代现状

塔元庄村的产业建设强调产学研一体化、满足市场。首先，在农业产业的规划上，以优越的地理位置为支撑，发展半城郊农业，并引进了一系列新农具、新技术，提高产量，多种经营；其次，针对当地老年化的人口结构，依托正定县西棠医院资源，搭建医养结合的养老示范基地，服务本村老人的同时辐射周边；再次，面向美丽新农村建设，整治村内生态环境，完成排污管网铺设、推广垃圾分类清理、实现集体供暖和恒压供水，将物业工作外包，规范了塔元庄村的环境建设，成为国家环境卫生示范村、河北省文明生态先进村、农村新民居建设示范村；最后，在产业的未来规划上，坚持经济与民生共举、搭建"养老+农业"一体化的产业链，既让村民享受高科技农业种植的福利又可搭高度发达的第三产业的便车。

（2）城乡融合的产业引进科技优势

塔元庄村农业产品的选择始终围绕着城乡一体化的需求展开，在引入现代农业企业后，整村的农业生产率、回报率有了大幅提升。塔元庄村的生态农业前有"农业做成产业化"的纲领性指示，后紧跟以村干部为核心改革农业生产结构的工作。村民将土地流转给村集体，得到远高于分散经营的收益且解决了就业问题；村集体配合龙头企业进行管理、动员工作，下乡企业利用自己的资源与渠道开阔市场，三者之间利益一致，共同建设了以集种植、观光、深加工为一体的产业链。

（3）坚实的基层党建保障民生工作

塔元庄村的村两委班子团结有力，2000年至今，历经多次换届，仍无一人落选，保证了塔元庄村各项工作的延续性。首先，自2002年修建向阳路，村内公路的修建去除了塔元庄村的发展屏障，而2008年制定的"拆平房、建楼房"的发展方案，则被当地人视为该村集体经济发展的一个重要里程碑，使村民享受到了集体经济的民生红利；其次，塔元庄村的农业与旅游项目吸纳本地村民的资本，股份制经营，且优先照顾本地劳动力就业，形成了非架空于当地社会的经济结构；再次，优质龙头企业的引入也调动起当地的经济活力，塔元庄村民乐意在本地创业就业，周边村民也争相涌入塔元庄村市场；最后，村民文化广场、村民综合服务中心、卫生所、图书室等基层服务站点、村民自治大会，保障与维护了村民与外来人口的和谐持续互动。村里修路、建楼、改厕、引进资本、发放养老保险和村民福利、开展协商民主会议等一系列工作，村两委干部带头牵线，是塔元庄村呼应城郊市场，整合本地资源，联动内外的组织基础。

塔元庄村的乡村振兴借力科技，推进了当地的农业成果转化，当地政府作为引导，牵线了国内优质企业，以红色旅游产业与生态种植园为依托，用互联网信息技术，打造多条产业为纽带的互利共享模式，调动了社会力量的广泛参与，形成了适应本地社会，可持续、可推广的综合体服务体系，为实现乡村振兴与解决"三农"问题提供了宝贵经验。

2. 塔元庄村发展的困难

（1）"政经不分"困境

有学者研究指出，在乡村振兴的进程中涌现出创新经验的同时，也产生了一些结构性问题，如乡村治理中的"政经不分"，特指村委会与集体经济组织之间的功能错乱导致乡村治理的无效（韩瑞波，2020），或因两者关系纠缠不清引发贪污腐败问题。在调研中，我们发现塔元庄村的基层党组织对集体产业全面覆盖，这虽能实现土地资源、集体资产的保值，但项目缺少独立的监管组织，易导致村集体权力过于庞大，在集体理性、经济理性的驱动下忽视村民的个体性需求。

（2）金融困境

在实现乡村振兴进程中，势必产生巨大的金融需求。塔元庄村的水上嘉年华项目、木屋民宿小镇、研学基地等项目于2018年夏季陆续开展，投资累积过亿。项目投资来源单一，一方面增加当地政府的财政负担，另一方面加剧村集体的经营风险。这些问题需要塔元庄村、正定县政府完善扶持乡村产业的金融机制，探索创新融资模式，推进保险体系的建立。

（3）农民市民化转型困境

在塔元庄村半城郊经济的定位中，村庄建设沿着城乡一体化思路开展，农民也从传统的农耕个体向更加分散的市民过渡。村民分得了产业发展的红利，也扩宽了就业渠道，但村民的社会保障体系改革却滞后于村庄的城镇化发展。村民的日常开销向市民靠拢，但养老、医疗、教育等公共服务的供给仍落后于城市。在调研期间，村民也表示了对子女教育问题的担忧，因为当地没有优质的基础教育资源，一些人会选择到县城再置办一套房产，保障子女进入理想的学校学习。

3. 塔元庄村发展政策建议

（1）依托信息技术，打造智慧乡村

随着智慧城市建设的推进以及互联网在农村地区的推广，农村逐渐成为信息技术应用发展的下一个"主要阵地"。其中，物联网作为信息技术的重要载体，如何进一步发挥物联网作用，对于建设智慧乡村显得尤其重要。

塔元庄村在物联网支撑农村发展方面具有优势，村内已有的"慧聪网"为村农产品"走出去"提供了线上渠道，微商、电商在物联网平台的支持下不断为塔元庄村注入新的活力。塔元庄村农业产业园内的智慧监测网络，为农业生产附加了另一个"全天候大脑"。在此基础上，塔元庄村应继续以科技要素为支撑，使信息技术的应用渗入到农村生产生活各方面，如交通安全网络建设等方面，在现有村交通安全监控的基础上，扩大覆盖领域和范围，增加智慧预警系统，通过物联网为村民提供安全保障。另外还可利用物联网构建果蔬"溯源"智慧系统，建立果蔬信息平台，通过互联网查询果蔬种植地、培育过程、技术人员等情况。让智慧产业、智慧生活与智慧治理在塔元庄村落地，将信息技术与塔元庄村的生产生活各方面相结合，再利用正定县的优势地理区位，将"智慧乡村"与"智慧城市"相融合，推动实现城乡一体化，推动乡村振兴的实践道路进程。

（2）强化组织建设，保障项目实施

"村子富不富，关键在支部；村子强不强，要看领头羊。"2000年当选的村委领导班子以"强村富民"为目标，团结村民，完善村内设施，使塔元庄村驶入了高速发展的快车道。塔元庄村的领导班子一干就是20年，从最初领导村民修建公路，依托开发商进行旧村改造，到组织村民入股合作社，修建商业街，塔元庄村委坚持在实践中积累经验，调解干群矛盾，倾听村民诉求，深化组织建设。不仅保障了项目的最终落成，还增进了村民对村委会的信任，使村民紧密团结在村委的周围，增强村庄凝聚力。

农村基层党组织是党在农村全部工作和战斗力的基础。为激发党员的内在动力，塔元庄村党支部在全村实行党员积分管理制，让全村党员户挂牌示范。塔元庄村全面落实村党组织书记县级党委备案管理制度，村党委每周将对工作进行总结，开展党内批评与自我批评，同时村党委积极吸引大学生党员干部驻村工作，不断输入优秀人才，为基层党支部增添青春活力。发挥党组织在农村各种组织中的领导作用，组织群众发展乡村产业，增强集体经济实力，同时村党委招商引资完善乡村服务业。严格村党组织书记监督管理，组织开展党委外出学习活动，发展村内青年党员，保障组织可持续运作。

八、中国陕西省泾阳县龙源村

农业科技对于推动现代农业发展，对实现乡村振兴具有决定性作用，也为破解乡村振兴进程中遇到的难题指明了方向。但目前，我国农业农村发展总体上还处于要素驱动阶段，实施以科技创新为核心的创新驱动发展尚存在诸多问题。十九大报告中实施乡村振兴战略的提出，为我国农业农村的现代化立起了风向标，而科技的使用是其中不可缺少的一环。本小节基于在陕西省泾阳县龙源村的实地走访调研，了解农业科技在当地的使用现状，探求乡村振兴战略如何支撑农业科技发展问题，总结成功经验，提出政策建议。

（一）概述

实施乡村振兴战略，是党中央对"三农"工作作出的新部署、提出的新要求，是新时代"三农"工作的总抓手，关乎全面建成小康社会，也关乎全面建设社会主义现代化国家，任务艰巨，使命光荣。国内外实践证明，科技是实现乡村振兴的钥匙，创新是引领和驱动乡村绿色可持续发展的动力。乡村在工业化进程中逐渐衰落，其根本是人才、科技等为支撑的内生发展动力的逐步丧失。乡村振兴的关键在于立足省情农情，顺势而为，通过科技推广、成果转化向乡村"输血"（卢晓，2019），促进创新，实现乡村资源的充分开发与产业特色优势发展，恢复创新发展的内生动力，实现"创新→造血→再创新→高质量发展"的良性循环发展。

实施乡村振兴战略，是党的十九大作出的重大决策，是新时代做好"三农"工作的总抓手。乡村振兴战略的总目标是实现农业农村现代化，归根结底要靠农业科技的支撑和引领。中央一号文件提出，加快突破农业关键核心技术。强化创新驱动发展，实施农业关键核心技术攻关行动，培育一批农业战略科技创新力量，推动生物种业、重型农机、智慧农业、绿色投入品等领域的自主创新。可见，我国大力推动农业科技创新与发展的信心和决心。农业振兴要插上科技的翅膀，以农业科技创新促进农业发展方式转变，引导农业向绿色、优质、特色和品牌化发展，形成优质高效、充满活力的现代农业产业体系。

当前我国正处于由传统农业向现代农业转型的关键时期，农业生产方式正发生着深刻的变化。在实现农业现代化的过程中，农业科技创新和发展起着举足轻重的作用。为此，通过对陕西省泾阳县龙源村的实地调研，探索符合我国实际的科技支撑乡村振兴的科学路径，提出完善体制机制与构建政策体系的意见建议。

（二）龙源村基本概况

龙源村（龙泉公社）位于陕西省泾阳县安吴镇，土地总面积 26 350 亩，现已建成生态林 8000 余亩，经济林 6000 余亩。近年来，该村依托生态资源、关中人文民俗文化、公社文化大力发展乡村旅游业，先后建成文化展示区、温泉养生区、生态家园区、休闲娱乐区、时令杂果采摘区、原生态养殖区、生态花卉展示区七大开发板块，成为当地村民就业创业、实现精准脱贫的一大亮点和陕西乡村旅游的一张名片，先后被评为或获得国家级 AAA 景区、全国休闲农业与乡村旅游示范点、国家水土保持项目园区、国家级小流域治理示范园、省级现代农业示范园区、省级西部旱腰带突出贡献奖等荣誉或奖项。该村于 2016 年获得"中国十大最美乡村"称号。

龙源村（附件图 2-31）距龙泉乡政府约 2.3km，由原来的埝口、淡村、观音堂、刘德堡 4 个村合并而成，共辖 9 个自然村，15 个村民小组，耕地面积 4443 亩，人口 3385 人。

附件图 2-31 龙源村自然风貌

近年来，龙源村大力调整农业产业结构，逐步形成了以奶山羊养殖、蔬菜种植为主导，以多种经营为补充的特色产业结构框架，促进了全村经济快速发展。该村群众一直有种植蔬菜的习惯，所以村庄主导产业之一为蔬菜种植，现有中棚 1000 多亩，露地种植蔬菜 1800 余亩。群众对发展大棚蔬菜积极性高，但群众收入低，用于建棚的资金匮乏，如今政府给予当地村民资金扶持及相关配套政策支持，广大村民热情高涨，特别是张家千亩高效蔬菜示范园的建成，更增加了该村群众种植大棚菜的信心。

重点调研地刘德堡村是龙源村最大的自然村（附件图 2-32），村里共有 795 户人家，每户人家都有属于自己的院子，基本上以汽车为代步工具。据村里文书介绍，目前刘德堡村家家户户都至少有一辆车，很多村民都已在咸阳市和西安市购买了商品房。家里做饭都是用煤气，冬天生铁炉子取暖，部分家庭条件更好的村民家里靠暖气供暖。村子依托龙泉公社旅游景区的发展，为村民提供了就业途径，村民通过承包景区里的商铺来实现增收。而且由于政府定期派专业技术人员为种植农户提供技术培训，指导农民如何防治病虫害，指导农户科学使用化肥，从而在很大程度上避免了滥用化肥对土地和蔬菜品质的负面影响，当地政府为种植农户提供了资金，建大棚的农户可以得到政府的无息贷款、技术帮扶等，节约了农户的生产成本，农户的生产积极性提高，蔬菜瓜果的品质自然也得以提升。这些使得这里成为陕西地区赫赫有名的蔬菜种植基地，泾阳茯茶、特色西兰花、松花菜等成为当地的名片。党的正确领导、村两委做出的正确决策、村民的无条件信任和支持都促成了今日的龙源村。

附件图 2-32　调研小组访谈场景

（三）当地农业发展中科技使用状况

我国北方地区冬季时间相对较长且寒冷，每年都有数月无法进行露地蔬菜种植，因此该类地区的蔬菜供应始终是一个棘手的问题。传统的北方人一直依靠大白菜或者其他腌制类酸菜和咸菜度日，随着社会经济以及居民生活有效改善，这种落后局面发生改变。20 世纪八九十年代，国家提出了"菜篮子工程"发展目标，相关部门开始着手设施蔬菜科技的研究，经过几十年发展，其中主要有两大成果值得庆贺：其一，在保障节能前提之下，有所选择地借鉴和吸收国外的连栋温室蔬菜生产技术，经过数年的努力，国外先进种植技术的精髓已经几乎全部领悟，但是节能层面还亟须进一步优化提升；其二，自主研制了新型高效节能的设施蔬菜技术体系与生产模式，尤其是以日光温室为主的种植模式，通过光热结合方式，显著地提升了设施蔬菜的整体产量（陈志超和王军，2017）。

就如今蔬菜产业的整体发展情况来看，其依旧存在两个主要问题亟待改善：一是产量与产业结构需要进一步提升与优化；二是设施蔬菜现阶段机械化程度普遍偏低，这种依靠人工种植经营的生产模式，其质量与效率自然是差强人意。

随着农业机械化步伐加快，现代农业发展水平稳步提升。2016 年，陕西农作物良种覆盖率稳定在 95%以上，农业生产用种全部实现更新换代。农产品加工业总产值超过5800 亿元，与农业总产值比达到 1.96∶1，主要农产品加工转化率超过 60%。主要农作物耕种收综合机械化水平超过 66.5%，农业生产方式已转入到农业机械化作业为主的新阶段。2016 年，全省农机总动力达到 2171.9 万 kW，五年间年均增长 1.3%；大中型拖拉机拥有量由 2011 年的 8.2 万台发展到 2016 年的 11.8 万台，年均递增 7.7%；联合收割机由 2011 年的 2.7 万台，发展到 2016 年的 4.3 万台，年均递增 9.8%；节水灌溉机械由2011 年的 1.7 万套发展到 2016 年的 4.5 万套，年均增长 21.7%。现代化的农业生产方式进一步推动了农业增效、农民增收和农村繁荣。

根据咸阳市第三次全国农业普查对全市土地利用、农业机械和设施公布的数据来看，有如下总结。

1）土地利用。2016 年末，咸阳市耕地面积 35.303 万 hm^2，林地面积 22.110 万 hm^2，草地（草场）面积 12.338 万 hm^2（耕地、林地、草地面积使用国土资源局数据）。

2）农业机械拥有量。2016 年末，咸阳市共有拖拉机 40 360 台，耕整机 3340 台，旋耕机 29 107 台，播种机 5711 台，联合收获机 2554 台，机动脱粒机 3610 台。

3）农田水利设施。2016 年末，咸阳市能够正常使用的机电井数量 1.62 万眼，排灌站数量 421 个，能够使用的灌溉用水塘和水库数量 117 个。2016 年末，咸阳市灌溉耕地面积 14.336 万 hm^2，其中有喷灌、滴灌、渗灌设施的耕地面积 1.047 万 hm^2；灌溉用水主要水源中，使用地下水的农户和农业生产单位占 61.5%，使用地表水的农户和农业生产单位占 38.5%。

4）设施农业。2016 年末，咸阳市温室占地面积 0.157 万 hm^2，大棚占地面积 0.371 万 hm^2，渔业养殖用房面积 3.49 万 m^2。

根据在当地的走访调查发现，泾阳县龙源村面临着诸如农民增收、农业转型、农村发展等普遍性的"三农"问题。该地区科技投入主要用于蔬菜供应链、泾阳茯砖茶以及当地的旅游业发展当中。

1. 当地蔬菜产业科技使用情况

近年来，咸阳市蔬菜产业取得了长足发展，"九五"期间，蔬菜产业异军突起，从长期的副业跃居为和"粮畜果"并列的四大产业之一，面积快速增加，产量大幅提升。特别是 2008 年市委、市政府在全市积极推行"高效温室"大棚以后，产量产值迅速增加，蔬菜对农民收入的贡献率进一步提高。2011 年，咸阳市蔬菜面积 124.5 万亩，产量 346.8 万 t，产值为 898 165 万元，分别较 2008 年增长了 10.16%、21.1% 和 33%，面积和产量分别占全省的 18.1% 和 24.3%，均居全省第一位；设施蔬菜面积和产量是 35.08 万亩、176.6 万 t，分别占全省的 25.4% 和 32%。目前，围绕蔬菜产业发展，已基本形成了五大基地，其中一处便是以泾阳、三原、兴平、武功、秦都、渭城为主的"V"形设施蔬菜基地，面积达到 40 万亩，占全市设施蔬菜总面积的 93%。然而，当地设施农业的产量效益水平仍处于较低水平，除受科技水平、投入能力等因素影响外，抗气象灾害能力较弱也是制约陕西省设施农业发展的主要因素，尤其是拱棚、中小棚比例较大，抵御气象灾害的能力非常差，面临一遇灾害必有严重经济损失的境遇（卞悦等，2002；冯致，2005）。

泾阳县作为陕西省最早的国家级蔬菜标准化示范县，陕西省的"蔬菜基地"、西北地区最大的蔬菜批发市场，紧抓陕西省百万亩设施蔬菜工程这一机遇，大力推广现代农业标准化示范模式。从 2008 年 2.4 万 hm^2 的蔬菜种植面积，到 2016 年全县蔬菜种植面积达到 2.9 万 hm^2，其中设施蔬菜 1.3 万 hm^2，蔬菜产量 210 万 t，实现产值 21 亿元。蔬菜收入占全县农民人均纯收入的 45% 以上，"一村一品"示范村蔬菜收入占农民人均纯收入的 80% 以上。

经过近些年的发展，泾阳县现有龙泉蔬菜批发市场等 10 多个蔬菜市场，总占地面积 30hm^2，年销量达 100 余万吨，共有冷库 19 座（储藏能力达 3100t），利用蔬菜储存设备，平衡蔬菜的供求是促进蔬菜销售的必要条件。泾阳县目前已在 7 个重点蔬菜生产镇初步形成了 4 条蔬菜产业长廊，即关中环线、泾云路、中扫路、红色旅游专线，同时也形成了 12 个特色蔬菜优势生产区，创立蔬菜品牌 26 个。政府也派科技专员定期下乡指导村民进行农业生产，解决农业生产问题。

该地区形成了以电商为平台的合作模式，并建立线上线下销售平台，更好地推广本地区的农产品。农产品电商平台作为一种新的直销渠道，有助于农户及时了解国内外农产品销售情况，改变供需双方信息不对称情况，解决农产品滞销问题。然而农户对于农村电子商务的了解程度偏低。各个年龄段中对农村电子商务平台了解的仅占 35%，年龄在 21～30 岁和 31～40 岁且学历在大专、本科以上的农户对农业电子商务平台了解程度最深，20 岁以下和 40 岁以上年龄段对农业电子商务平台了解甚少。对于电商平台信息，仍需要提高普及和认识程度。小部分农户虽然开始选择电子商务平台作为农产品销售新渠道。但是很多农户认为在利用电商平台销售的过程中，存在农村物流配送体系不健全、物流费用高、退换货不易的问题。

2. 当地茯茶发展中科技使用状况

泾阳县历史上并不种茶，但由于特殊的地理位置，成为茯茶的生产地，这本身就具有传奇色彩，是难得的历史文化资源，具有独特的文化底蕴优势。当地政府和茶商能够及时挖掘茯茶文化资源，恢复茯茶工艺，使泾阳茯茶文化和产业在消失了半个世纪后成功复苏发展，成为泾阳县经济发展的重要产业。如今泾阳茯茶已成为当地显赫的名片。近年来，该县紧紧围绕"传承历史文化、复兴茯茶产业"这一战略思路，建立完善茯茶生产标准体系，强化项目资金和科研投入力度，不断提升泾阳茯茶产品品质和市场竞争力，泾阳茯茶生产企业从 2012 年的 7 家发展到现在的 50 余家，产业发展呈逐年上升趋势。2018 年全县茯茶产量达 3010t，实现产值 3.6 亿元。2018 年 1 月 11 日，西北农林科技大学泾阳茯茶研发中心在该县落地。

同时，依托研发中心，泾阳茯茶产业科技示范园项目也在积极推进中，借助科技的力量推动该地茯砖茶的生产。泾阳县茯茶产业的发展应与文化旅游紧密结合，以文化旅游的发展带动产业的壮大。目前泾阳茯茶镇包括 4 个功能区域，茯茶文化产业园、商业展示区、优美小镇及双赵村改造项目。其中茯茶文化产业园占地 33.3hm^2，包括茯茶文化展示、关中生活民俗文化展示和体验等。利用文化体验带动茯茶产业的发展，通过让消费者获得各种各样的文化体验增进对茶文化的了解，如观看茯茶工艺表演、参与茯茶加工、重走茯茶古道以及品味茯茶文化等。当地有名的龙泉公社就专门设立了茶叶采摘园，让游客真正切身体验茶文化，还设立了线上线下销售平台，方便游客进行购买。这样便使茯茶发展有了产业推动，有了科技作为支持，更具有发展后劲和发展动力。

目前当地发展茶产业主要存在以下几点不足。

1）企业规模偏小，机械化程度不高。泾阳县茯茶产业重新起步，大型企业不多，目前仍以手工式生产小企业为主，生产效率低、规模小，无法形成产业化。在茶叶制作过程中，温度和时间的掌握依旧主要依靠人工经验，缺乏现代化的生产设备，无法精确控温，产品质量无法保证。此外，很多企业在茶叶定型方面仍然采取手筑方式，茶叶压制的松紧程度没有标准，大小不一；多数企业的生产设备陈旧、落后，没有先进的企业管理制度和精良的茶叶生产流水线，整体产出效益低。

2）标准化意识不强，产品质量参差不齐。目前有关茯砖茶的现行产品标准有《紧压茶　第 3 部分：茯砖茶》（GB/T 9833.3—2013）、《地理标志产品　泾阳茯砖茶技术规范》（DB61/T 920—2014）（沈青，2010），虽然有一些企业根据产品情况制定了企业标准，但在实际生产中却没有严格执行，有的企业标注的是已经作废的生产标准，还有个别企业没有标注任何茶叶生产标准。这些市场乱象折射出目前茶叶企业的标准化生产意识不强的现状（张静和周跃斌，2013）。除了标准化生产意识堪忧之外，目前市面上已有茯茶的产品质量也令人担忧。企业之间拼配的比例、制作工艺都不尽相同，造成同样是泾阳茯茶，但产品口感却千差万别的现象。

3）企业人才基础薄弱。陕西茯茶产业的重新起步时间较晚，近几年来受政策和市场影响，各中小企业的生产热情不断高涨，但由于在产品营销、质量管理、标准制定和加工技术等方面与成熟的市场企业还存在一定差距，导致人才引进和人才培养与企业发展不相适应，整体企业研发基础薄弱，技术人员的专业水平亟待提高，人才引进工作还需要政策引导和企业共同努力。

在国际化合作日益加深的今天，国与国之间综合国力的竞争实际上就是科技水平的竞争，企业要实现长久发展必须依靠科技创新。泾阳茯茶企业必须整合资源，结合地方实际，制定适合企业的发展规划。要实现科技创新，人才储备必不可少。各茶叶生产企业要重视农业、科技、管理等相关专业高素质人才的引进工作，与各大高等院校加强科技合作和研发，促进科技成果转化，为企业提高市场竞争力奠定良好基础。具体措施主要包括以下几个方面。

1）投入资金研发新型设备。根据市场上现有的制茶设备开发出适合加工茯茶的现代化设备，使茯茶生产规范化、标准化和清洁化。

2）加强自主创新能力。要充分借鉴国内外茶业的发展经验和先进生产管理技术，将有益的部分融入陕西泾阳茯茶的生产加工过程中，在技术和装备上投入更多精力进行引进和管理，开发创新性的茯茶产品，为茯茶未来的可持续发展提供不竭动力。

3）转变企业管理模式。要与时俱进，使用现代化的信息管理系统对茶叶生产的每个环节进行质量监控，调整企业部门职责，减少内耗和职责重叠，提高企业运转效率。

4）提高茶叶产品科技研究投入。针对消费者日益注重健康和养生的消费需求，重点开发茯茶相关的保健功效，可以从原料入手研制有机茯茶（洪锦春等，2002），也可以将茯茶与其他有机农产品结合起来制成方便饮用的健康饮品（陈兵红，2007），不断提高产品的科技含量，提高产品竞争力。

3. 当地旅游业科技使用情况——以龙泉公社为例

随着人们收入水平的不断提高，选择出门旅游的人越来越多。而乡村旅游的迅速发展，成为人们出行的一个重要选择。乡村旅游现已经成为农民就业增收、脱贫致富的一个重要渠道。科技依托型乡村旅游是以农业科技研发作为旅游资源的一种或是技术依托，进行现代农业技术景点化展示，或是发挥科技推广优势，带动产业发展和生态建设，以促进乡村旅游发展。龙泉公社位于龙源村，著名的"陕西八大怪"就起源于这里。从文化上看，龙泉公社不仅有丰厚的陕西关中民俗文化积淀，还有一代又一代人传承下来的红色文化，因此该景点具有两种文化相结合的特征。

龙源村在龙泉公社设立农业科技示范园区，该园区以农业科学技术为支撑，进行农业科技教育基地建设。农业科技观光旅游兴起时间较早，一般是以当地政府或企业投资开发建设的大型农业综合项目为依托，管理模式上基本是统一的研发、生产和旅游观光。此类型是典型的科研和旅游相结合模式，开发中既要满足旅游者对农业科技了解的目的，又充分考虑旅游者休闲娱乐的要求，实现"农业科技旅游"为主线的特色农业旅游体系建设，来龙泉公社旅游的游客可以在农业科技示范园区了解农业种植方式，游客可以看到计算机如何自动控制大棚的温度、湿度，如何给蔬菜施肥，更直观地了解无土栽培的奥秘。

通过与龙泉公社负责人交流，得知龙泉公社有专门的微信公众号平台以及抖音账号用于推广宣传，借助新媒体的渠道达到宣传的目的，吸引游客。但是不难发现，当地发展旅游业同质化现象严重，龙泉公社的运作模式与陕西其他地方开发的乡村旅游极其相似。由于缺乏特色，长期下去游客会对景点产生厌倦，游客也难以对旅游产生深刻的印象，这不利于游客的重游以及龙泉公社口碑的建设，需要尽快转变发展模式以便得到更好的发展。

（四）农民群体对于农业科技和区域经济发展状况的看法

1. 对农业科技的使用

通过走访发现，随着时代发展、社会变迁以及观念的进步，多数农民都对在农业生产中使用科学技术持积极态度，但仍然存在一些落伍保守、不愿改变传统农业生产方式的想法，"有什么用什么"，一些传统的农业技术，如农药很多农户还是不可避免地在使用。现今农村的农业生产中虽然越来越多地使用科技，但总体上使用得还是不够充分和全面。一些大型农业机械也因为地块限制和种植规模而不受欢迎。并且我们了解到，虽然政府在尽可能大力度扶持农业，但当地近两年并没有技术人员下乡指导，宣传农业方面科技知识的举措。农民都乐见政府牵头来继续实施这些项目，希望尽快落实帮扶政策，也表达了积极参与的意愿，但前提是他们能够从中学习到真正对农业生产有作用的技术。这就需要相应的知识培训和技术指导能够考虑农民群体的普遍文化素质不高的特征（很多农民即使有较为先进的劳作工具但却不会使用），优化宣传的知识的难度。有村民强调当地农民主要是以种菜为生，但有些农民会为了保证蔬菜的产量而用一些禁用的农药，他希望有人能够给村民普及相关的基础知识，破除农民的旧思想、旧观念，引导农民种植无公害的绿色蔬菜，打造属于自己的品牌。此外，经济问题也是阻碍农民使用农业技术发展农业生产的重要原因。值得注意的是，我们看到电商在帮助农民解决生产后的销售问题上起到的作用很可观，农民对于电商拓宽的巨大市场也表示欢迎，并都乐于积极参与其中。

2. 对区域经济社会发展

访谈中，农民普遍对于传统农业生产受自然条件影响大而抱有无奈的感受，农业生产的前期投入非常大，受市场影响大，不确定性较高。现在从事农耕的多是中老年人，年轻人很少在农村就业，多前往县城和省城打工。大学生数量较少，且多前往省城工作，不返乡。基础设施方面大部分已较为完善，但道路建设方面还需要进一步的完善。有村民认为村中的官员都有一定的宗族观念，给"自己人"办事，政策确实比较好，但是官员并未把政策实惠真正落实到老百姓身上，国家给了钱但是没有物尽其用。有村民认为龙泉山庄对村庄经济无明显带动作用，但也存在通过在景区售卖蔬菜月入可观的村民，村庄和山庄发展经济联系不紧密。年轻一代婚配问题让人担忧，男女比例差距大，女方多要求在县城或省城发展。

（五）目前当地存在的困难及问题

1. 农村基础设施存在短板，公共服务相对落后

首先，龙源村位于咸阳比较偏远的地区，虽说村庄周围水泥道覆盖率相对较高，但是交通依旧十分不便。除利用自家交通工具出行外，只能依靠发车间隔时间很长的城乡公交。其次，村里水、电、暖等基础建设并不完善，如村庄内并没有符合自然村标准建设的供水设施。再次，水供应与龙源村蔬菜种植密切相关，龙源村村民收入基本来源是果蔬种植，然而，种植必然要求良好的灌溉条件，调查中村里尚未形成直接的灌溉水源供应系统，村民主要依靠引用外地水源维持种植灌溉需求，这种以小时计费的灌溉水成本极高。最后，与城区相比，龙源村医疗卫生和教育等公共服务水平较低。据观察，村内没有正规医疗诊所，更不用说医院。同时，访谈农户中子女基本都需要离家去县里上学，甚至是去离家更远的其他县城上学。

2. 农村人才流失严重，农村"空心化"

当前农村问题在"三农"中比较突出，农民大规模进城务工，农村"空心化"，留在农村的人员大部分为老人、妇女、儿童。当然，这种情况在龙源村一样存在，调研时访谈对象年龄基本都在60岁以上。而家中年轻人都外出务工。追根溯源，是当代年轻人观念的转变使得人才外流。据村里文书回答，在经济条件允许的情况下，大多数村民会选择放弃从事农事工作而选择进城务工，留在家中的老人不得不继续从事农事工作，只要身体条件允许他们就会一直耕种。同时，年轻劳动力的流失使得人才缺乏，进而影响基层干部的选拔。基层干部选拔受到影响势必会使基层治理变得涣散，从而导致村里小社会失序形成，村干部说话无人听，无钱办事、无人办事、无章理事。此外，青壮年长期在外使得村里缺乏活力，老人精神生活贫乏，儿童缺少父母关爱，内心易留下创伤，甚至为社会稳定留下隐患。

3. 农业生产技术和观念存在不足

龙源村村民以果蔬种植为主业，生产经营环节需要经过选种、培育、种植、灌溉、采摘、包装、销售等一系列流程。但调研中发现村庄尚未形成完善的生产销售机制。村庄土地流转秩序混乱使得耕种土地难以集中，一方面不容易形成规模化经营，另一方面生产经营环节难以统一化管理。土地碎片化、生产环节分散化成为农业生产技术落地过程中的障碍。如前所述，农村劳动结构变化，年轻劳动力缺失也给农业发展带来压力。

调研期间正值蔬菜收获时节，年迈农民由于体力受限及采摘时限性难以及时收割蔬菜，雇佣其他劳动力虽能保证蔬菜新鲜完整度，但昂贵的成本会减少农民收入，尤其是在销售市场不易拓展、销售价格低廉的情况下，入不敷出会成为当地的普遍状况。除生产方式和劳动力结构不匹配外，劳动者个体观念落后也成为农业发展道路上的绊脚石，年迈劳动者受教育程度普遍低下，加之与外界交流和信息交流频率少，对于新型农业生产技术接触使用存在诸多不便，保守维稳型种植方式成为首选，容易陷入小农户生产陷阱之中。

4. 存在困难和问题的原因

首先，自然地理特征成为限制当地发展的一大因素。陕北属黄土高原，丘陵广布、沟壑纵横，长城内外多沙漠和盐碱滩地，特殊地形使得龙源村交通条件不便，加之温带季风性气候降水稀少，水源不充足。自然地理区位上诸多短板使得龙源村基础设施规划建设遭受阻碍，公路的修建、水电暖等基础设施的完善都需要依靠政府完备规划来弥补，特别是水源问题亟待解决，不能使其成为限制当地果蔬种植农户发展的限制性因素。其次，城乡二元结构间张力同样也对龙源村造成一定冲击，最直观的表现就是农村对年轻人吸引力日渐式微，农村人才流失又说明城乡发展在诸多方面的不均衡难以满足当代年轻人需求，如便利的基础设施、完备的医疗教育服务、完善的社会保障等。此外，这种地区间发展不均衡，尤其是经济不均衡导致的基本公共服务间不均衡，造成的强烈反差易使农村居民思想观念发生转变，他们更倾向于选择城市而不是农村，前者更容易提供广阔平台助力其实现自身发展。因而，综合自然因素和人为因素来看，龙源村发展面临诸多挑战，如何依托农业科学技术助推农业现代化发展，如何改善规模经营，形成产业化生产，如何留住高素质人才都是值得深思的问题。

（六）龙源村未来发展的本土化建议

从调研中可以发现，龙源村独特的地理优势和人才优势是其发展的关键。以刘炜为首的龙源村村干部认识到，农村进一步发展的方向必然是走向城乡互动的协同发展，其中乡村旅游是龙源村发展的特色。同时可以看到，龙源村还具有其他发展优势，但也面临继续发展旅游产业的瓶颈和问题。习近平总书记曾说"中华文明根植于农耕文明。从中国特色的农事节气，到大道自然、天人合一的生态伦理；从各具特色的宅院村落，到巧夺天工的农业景观；从乡土气息的节庆活动，到丰富多彩的民间艺术；从耕读传家、父慈子孝的祖传家训，到邻里守望、诚信重礼的乡风民俗，等等，都是中华文化的鲜明标签，都承载着华夏文明生生不息的基因密码，彰显着中华民族的思想智慧和精神追求。"由此可见，不论乡村还是乡土社会，都无不承载着中华文明几千年所沉淀的传统，农耕不仅是一种生产方式，同时也成就了人们的生活方式。让生产性农业转变为生活性农业，为田间地头增添一抹中国绿，让乡村成为人民向往的美好家园、绿色家园、生态家园。

1. 科技促进乡村旅游走新路

要实现旅游创新发展，科技在促进旅游业发展中的积极作用不可忽视。首先，要加快提升互联网宽带速度，网络制约是目前客源留宿度低的关键因素。其次，要引进培养具有互联网专业背景的运营管理型人才。使电商运作在龙泉公司的带动下形成"公司+

农户"的发展模式，不仅能增加旅游项目引领自然农业旅游的新业态，促进乡村旅游业的发展，同时可以提升农户与互联网技术的运用。再次，在水土整治、园艺技术、蔬菜种植的育种和后期的加工等诸多方面应重视农业科技成果运用。科学规划土地、山地、林地，改善当地自然环境，提升生态发展水平，加强科学技术保障，以生态理念作为指导促进现代化生态乡村旅游发展。最后，完善管理和组织能力，发展特色旅游，特别是在生态发展理念指导下重视三次产业融合发展。重视文化保护，要培养对本地乡土文化民俗有研究的人才，借助新媒体平台进行推广，形成旅游、文创、娱乐、教育于一体的新型乡村发展方式。

2. 提高蔬菜种植传统优势

龙源村的蔬菜种植是村民的主要经济来源，主要种植品种包括西兰花、甘蓝、花菜、辣椒。目前蔬菜销往全国各地，主要销往西北和西南地区。通过深加工冷鲜蔬菜、蔬菜包、制作营养蔬菜果汁等可改变蔬菜存储方式，拓宽产能过剩时的销售渠道。首先，强化绿色生态发展理念，注重科学、环保种植技术的应用，减少农药化肥使用，提倡绿色有机生态肥料，打造绿色健康的蔬菜种植基地。其次，引导农业科技产品和科研工作者深入乡村，通过线上线下课堂向农民宣传蔬菜生鲜加工知识，推动蔬菜加工生产设施建设，为农户提供实际指导。再次，重视农业产业链延伸，在蔬菜的冷鲜和包装加工中吸取东部地区经验，注重蔬菜生冷鲜加工科技成果引进应用，实现现代化生产经营方式。最后，要重点考虑生鲜农产品冷链物流问题，目前我国生鲜电商供应链的脆弱性和高成本状况仍未发生根本改变，因而加强生鲜农产品标准化、品牌化建设（刘建新等，2016），改善供应链对于改进龙源村传统加工销售方式大有裨益。从而打造出放心菜、安全菜，有机菜、绿色菜、健康菜，提高蔬菜的竞争力和客户消费的黏度，特别是要在龙泉山庄的旅游业发展中帮助农户进行绿色有机健康蔬菜宣传，提高知名度和品牌效应。

3. 注重培育农民合作组织

促进产业融合发展，增强乡村产业聚合力，要注重培育多元融合主体，"鼓励发展农业产业化龙头企业带动、农民合作社和家庭农场跟进、小农户参与的农业产业化联合体"（国务院，2019）。以自愿互助为原则的农民合作组织能够形成整条产业链和服务链，将生产、加工、销售有效整合，改善农户在市场竞争中的弱势地位，减少农产品利润损失，保障农户利益（成德宁，2012）。对于农户而言，他们组建并经营合作组织的动力源泉是追求组织化潜在收益，农民合作组织成立的意义就是要帮助农民看到合作组织的优势，为农户提供更好的服务，努力创造条件提升组织收益（黄季焜等，2010）。对于龙源村来说，培育农民合作组织能够产生三个方面的合力效应。首先，农户个体相互抱团取暖，避免了个体分散化生产经营，农民合作组织能够帮助农民有效解决种植管理中的问题、推动生产销售科学技术使用，从而助推整个村庄农业生产规模化、规范化。其次，农民合作组织能够为农户提供兜底保障，龙源村地理环境优势并不突出，气候等自然灾害及运输销售都易使蔬菜种植遭受损失，农民合作组织前期可以有效探测市场行情，后期为农民提供福利补贴，使农民损失最小化，收益最大化。最后，农民合作组织能够促进龙源村农产品与旅游服务相结合,将蔬菜、茯茶、龙泉公社作为统一品牌进行宣传,形成线上带货、线下品尝销售为一体的模式。不过,农业合作组织成立运营需要历经艰辛过程,农民认知水平、获得合作收益及其满意程度、对管理层信任程度(孙亚范和余海鹏,2012)是架在基层政府组织与农民之间的鸿沟,要跨越鸿沟就需要做足动员工作,设计合理的收益分配制度、人事制度、运营制度。

4. 助推龙源乡贤返乡创业

要推动龙源村经济可持续发展,就要以农业为抓手提供充足人才保障,充分引导农民工、大学生、退役军人、科技人员返乡创业,进而来弥补当前龙源村劳动力不足、劳动力老龄化所带来的缺陷。调研中发现村干部刘炜是农村创业典范,他善于研究政策形势、把握当前政策动态,善于利用村庄资源进行改造利用,这种敢于大胆创新、敢想敢干的创业作风值得推广开来。农民企业家个人特质,如受教育程度、创业心理和创业技能、社会资本等都是创业成功的重要因素,同时外在自然环境、传统文化和政策支持等因素同样对农民创业具有重要影响(罗明忠和邹佳瑜,2011)。所以,当地政府需要进一步完善政策措施,优化乡村产业发展环境,健全财政投入机制,创新乡村金融服务,有序引导工商资本下乡;完善用地保障制度;健全人才保障机制(国务院,2019)。良好制度环境能够影响农民创业机会识别、资源获取,形成价值观导向,引起农民创业组织形态变化,影响创业数量、创业类型(孙红霞和刘冠男,2016)。用良好的政策环境、制度环境、经营环境吸引乡贤回乡创业,同时要注重农业科学技术的创新引领,培育乡村产业创新主体,推动安全化、标准化、绿色化、科学化农业生产销售,创新农村经济形态,为乡村振兴持续发力。

5. 创新农业科技服务方式

农业科技贯穿于农业生产整个流程,小到农药化肥使用,大到农机改良,以及存储、运输、流通等都要依托科学有效技术促使农业生产有序推进。这不仅需要科研工作者不断推陈出新,研制农业科技服务新产品、新技术,更要加强宣传引导来使农民接受应用,农民肯接受并落实应用到实处对农业产生良好效果,农业科技服务使命才算完成。调研中农民对农业科技持有积极态度,但当真正参加农业科技服务培训时,有农民会依据礼品情况来选择是否参加,问及原因,他们回答并不喜欢讲座式培训课堂。因而,若要达到农业科技服务目标,实现农业科技服务效果,就需要创新农业科技服务方式。首先,完善农业科技推广组织体系,坚持公益性和营利性并举,推动科研单位、院校、地方政府扩大创新农业科技服务形式,通过科技共建、项目带动推动公益性社会服务和政府购买型社会服务等多种形式科技服务模式建设(钟智利和贾可,2021)。其次,精准定位农业科技服务人群,找到并发现务实肯干型农民,重点培育干实业、办实事的农民,发挥科技服务最佳效应;同时对于需要普及的农业科技服务则要依靠服务工作者耐心讲解、循序渐进地推进科技服务落实。最后,实现农民科技服务需求与农业科技服务内容形式有效融合,找准农民需求定位,使服务内容、服务产品效用最大化,如以实地指导实际应用代替理论讲解,以问题解答代替盲目宣讲等。进而使科研产品、科研技术转化为科研成果,惠及每位劳动人民。

（七）乡村振兴带头人的思考及讨论

此次调研中发现一位对龙源村发展起到重要作用的人物——村干部刘炜。他是土生土长的龙源村村民，原为龙泉中学教师，1998 年，刘炜离开学校，先后担任龙源村党支部书记、龙源村龙泉公社联合党委书记，带领乡亲们经过 20 年艰苦奋斗，取得了辉煌的成就。龙源村龙泉公社被水利部命名为国家级水土保持示范园区，全国休闲农业与乡村旅游示范点、国家 AAA 级景区、中国十大最美乡村等。刘炜个人也多次受到上级表彰，先后被评为"国家绿化先进个人""省级致富带头人""优秀共产党员""咸阳好人"。

刘炜也得到当地村民的普遍认可，村民普遍认为他是踏实肯干、敢于创新、富有远见卓识的人才。而他在任时也是牢牢让农民把握住农村发展方向，走出一条城乡互动、融合发展之路，开辟出龙源村旅游发展特色。于是，这不禁让笔者思考近年来"新乡贤"所扮演的角色对乡村发展所带来的效用。

中国古代乡贤被认为是德才兼备、德高望重、声名显赫之人。在"皇权不下县"时代，他们更多地被定义为基层秩序管理者、维护者的角色。如今，"新乡贤"概念在 2015 年中央一号文件中正式提出，直到 2016 年十三五规划纲要及 2018 年中央一号文件都多次强调，第十三届中国农村发展论坛上，与会学者也对其进行诠释演绎，那么何为"新乡贤"？其又在乡村社会发挥怎样的作用？如何发挥新乡贤优势推动乡村振兴？都是值得思考的问题。

对新乡贤的追溯大都回归我国古代乡绅，他们一般由当地有名望、有学识、有家底的宗族家庭成员或地主组成。传统社会中，乡绅想要维护自身利益和地位，就要参与到公共事务当中，得到社会群众的认可与支持，形成自身权威基础，因而，资产、知识、道德成为其必备要素。新乡贤由此演绎转变而来，高尚的道德品质、丰富的知识储备、丰厚的经济基础以及热心参与公共事务意愿都成为乡贤入选标准，还有一个必不可少的要素就是"在乡性"，为百姓服务、为乡村发展助力才能体现出新乡贤在乡村建设中的作用（胡鹏辉和高继波，2017）。

新乡贤选择，道德标准成为首要因素，其对乡村文化建设的作用也就很重要。推动乡村文化建设，培育文明乡风、优良家风、新乡贤文化（十三五规划纲要，2016 年），对于改善邻里关系，形成示范带动作用必不可少。新乡贤具有由当地特定文化观念体系塑造与建构的特质（李晓斐，2016），其自身所带有的资源禀赋优势、桥梁纽带作用、行为示范效应能够满足农民文化需求、丰富农民文化生活（刘玉堂和李少多，2019）。同时，新乡贤能够通过道义整合利益发展出适合乡村的价值规范体系，为村民提供行动准则，提升村民凝聚力，促进村民自治（胡鹏辉和高继波，2017）。

新乡贤自身所形成的这种非正式权威对于基层治理有着不可估量的作用。当代乡村治理面临着农村社会治理弱化与内生性权威缺失、乡村人才流失、传统文化迷失的困局（李宁，2017），社会治理力量、人才、精神信仰都面临着挑战。积极发挥新乡贤作用，深化村民自治实践，可缓解乡村管理模式显现的基层政权"悬浮化"、乡村管理"单一化"、自治组织"行政化"、村两委"不在场"与农民态度"冷漠化"现象（张新文和张国磊，2018）。但要始终明白新乡贤在其中发挥助推作用而不是主导作用，要始终将党委置于基层治理核心地位，积极发挥村委会力量，以新乡贤助推村民自治，以乡村治理变革推动乡村振兴。

以龙源村刘炜为代表的新乡贤对村庄另一大贡献就是带动当地经济发展。刘炜曾为教师，拥有丰富的学识与专业知识，其眼界和思路优于常人，对信息汲取、对政策把握成为他作为村党支部书记的优势。而且在其自身致富的过程中积累丰富的经验与知识，培养出独到的经济眼光与较强的资源整合能力。新乡贤综合素质及对社会资源把握不仅使其自身增值，也给当地农村带来附加值，村庄经济发展有赖于领头人的积极引领与示范带动。

然而，农业生产困境同样也对新乡贤的产生造成阻力，传统文化衰落、农村人才流失使得乡村振兴背景下人才建设面临困局。新乡贤的产生有赖于内外激发，要充分发扬传统文化、唤醒传统精神对当代社会文化建设的积极作用，使个人价值与社会价值做到有机统一；要充分发挥政府引导作用，优化新乡贤人才政策扶持机制，构建新乡贤人才孵化机制，创新新乡贤人才使用机制，型塑新乡贤人才涵育机制（钱再见和汪家焰，2019）；要积极构建新乡贤组织形态，通过理事会等形式使其找到归属感，以情感荣誉引导新乡贤成长，并对外形成示范效应。

改革开放催生出一批胆子大、敢于创业的农民典型，从安徽凤阳小岗村的十八位村民，到乡镇企业建设时期的经济能人，再到如今的新乡贤，他们牢牢把握住时代发展趋势，发挥自身特长为"三农"发展贡献力量。作为新时代农民的典范，新乡贤凝聚了时代特色，以发扬社会主义核心价值观为己任，引领乡风文明建设；以团结村民为纽带，助推乡村治理；发挥整合社会资源优势，推动乡村经济建设。通过德治带动自治促进法治，形成乡村文明新风尚，助推乡村治理新格局，实现乡村振兴新局面。

主要参考文献

安吉县人民政府. 2019a. 2019 年安吉县政府工作报告. https://zj.zhaoshang.net/2019-09-14/768518.html [2019-10-20].

安吉县人民政府. 2019b. 县情简介. http://www.kguowai.com/html/754.html [2020-10-20].

安吉县人民政府. 2019c. 经济和社会发展统计信息. http://www.anji.gov.cn/zwgk/zfxxgkgzndbg/index.html [2019-3-20].

卞悦, 羌勋良, 潘国良, 等. 2002. 冬季设施农业效益调查与分析. 上海农业科技, (1): 23-24.

曹中屏, 张琏瑰, 等. 2005. 当代韩国史(1945-2000). 天津: 南开大学出版社: 324.

陈兵红. 2007. 丽水有机茶现状及产业化发展的思考. 安徽农业科学, 35(1): 133-134, 139.

陈锡文. 2018. 从农村改革四十年看乡村振兴战略的提出. 农村工作通讯, (9): 19-23.

陈志超, 王军. 2017. 五莲县柿树栽培的气象条件分析. 现代农业科技, (18): 16, 20.

成德宁. 2012. 我国农业产业链整合模式的比较与选择. 经济学家, (8): 52-57.

党国英. 2019. 关于乡村振兴的若干重大导向性问题. 社会科学战线, (2): 172-180.

冯致. 2005. 节能日光温室蔬菜高产高效种植新模式. 甘肃农业, (9): 152.

傅士芹. 2017. 基于物联网等信息技术下旅游系统创新研究. 湖北经济学院学报(人文社会科学版), 14(9): 24-26.

改革开放 40 年编写组. 2018. 改革开放 40 年. 北京: 中国统计出版社.

国际货币基金组织. 2016. 全球人口结的剧变. https://www.imf.org/external/chinese/pubs/ft/fandd/2016/03/pdf/bloom.pdf [2021-5-30].

国务院. 2019. 国务院关于促进乡村产业振兴的指导意见. http://www.gov.cn/zhengce/zhengceku/2019-06/28/content_5404170.htm [2019-6-17].

韩瑞波. 2020. 集体理性、政经分离与乡村治理有效: 基于苏南 YL 村的经验研究. 求实, (2): 76-89.

何阳, 汤志伟. 2019. 新中国 70 年农村基层干部选任变迁及启示: 兼论乡村振兴人才战略. 理论视野, (11): 23-29.

贺雪峰. 2017. 谁的乡村建设: 乡村振兴战略的实施前提. 探索与争鸣, (12): 71-76.

洪锦春, 叶红, 胡秋辉. 2002. 有机茶叶生产技术规程. 食品科学, 23(8): 342-346.

胡鹏辉, 高继波. 2017. 新乡贤: 内涵、作用与偏误规避. 南京农业大学学报(社会科学版), 17(1): 20-29.

黄季焜, 邓衡山, 徐志刚. 2010. 中国农民专业合作经济组织的服务功能及其影响因素. 管理世界, (5): 75-81.

黄平, 通讯员, 徐燕飞, 等. 2018. 浙江安吉高家堂村: 认准"生态路", 山村变景区. http://www.ce.cn/xwzx/gnsz/gdxw/201812/02/t20181202_30920163.shtml [2018-12-2].

晖峻众三. 2011. 日本农业 150 年(1850—2000). 胡浩译. 北京: 中国农业大学出版社: 107.

焦必方, 孙彬彬. 2009. 日本现代农村建设研究. 上海: 复旦大学出版社: 34.

寇爽, 赵东明. 2019. 乡村振兴战略的农业科技创新支撑研究. 现代经济信息, (12): 409.

黎丽菊, 许忠裕, 邓国仙, 等. 2019. 农业科技创新支撑乡村振兴的思考与建议. 农村经济与科技, 30(14): 214, 216.

李国英. 2015. "互联网+"背景下我国现代农业产业链及商业模式解构. 农村经济, (9): 29-33.

李宁. 2017. 乡贤文化和精英治理在现代乡村社会权威和秩序重构中的作用. 学术界, (11): 74-81.

李仁熙, 张立. 2016. 韩国新村运动的成功要因及当下的新课题. 国家城市规划, 31(6): 8-14.

李晓斐. 2016. 当代乡贤:地方精英抑或民间权威. 华南农业大学学报(社会科学版), 15(4): 135-140.

联合国粮食及农业组织. 2016. 节约与增长付诸实践: 玉米、稻谷、小麦可持续谷物生产指南.

http://www.fao.org/3/a-i4009c.pdf [2018-6-30].

廖宝红, 崔新明, 陈江玉. 2006. 推动农业科技与市场成功对接的典范: 对河北省农林科学院与迁安市开展市院合作情况的调查. 农业科技管理, 25(1): 60-62.

林锦屏, 成蝶, 钟竺君. 2019. 国内外乡村生态旅游研究比较. 云南地理环境研究, 31(5): 1-12, 30.

刘合光. 2018. 乡村振兴战略的关键点、发展路径与风险规避. 新疆师范大学学报(哲学社会科学版), 39(3): 25-33.

刘建新, 王可山, 张春林. 2016. 生鲜农产品电子商务发展面临的主要问题及对策. 中国流通经济, 30(12): 57-64.

刘伟锋. 2017. 农村基层党组织建设存在的问题与对策分析. 前进, (7): 51-53.

刘向英. 2016. 河北省山区生态休闲旅游发展的科技支撑研究. 石家庄: 河北师范大学硕士研究生学位论文.

刘义强. 2017. 再识"新村运动": 跨越农村现代化关键阶段的韩国案例. 南京社会科学, (2): 83-90.

刘玉堂, 李少多. 2019. 论新乡贤在农村公共文化服务体系建设中的功能: 基于农村公共文化服务供需现状. 理论月刊, (4): 125-131.

刘振伟. 1993. 中华人民共和国农业法释义. 北京: 中国农业出版社.

刘祖云, 张诚. 2018. 重构乡村共同体: 乡村振兴的现实路径. 甘肃社会科学, (4): 42-48.

卢晓. 2019. 科技支撑乡村振兴政策研究. 南方农业, 13(29): 84-86.

卢玥. 2019. 乡村老年协会与互助养老研究. 智库时代, (8): 33-34.

罗明忠, 邹佳瑜. 2011. 影响农民创业因素的研究述评. 经济学动态, (8): 133-136.

吕迎春, 樊廷录, 汤莹. 2019. 农业科技支撑乡村振兴的思考. 农业科技管理, 38(2): 47-49.

牛峰, 张健, 白鹏, 等. 2019. 阜阳市农业科技创新与农业产业发展的现状、问题及对策. 安徽农学通报, 25(23): 12-15.

农业农村部政策改革司. 2019. 关于实施家庭农场培育计划的指导意见. http://www.moa.gov.cn/gk/zcfg/nybgz/201909/t20190909_6327521.htm [2019-9-9].

朴振焕. 2005. 韩国新村运动: 20 世纪 70 年代韩国农村现代化之路. 北京: 中国农业出版社: 37-39.

钱再见, 汪家焰. 2019. "人才下乡": 新乡贤助力乡村振兴的人才流入机制研究——基于江苏省 L 市 G 区的调研分析. 中国行政管理, (2): 92-97.

全国老龄工作委员会办公室总报告起草组. 2015. 国家应对人口老龄化战略研究总报告. 老龄科学研究, 3(3): 4-38.

任晓娜. 2012. 气候变化与中国粮食生产贸易政策. 北京: 中国农业科学技术出版社.

上海市统计局. 2016-2018. 上海市松江区统计年鉴. https://www.yearbookchina.com/navibooklist-n3020011508-1.html [2022-3-20].

沈青. 2010. 西湖龙井茶叶的品牌培育和价值提升. 江苏商论, (6): 133-135.

施标, 张晨, 吴爱忠. 2013. 韩国农业现代化发展的经验与启示. 上海农业学报, 29(6): 142-145.

石家庄市统计局. 2019. 石家庄市统计年鉴. http://tjj.sjz.gov.cn/col/1584345186126/2019/09/10/1577770888846.html [2020-12-20].

世界银行. 2016. 数据: 专题指标(健康、农业与农村发展、城市发展、外债等). https://data.worldbank.org.cn/indicator/?tab=featured [2022-3-30].

孙博. 2016. 老龄化时代应建立大养老金融思维. 清华金融评论, (2): 91-94.

孙红霞, 刘冠男. 2016. 制度环境与农村创业行为演变: 基于一个村庄的创业案例研究. 学习与探索, (9): 95-100.

孙亚范, 余海鹏. 2012. 立法后农民专业合作社的发展状况和运行机制分析: 基于江苏省的调研数据. 农业经济问题, (2): 89-96.

唐燕, 克劳斯·昆兹曼, 等. 2016. 文化、创意产业与城市更新. 北京: 清华大学出版社.

王光全. 2013. 中国家庭农场模式初探. 理论参考, (8): 42-45.

王琳, 林克剑. 2020. 农业科技支撑引领乡村振兴的发展路径研究. 农业科技管理, 39(2): 66-69.

王亚华, 苏毅清. 2017. 乡村振兴: 中国农村发展新战略. 中央社会主义学院学报, (6): 49-55.

王园妮, 曹海林. 2019. "河长制"推行中的公众参与: 何以可能与何以可为: 以湘潭市"河长助手"为例. 社会科学研究, (5): 129-136.

王兆峰. 2019. 科技创新驱动旅游产业发展能力的时空分异特征研究: 以湖南武陵山片区为例. 湖南师范大学社会科学学报, 48(1): 69-75.

魏瑜, 吴雪玲, 唐辉. 2019. 浙江安吉践行"两山"理论打造"竹文化+"生态旅游品牌实践分析. 世界竹藤通讯, 17(1): 47-50.

吴海燕. 2019. 乡村旅游可持续发展的困境及对策建议. 农业经济, (10): 46-47.

武玲娟. 2018. 新时代我国养老服务中的政府职责定位研究. 东岳论丛, (9): 134-141.

新华社. 2018. 中共中央国务院关于实施乡村振兴战略的意见. http://www.xinhuanet.com/politics/2018-02/04/c_1122366449. htm [2018-2-4].

熊孟清. 2009. 构建垃圾排放权交易体系推动垃圾处理跨域合作. 城市管理与科技, 11(6): 36-37.

徐祜华. 2017. 浅析我国家庭农场发展存在的问题. 科技经济导刊, (18): 136-137.

徐智慧. 2014. 家庭农场挽救农业场主夫妇人均收入已超公务员. 福建农业, (5): 24-29.

杨光辉. 2016. 我国乡村生态旅游发展中的政府行为研究. 中国农业资源与区划, 37(6): 213-217.

佚名. 2013. 发挥互助优势建立机农一体型家庭农场: 记泖港镇张小弟"机农一体"家庭农场. 上海农村经济, (10): 44-45.

张改平. 2019. 引领农业科技创新支撑乡村振兴战略. http://www.hast.net.cn/special?id=1889&yikikata=7c111a01-f2713e5c558191961da87a82d871000c [2020-10-2].

张静, 周跃斌. 2013. 湖南黑茶发展概况. 湖南农业科学, (4): 40-42.

张新文, 张国磊. 2018. 社会主要矛盾转化、乡村治理转型与乡村振兴. 西北农林科技大学学报(社会科学版), 18(3): 63-71.

张玉赋, 孙占, 李殿君. 2019. 以科技创新支撑乡村振兴. 群众, (14): 33-34.

张钰瑜. 2018. 供给侧视域下乡村生态旅游创新模式探析: 以广东佛山为例. 云南民族大学学报(哲学社会科学版), 35(2): 110-115.

赵廷彦, 潘亚男. 2020. 人口老龄化背景下我国养老金融发展问题与对策研究. 现代商业, (6): 87-88.

赵相弼, 李东华. 2007. 韩国农村发展模式新探索. 当代韩国, (2): 72-79.

赵晓峰, 许珍珍. 2019. 农民合作社发展与乡村振兴协同推进机制构建: 理论逻辑与实践路径. 云南行政学院学报, (5): 6-11.

浙江省安吉县委县政府. 2017. 浙江安吉: 让全域美丽乡村从"一时美"转化为"持久美". 城乡建设, (20): 14-15.

中国污水处理工程网. 2012. 人工湿地污水处理. http://www.dowater.com/jishu/2012-08-17/98459.html [2012-12-4].

钟智利, 贾可. 2021. 增强农业科技服务和创新能力对策研究. 农业经济, (5): 21-22.

周立, 李彦岩, 王彩虹, 等. 2018. 乡村振兴战略中的产业融合和六次产业发展. 新疆师范大学学报(哲学社会科学版), 39(3): 16-24.

朱俊杰, 祝文涛, 何南君. 2019. 乡村振兴视角下农业科技发展的战略路径与实施对策. 农业经济, (2): 80-82.

朱世桂, 王亚鹏. 2008. 立足国情, 特色发展: 韩国农业科技体制解析及启示. 江苏农业科学, (6): 6-9.

柳下正和. 2019. ふるさと納税と地域経営: 埼玉県坂戸市の事例分析. 城西大学大学院経営学研究科紀要, 14(1): 3

FAO. 2018. The future of food and agriculture: alternative pathways to 2050. Rome: FAO(Informally published data).

Lee B H. 2016. R & D policy for Agri-Food in Korea. http: //ap. fftc. agnet. org/ap_db. php?id=606 [2016-04-12].

Lewis M, Swinney D. 2008. Social economy and solidarity economy: transformative concepts for unprecedented times. In: Allard J, Davidson C, Matthaei J. Solidarity economy: building alternatives for people and planet. Chicago: Changemaker Publications.

Liu Y S, Li Y H. 2017. Revitalize the world's countryside. Nature, 548(7667): 275-277.

Mackill D J, Ismail A M, Pamplona A M, et al. 2010. Stress tolerant rice varieties for adaptation to a changing climate. Environment & Bioinformatics, 7(4): 250-259.

MAFRA [Ministry of Agriculture, Food and Rural Affairs (South Korea)]. 2015. Rural communities and development. https://www.krei.re.kr/DATA/portlet-repositories/agri/files/1500615805971.pdf [2016-3-18].

Population Reference Bureau of US. 2018. World population data 2018. http://www.worldpopdata.org/ [2020-10-9].